DU MÊME AUTEUR

Aux Éditions Gallimard

HEUREUX COMME DIEU EN FRANCE, 2002. Prix Terre de France — La Vie 2002 (« Folio », *n° 4019*).

LA MALÉDICTION D'EDGAR (« Folio », *n° 4417*).

Aux Éditions J.-CL. Lattès et Presses Pocket

LA CHAMBRE DES OFFICIERS, 1998.

CAMPAGNE ANGLAISE, 2000.

UNE EXÉCUTION ORDINAIRE

MARC DUGAIN

UNE EXÉCUTION
ORDINAIRE

roman

GALLIMARD

À Alla Shevelkina, journaliste et amie.
À Fabrice d'Ornano,
commandant de sous-marin et ami.
Ce livre leur doit l'essentiel.

Pour Roman, né avec ce livre.

« Nous avons pensé faire pour le mieux, mais, au final, il s'est avéré que nous avons fait comme d'habitude. »

VICTOR TCHERNOMYRDINE
(ancien Premier ministre russe)

« Mais quand l'univers l'écraserait, l'homme serait encore plus noble que ce qui le tue, parce qu'il sait qu'il meurt ; et l'avantage qu'a l'univers sur lui, l'univers n'en sait rien. »

BLAISE PASCAL

JE NE SUIS QUE STALINE

Ce matin-là de l'hiver 1952, comme presque chaque jour depuis la fin de la guerre, ma mère qui était urologue avait pris son service à l'hôpital de M. dans la lointaine banlieue moscovite. Elle faisait le tour des malades derrière le médecin chef et son aréopage d'assistants, lorsque, dans le couloir, un homme conduit vers elle par une surveillante a demandé à lui parler. Personne dans la petite troupe ne s'en est offusqué. Quand l'homme s'est approché, les autres se sont détournés. Il n'était pas rare à l'époque qu'on vienne arrêter quelqu'un sur son lieu de travail, même si la police secrète avait une préférence pour les enlèvements de nuit. Lui accorder un dernier regard, inspiré par la curiosité plus que par la compassion, était une façon dangereuse de se reconnaître un lien avec le prévenu.

L'homme venu appréhender ma mère était en tout point conforme à l'idée que l'on se fait d'un milicien. Il s'est présenté à voix basse pour n'être entendu que d'elle, puis il l'a priée de le suivre, sans politesse ni rudesse. Une limousine noire stationnait au pied de l'hôpital. Ma mère s'attendait à se voir encadrée par plusieurs hommes dans la voiture. Il n'en fut rien. Le chauffeur ne s'est même pas retourné quand elle est montée à l'arrière. Le milicien s'est installé à côté de lui et ils sont partis sans rien dire. Il faisait froid et gris, et le décor était aux couleurs du régime.

Profitant d'un léger redoux, la neige vieillie sur les trottoirs et les bas-côtés avait fondu la veille, mais elle durcissait de nouveau, encore plus sombre.

Ma mère ne pouvait se figurer qu'on l'enlevât pour un autre motif qu'une arrestation. Elle savait aussi qu'une arrestation ne nécessitait aucun motif. C'était là le principe même de la terreur. Cette éventualité, elle l'avait évoquée avec mon père à plusieurs reprises. Ils n'avaient aucune réserve sur le bien-fondé de la révolution, mais il leur arrivait parfois, dans leur intimité, de critiquer sans sévérité ses dérives. Si son arrestation n'était pas due au simple hasard, c'est peut-être dans ces conversations qu'il fallait en chercher la cause. Mais comment avaient-ils pu les entendre ? La police politique avait peut-être mis l'appartement sur écoutes depuis des mois sans qu'ils n'en sachent rien. D'ailleurs le gardien détenait un double des clés, et il pouvait avoir introduit des poseurs de micros dans le domicile. Mais pourquoi les espionner eux, en particulier ? « Pourquoi moi ? » Cette forme d'interrogation courante se trouvait progressivement remplacée par une autre, plus réaliste : « Pourquoi pas moi ? » À propos du gardien, d'ailleurs, il revenait à ma mère le souvenir de faits auxquels cette arrestation donnait un curieux éclairage.

Depuis plusieurs mois, mes parents avaient décidé d'avoir un enfant. Ils s'étaient attelés à la tâche chaque soir avec conscience et régularité. Le plaisir qu'ils y prenaient leur faisait presque oublier ce qui en était la cause. Il leur arrivait même de passer tout l'après-midi de leurs dimanches dans la chambre, quand la pénombre enveloppait Moscou, après que mon père avait rangé les cahiers où il couchait des centaines d'équations de physique, son unique passion en dehors de ma mère. Celle-ci aimait profondément mon père, aucun doute n'est permis là-dessus, mais, la connaissant, ses sentiments ne l'enchaînaient certainement pas. Ma mère avait l'espièglerie des jeunes femmes moscovites de cette époque, et je l'imagine bien déambuler nue dans l'appartement tout en rappelant à mon père qu'il en est des femmes comme des biens : la propriété privée est abolie. Un lundi matin tout aussi ordinaire que les autres, le concierge était sorti précipitamment de sa loge pour se planter en bas des escaliers alors que ma mère en descendait les dernières marches. Comme elle était occupée à fermer son manteau en fausse fourrure tout en veillant à ne pas tomber, elle avait failli le heurter. Peu affable d'habitude, il affichait en plus ce jour-là la mine contrite de quelqu'un qui a ressassé ses reproches.

— Pardon de vous retarder, camarade, mais je me dois de vous entretenir, même rapidement, d'une plainte qui me vient de voisins dont je tairai le nom afin de ne pas perturber la tranquillité de votre palier.

Il cessa de la regarder droit dans les yeux pour fixer la balustre luisante de la rampe d'escalier.

— Ils m'ont rapporté que vous troubliez — quand je dis « vous », c'est vous personnellement, et non votre mari, sinon je me serais permis de l'intercepter lui aussi lors de son passage il y a un quart d'heure — leur quiétude par des cris qui selon eux seraient des cris de jouissance. Il ne m'appartient pas d'en juger, mais il ne s'agit pas là de manifestations isolées. Toujours selon eux, ils subissent cette nuisance depuis près d'un an maintenant, entre une et deux fois par soir, et même parfois en pleine nuit ou le matin et jusqu'à trois fois le dimanche. Avant que je ne poursuive, reconnaissez-vous les faits ?

Ma mère s'appuya sur la rampe, bascula son poids d'une jambe sur l'autre, puis fronça le nez.

— Je crois que c'est exact, camarade concierge.

Cette réponse détendit le préposé qui prit une mine docte pour continuer :

— Dans ce cas, puisque nous sommes d'accord, permettez-moi de vous faire remarquer que tout cela n'est pas très bon pour votre réputation. Voyez-vous, ce n'est pas tant que vous dérangiez le couple Olianov qui pose problème, car je sais que, maintenant que vous êtes avertie, la nuisance va cesser. Non, je me demande comment on peut prendre un tel plaisir et l'infliger aux autres. Que cela se reproduise une fois, et je céderai à la demande des Olianov de signaler ces troubles du voisinage, quels que soient les risques liés à leur interprétation.

Ma mère hocha la tête avec de petites secousses d'approbation :

— J'ai bien reçu votre message, camarade concierge, et je suivrai vos recommandations. Toutefois, comme l'affirment les Olianov, si ces nuisances durent depuis un an, il serait utile de vous demander pourquoi ils ne s'en sont pas plaints plus tôt.

Le regard du concierge s'obscurcit et ses narines se dilatèrent. Il émit un son bizarre, puis il tourna les talons. Ma mère n'avait pas atteint la porte de l'immeuble qu'elle regrettait déjà son arrogance. Le souvenir de cet incident s'était estompé en quelques jours, mais il lui revint avec une acuité particulière lors de son arrestation.

Depuis plusieurs mois, une crainte légitime l'avait incitée à porter, cachée dans ses vêtements, une capsule de cyanure pour se soustraire à tout interrogatoire ou torture, si par hasard on venait à l'arrêter. Elle ne voulait pas souffrir. Ce n'était pas sa nature, pas plus que de passer de longues années dans les grands froids de l'Est, sans savoir le temps qu'il lui resterait avant que l'être humain ne cède à l'animal, puis l'animal à la mort. Mes parents n'avaient pas d'enfant à l'époque et ils étaient convenus simplement que l'un ne devait pas être pour l'autre une raison de vivre à n'importe quel prix. Au fond, ils s'accordaient sur l'idée que rien sur cette terre ne leur était assez cher pour justifier d'endurer la torture. Mais mon père n'avait pas poussé la précaution jusqu'à se doter d'un poison mortel. Il ne se croyait menacé que quand il faisait l'important. Important, il l'était au regard des hommes et des femmes qui étaient sous ses ordres dans son administration scientifique, mais son poids diminuait nettement si l'on considérait le nombre de personnes qui étaient au-dessus de lui. De plus il n'était pas membre du parti. Il s'était bien renseigné, on s'en prenait plus volontiers aux adhérents là-haut qu'aux travailleurs ordinaires de son espèce. On lui demandait de faire son travail correctement et, comme il n'avait pas la moindre ambition, il ne gênait personne. Il ne s'inquiétait pas davantage pour ma mère car, en dépit des circonstances, son optimisme lui dictait de ne pas s'en faire.

Dans la voiture, ma mère avait délicatement déplacé la capsule de cyanure qu'elle cachait dans la doublure de son manteau pour la rapprocher le plus près possible de son intimité, gageant qu'elle échapperait ainsi à la vigilance de ses tortionnaires. La voiture s'arrêta près d'une entrée secondaire du Kremlin, assez loin de la Loubianka dont tout Moscou connaissait la porte, ce qui l'apaisa. L'homme la fit descendre de la voiture sans égards ni brutalité et la conduisit à travers un dédale de couloirs et de points de contrôle où il présenta un laissez-passer. En suivant le cerbère, elle fut prise d'une terrible envie d'uriner, mais elle n'osa pas lui demander où se trouvaient les toilettes, si tant est qu'il y en eût sur le parcours. Le labyrinthe lui parut interminable. Son cœur se serrait de plus en plus à l'idée qu'on allait l'interroger dans une cave du Kremlin, loin des autres suspects politiques. Mais un nouvel indice lui rendit l'infime espoir qu'elle mendiait. À la Loubianka, on disait que les tortionnaires avaient installé récemment une salle insonorisée, par peur que les hurlements ne viennent à atteindre le moral du personnel administratif de la police politique. Une telle pièce n'existait certainement pas au Kremlin, preuve qu'on n'envisageait pas de la torturer. Bien sûr, il était toujours possible qu'on la prive de sommeil ou, pire encore, qu'on la bâillonne pour la frapper. « Mais, se dit-elle, si un bâillon pouvait suffire à étouffer des hurlements, alors pourquoi avoir conçu une chambre spéciale à la Loubianka ? » Rassurée par son analyse, elle revint aux raisons de son arrestation, sans parvenir à trouver une explication logique. Elle avait certes blasphémé et elle ne pouvait le contester. Mais une autre idée vint à elle qui la terrorisa. La grande affaire du moment était celle des « blouses blanches », ces médecins de l'hôpital du Kremlin, juifs pour la plupart, accusés d'avoir tué Jdanov. Ma mère n'était pas juive par sa mère, seul son père l'était. Dans la grande euphorie de la révolution, quand chacun se débarrassait de ses particularités comme le ferait un pauvre de ses oripeaux, ce dernier avait changé son nom. De Altman il était devenu Atline. Mais peut-être la police politique menait-elle une investigation sur les origines de tous les médecins hospitaliers de la région de Moscou ? Puis une évidence lui procura un immense soulagement. « S'ils ont décidé d'arrêter tous les médecins juifs de la ville ou même du pays, il serait logique qu'ils commencent par ceux qui portent un nom révélateur », se dit-elle. Or aucun des chefs de service de son hôpital qui portaient un nom à consonance juive n'avait été, semblait-il, inquiété. La logique aurait voulu qu'elle ne soit appréhendée qu'après de longues recherches sur son vrai nom. Mais elle savait aussi que la logique n'était pas la fille aînée du système. La force de la terreur est d'être imprévisible, il lui faut son lot de hasard. Cette hypothèse n'avait toutefois rien de rassurant car, une fois entre les mains des tortionnaires, le problème n'était pas de démontrer son innocence, mais plutôt pour les accusateurs de faire coïncider la présence d'un suspect avec n'importe quelle culpabilité. Alors, comme souvent lorsqu'on cesse de lutter, elle se mit à flotter et à se laisser porter. À l'expression du visage que prit son accompagnateur en ouvrant la dernière porte, elle comprit qu'elle était au bout du voyage.

La grosse porte gothique en bois plein donnait sur une petite pièce très sombre qui sentait l'haleine des gens qui ne parlent pas assez. Une fois le guide parti, elle se retrouva seule avec une femme trapue aux cheveux noirs gras et décimés comme la légère moustache qui lui recouvrait la lèvre supérieure. Elle portait un uniforme en drap brun. Elle fit signe à ma mère de s'asseoir et revint se placer derrière le petit bureau qui faisait face à un banc de monastère où elle s'installa, les genoux serrés. La femme s'arrangeait pour ne jamais croiser son regard. Le bureau devant elle était vide. Elle se tenait les bras croisés et le dos droit comme

21

un eunuque à l'entrée d'un harem. Ma mère qui n'y tenait plus, après avoir hésité un long moment, lui demanda où se trouvaient les toilettes. Surprise de cette question incongrue elle eut un regard réprobateur avant de répondre :

— Il y a bien des toilettes par ici, mais elles sont réservées aux gardes et au personnel de l'étage. À ma connaissance, aucun texte n'autorise les visiteurs à les utiliser.

— Alors comment vais-je faire ? demanda ma mère timide et consciente qu'elle n'était pas en situation d'exiger.

— Je n'en sais rien, camarade, il va falloir te retenir. Il me semble que tu n'es pas entrée au Kremlin par la grande porte. L'entrée des visiteurs de marque est jalonnée de toilettes aussi grandes que les plus grands appartements communautaires de Moscou. Si tu n'es pas entrée par la grande porte, tu dois bien savoir pourquoi ? Tu dois bien savoir aussi pourquoi des toilettes n'ont pas été prévues pour des gens comme toi dans cette partie du bâtiment.

Depuis un petit moment, elle ne regardait plus ma mère, ses yeux éteints posés sur le mur devant elle. Puis elle soupira :

— La dialectique fait vraiment beaucoup pour la compréhension du monde.

Ensuite, elle resta près d'une bonne heure sans mot dire, avant de juger qu'il était temps d'agir.

— Je vais te fouiller, dit-elle en se levant lentement comme si elle pesait chacun de ses membres. Suis-moi !

Elle ouvrit la porte d'un petit cabinet construit autour d'un portemanteau. Ma mère réalisa soudain que, si la femme menait son investigation jusqu'à son intimité, il lui faudrait justifier d'y avoir dissimulé une capsule de cyanure. Elle ne pouvait même pas aller aux toilettes pour y jeter le poison. Une effrayante confusion montait en elle. Si la femme trouvait le poison, elle l'en dessaisirait sans doute. L'idée lui vint de mettre fin à ses jours. Pourtant, il lui semblait prématuré de le faire sans savoir le fin mot de l'histoire. « Mourir n'est pas une si grosse affaire », se dit-elle. Mais le minimum que l'on puisse exiger, c'est de savoir pourquoi, même si beaucoup de condamnés se sont mordu les doigts d'avoir voulu connaître la raison, car il n'y en avait pas. D'un autre côté, privée de cette capsule, il ne lui serait plus possible de se soustraire à son sort.

— Déshabillez-vous dans la cabine! Gardez juste vos sous-vêtements.

Ma mère s'exécuta. Avec l'espoir que l'inspection s'arrêterait au dernier rempart de la pudeur. Elle dut ensuite passer un à un ses vêtements à la femme planton qui les examina méticuleusement. Quand elle eut fini, elle s'approcha de ma mère, la palpa sur ses sous-vêtements. Elle s'arrêta sur la capsule qui faisait un léger renflement et lui demanda de lui tendre l'objet.

— Qu'est-ce que c'est? dit-elle en lui jetant un regard noir de Caucasienne.

— Une capsule.

— J'ai bien senti, mais c'est quoi?

Ma mère devait avoir l'air décontenancé. Il y a fort à parier qu'elle rougissait, mais il ne lui fallut pas longtemps pour se justifier.

— Voilà, camarade. Cette capsule est destinée à éloigner les petites bêtes qui se logent parfois dans la fourrure des femmes, comme certains répulsifs qu'on place dans les placards pour éloigner les mites des vêtements.

Les gros yeux de la gardienne roulèrent dans leurs orbites, leur donnant enfin une expression, celle d'une femme dubitative. Elle s'accorda un court moment de réflexion avant de lâcher rapidement:

— En d'autres circonstances, je vous l'aurais laissée. Mais là, imaginez que ce soit du poison. Que du poison puisse pénétrer dans cette partie du Kremlin...

— Vous ne voulez pas me la laisser? Je vous assure...

— Non! coupa le planton.

— Alors voulez-vous que je la jette dans cette poubelle?

— C'est impossible.

— Mais pourquoi?

— Cela voudrait dire que je me débarrasse d'un produit dont je ne connais pas la composition. C'est contraire à nos règles. Je vais le faire porter à la sécurité pour analyse. Et qui sait, peut-être, on te le rendra. Qui a fait ce produit?

— Moi, je suis médecin, urologue, et c'est un produit expérimental que j'ai conçu et que je teste sur moi.

— Cela peut tout à fait être un bien pour l'humanité, une avancée pour notre peuple, si plus aucun insecte ne vient se loger dans la fourrure des travailleuses!

— Vous avez raison, camarade. Mais c'est un prototype et je n'en ai pas d'autre. Et s'il se perd à la sécurité, ce sont des mois de travail qui vont s'évaporer.

— Si ton produit était si révolutionnaire que ça, on t'aurait fait entrer par la grande porte. Ce que tu me dis n'est que simple présomption, et l'académie des sciences n'a pas encore vérifié la réalité de cette avancée scientifique.

Puis elle fit un signe de la main pour signifier à ma mère que la conversation était close.

Ma mère transpirait à grosses gouttes, alors que la pièce était froide et humide comme une maison de campagne après un hiver sans chauffage.

— Alors, vous pouvez peut-être me dire, camarade, pourquoi on m'a menée ici?

— C'est impossible, camarade, je ne le sais pas moi-même. Mais je peux te dire que le couloir derrière cette porte ne mène qu'à de hautes personnalités. De très hautes personnalités désireuses de voir des gens comme toi sans être vues. Parce qu'il n'y a certainement aucune gloire pour un grand ami du peuple à être vu avec quelqu'un comme toi. Et tu sais pourquoi, au moins autant que celui qui veut te rencontrer ici.

La femme regarda l'horloge au mur. Au même moment entra une autre femme en uniforme qui avait le même air ennuyé de gardien de musée qui ne voit pas l'heure passer. La première fit son rapport à la seconde et lui confia la capsule en lui recommandant de la transmettre à qui de droit. La nouvelle arrivante la glissa dans sa poche tout en jetant un regard mauvais à ma mère. Puis le temps reprit son œuvre délétère. Il ne se passa rien pendant les cinq heures qui suivirent. Ma mère se sentait perdue sans sa capsule. Elle réalisait que, si elle n'était coupable de rien avant d'entrer dans ce palais, elle l'était désormais. Une empoisonneuse qui n'avait même plus les moyens de s'empoisonner, voilà ce qu'elle était devenue. Son forfait était d'une gravité proportionnelle à la personnalité qu'elle allait rencontrer. Elle se plut à croire que la gardienne s'était échauffée. Pour une fille de la campagne comme elle, n'importe quel moujik endimanché devait être une personnalité. Elle se fit cette réflexion à trois heures de l'après-midi. Douze heures supplémentaires furent nécessaires pour qu'elle sorte de cette antichambre.

Elle fut conduite par un militaire qui la fouilla de nouveau sommairement avant de la faire pénétrer dans le bureau d'angle. Le militaire frappa à la porte. On mit du temps pour répondre. Lorsqu'un des deux immenses battants s'ouvrit, ma mère se pétrifia : Joseph Staline était devant elle.

La porte se referma dans son dos avec un bruit de bois plein. Le choc de se retrouver ainsi devant le commandeur suprême fut doublé de la stupéfaction de découvrir à quel point cet homme était différent des images qu'on diffusait de lui dans le pays. C'était presque un nain, un vieux nain au visage grêlé par la variole, avec un bras plus court que l'autre. Mais son regard d'autour du Caucase, menaçant comme une arme blanche, avait un éclat bien supérieur à n'importe quelle reproduction sur papier.

— Olga Ivanovna Atlina, dit-il en ouvrant les mains avec un air de grand-père qui s'apprête à étreindre un de ses petits-enfants.

Puis il désigna un siège près d'un divan où il s'assit, avant de signifier à ma mère qu'elle pouvait en faire autant.

Il prit son temps avant de parler, la scruta longuement. Elle sentit que la fragile considération que pourrait lui accorder le Vojd dépendrait de la façon qu'elle aurait de le regarder, sans baisser les yeux dans un premier temps mais en cédant dès qu'il le suggérerait. Pendant qu'il fixait ma mère, il défit une cigarette dans une blague à tabac en vieux cuir, malaxa le tabac du bout des doigts avant de l'introduire dans le fourneau d'une belle pipe anglaise qu'il alluma consciencieusement en promenant une allumette sur sa surface aplanie avec fermeté. Il s'assura qu'elle fumait proprement en tirant deux grosses bouffées qu'il exhala en regardant les hauteurs de la pièce, puis il se mit à parler sans regarder ma mère cette fois :

— Sais-tu pourquoi tu es là ?

On pouvait lire sur son visage qu'il se délectait de la question.

Ma mère, à n'en pas douter, devait avoir l'air d'une écolière convoquée par le principal de son école. Repliée sur elle-même, elle tentait de résister aux assauts de sa vessie.

— Non, maître, répondit-elle timidement.

— Ne m'appelle pas maître, rétorqua-t-il suavement, je ne suis le maître de personne. Il n'existe qu'un seul maître auquel nous sommes tous asservis, le peuple soviétique. Appelle-moi : camarade Staline.

— Bien, camarade Staline.

Visiblement objet d'une sourde jubilation à l'idée de ce qu'il allait dire il poursuivit :

— On me dit que tu as un pouvoir que je n'ai pas.

Ma mère parut décontenancée, pour le plus grand plaisir du Vojd.

— Certainement pas, camarade Staline.

— Si, si.

Puis il tira une nouvelle fois sur sa pipe en suivant du regard les volutes de la fumée bleue. Ma mère submergée par sa confusion, maladroite, ne parvenait pas à s'empêcher de l'observer à la dérobée, fascinée par le personnage et bouleversée par ce tête-à-tête imprévisible avec l'homme le plus puissant du monde. Dans son regard succédait sans transition à une impression de sérénité, pour ne pas dire de sagesse, une rage meurtrière qui semblait chercher une issue.

— Tu sais que je suis la personne la mieux informée de ce pays. Je ne connais pas chaque homme et chaque femme du peuple, mais si je le veux, ils me sont tous accessibles. On m'a dit que tu étais médecin, urologue, n'est-ce pas ? Je n'ai aucun problème urologique. En revanche, on me dit que tu as un vrai pouvoir dans les mains, un pouvoir de magnétiseur.

— On exagère, camarade Staline, rétorqua ma mère qui sentait le risque qu'elle encourait à reconnaître cette disposition. Seules les sorcières possèdent ce genre de dons, et il y a bien longtemps, grâce au pouvoir soviétique, que nous avons balayé toutes ces croyances ridicules qui aveuglent le peuple et lui font croire que le pouvoir est ailleurs qu'entre ses mains.

— Bien répondu, dit-il d'une petite voix accompagnée d'une esquisse de sourire pour lui signifier qu'il n'était dupe de rien. Pourtant le magnétisme est une réalité. Certains l'ont dans les yeux et toi tu l'as dans les mains. Mais tu ne comprends pas où je veux en venir. Je ne t'ai pas fait chercher pour t'apprendre que tu étais un ennemi du peuple. Penses-tu qu'avec les responsabilités qui sont les miennes, j'aie le temps de convoquer personnellement les ennemis du peuple un par un pour leur faire la leçon avant de les envoyer dans des camps de travail réparer leurs erreurs? Le crois-tu vraiment?

— Oh non, camarade Staline.

— Alors venons-en aux faits. Je viens de renvoyer mon médecin personnel qui est suspecté d'appartenir à un complot de médecins qui auraient nui à des personnalités de haut rang. On parle même d'assassinats, mais je ne puis t'en dire plus pour le moment, car ces personnes sont interrogées. Il semble, car l'enquête est en cours, qu'ils aient ourdi un complot dont la cause serait liée à leur nationalité. Outre que je n'ai confiance en aucun médecin, raison pour laquelle je n'en ai plus, faire savoir qu'aucun de ces hommes ne me suit plus me procure nombre d'avantages politiques. Mes ennemis se disent : « Le vieil homme est malade, vérité objective. Il ne se soigne plus car il déteste les médecins. Il ne va donc pas tarder à crever. » Surpris par cette ouverture inattendue, les rats sortent de leur cache. Quand je dis « mes ennemis », je ne sais pas encore qui ils sont, mais je crée les conditions pour qu'ils se déclarent. C'est ma grande force, de les reconnaître. Sans moi, le pays mourra, car les autres dirigeants sont des chatons, des aveugles, des nouveau-nés, ils ne voient pas l'ennemi. Prenons, par exemple, cette nationalité qui nous cause tant de soucis. Tout le monde sait que je ne suis pas antisémite. Ce n'est pas ma nature, on n'abandonne aucun de ses enfants, c'est un principe. Il a fallu que je multiplie les gages de mon philosémitisme, les réglementations protectrices, pour que finalement ils trahissent le peuple soviétique en se comportant comme des espions à la solde des Américains qui ont pris sous leur coupe ce petit État hostile dont ils rêvent désormais. Mais peux-tu me dire ce qu'Israël leur offre de mieux que l'Union soviétique? C'est vexant, et l'on ne me vexe pas impunément. Alors que l'idée ne me serait jamais venue auparavant, je demande un rapport sur les juifs de Moscou. J'apprends, alors qu'ils sont un million et demi si ce n'est plus, qu'ils s'accaparent les professions médicales, infiltrent les syndicats des musiciens et des écrivains. Que leur influence ne serait pas insignifiante dans les réseaux commerciaux, et le rapport conclut au final qu'une seule poignée d'entre eux est vraiment utile à l'État. D'ailleurs, question subsidiaire, es-tu de cette nationalité?

— N...non, a bégayé ma mère.

— C'est amusant, tu as hésité. Il n'y a pas de honte à l'être. D'ailleurs, qui restera dans l'histoire de l'humanité comme leur grand protecteur?

— Je ne sais pas, répondit-elle, confuse.

— Prenons le problème différemment. Qui le premier a édicté une réglementation qui punit de prison les propos ou les actes antisémites?

— Vous, camarade Staline.

— Oui, moi, fit-il en soupirant.

Avant qu'il ne poursuive, ma mère remarqua qu'il parlait comme les conteurs orientaux, détachant chaque syllabe, d'une voix douce et posée, pleine d'intonations rassurantes.

— J'ai été le dernier rempart du peuple juif d'Union soviétique contre l'extermination nazie. C'est l'Armée rouge qui a libéré les camps de concentration au prix de sacrifices humains considérables. Déjà, juste après la révolution, quand j'étais commissaire aux nationalités, j'ai fait en sorte que les juifs soient une nationalité, pleine et entière comme n'importe quelle autre. Je leur ai même proposé une terre, le Birobidjan, qu'ils ont boudée, et je ne leur en ai pas tenu rigueur. Quand les survivants des camps d'extermination sont revenus en Ukraine, par exemple, les Ukrainiens leur avaient volé tous leurs biens et ne voulaient pas les leur rendre. Khrouchtchev, premier secrétaire en Ukraine, trouvait cela parfaitement normal et il a fallu que j'intervienne personnellement pour que les restitutions aient lieu. J'ai imposé notre loi à la république la plus antisémite de l'Union soviétique comme aux autres. On ne peut donc pas me taxer de l'être moi-même, tu en conviendras.

— Oui, camarade Staline.

— Pourtant, j'apprends par de grands journaux comme la *Pravda* qu'après la révolution des millions d'entre eux ont changé de nom. À quoi cela pouvait-il bien servir puisque j'avais assuré leur sécurité ? Ils voulaient se fondre dans la masse, non pour adhérer à nos idéaux, mais pour se préparer à trahir le moment venu. Certains, en particulier depuis la naissance d'Israël que j'ai soutenue ardemment, se sentent désormais une âme de cosmopolites, en viennent même à se considérer comme juifs avant d'être soviétiques et se comportent avec une ingratitude coupable. Savais-tu cela ?

— Pas du tout, camarade Staline, d'ailleurs je ne m'occupe pas de politique.

— Tu fais bien, continua-t-il sur le même ton de lassitude. Quand on a un métier scientifique, il est mieux de s'y consacrer que de faire de la politique. J'approuve ton choix. C'est pour cela que tu n'as aucune raison de craindre quoi que ce soit si tu es de cette nationalité. Regarde ce vieux Kaganovitch, ce fils de savetier, il est à mes côtés depuis les premiers jours de la révolution, crois-tu qu'il se sente menacé ? Du fond de mon âme, je te le dis, je n'ai rien contre aucun peuple en particulier.

Je n'ai pas pensé une minute au fait que Trotski était israélite quand je l'ai fait assassiner au Mexique. C'est un peuple qui a beaucoup souffert.

Alors il s'interrompit, se plongeant dans des pensées si profondes qu'on eût dit que personne ne pourrait l'en détacher. Il ralluma sa pipe qui s'était éteinte, puis il reprit comme pour lui, sur un ton désabusé :

— Mais il doit souffrir encore. Car notre peuple dans sa grande majorité ne l'aime pas et je dois en tirer à contrecœur un avantage politique.

Il sembla soudain accablé et tira de petites bouffées successives sur sa pipe en recrachant sa fumée comme une locomotive de chemin de fer. Ma mère avait remarqué que certains mots le mettaient en colère et qu'alors son visage s'empourprait. Mais il s'apaisait aussi vite et la colère ne semblait laisser aucune trace de son passage. Il usait des silences comme d'une arme et ne les interrompait que lorsque le malaise avait défait son interlocuteur.

— Ainsi tu as un don ?

— Un tout petit don, camarade Staline.

— Mes services m'ont assuré que tu en avais un. On s'est étonné, à l'hôpital où tu exerces, que la file d'attente soit beaucoup plus longue que dans n'importe quel service d'urologie de Moscou et des alentours. D'ailleurs, certains de tes collègues en ont conçu une certaine jalousie envers toi. Tu l'ignores, mais bien des dossiers de plainte ont atterri à la police politique. Tu n'es pas passée loin d'un procès. Ta chance a voulu qu'un rapport ait échoué sur mon bureau. Il disait que tu usais de ce don avec modestie, pour le seul bien des autres. Tu n'as pas cherché à te créer une aura. Elle t'aurait conduite à poser tes mains sur des rails de chemin de fer insensibles à tes prodiges en Sibérie. Je te parle en connaissance de cause, le tsar m'y a déporté.

Il frappa le fourneau renversé de sa pipe dans un énorme cendrier en fonte puis l'inspecta méticuleusement. Il se retourna ensuite vers ma mère. La lumière d'un lampadaire passa sur son visage, éclairant brutalement sa peau ravagée. Puis il sourit à ma mère.

— Une curieuse expérience que celle des camps. Je dois reconnaître que je n'en ai pas vraiment souffert. Nous étions un petit groupe assez libre de nos mouvements. Je lisais beaucoup. Je ne peux pas dire que je me sois fait beaucoup d'amis. Ce n'est pas ma nature, le culte de l'amitié, c'est une façon de se donner bonne conscience pour détester le reste de l'humanité, et je n'en ai pas besoin. Non, en Sibérie, la vie n'a jamais été autre chose que rude. On me dit que le régime des prisonniers s'est beaucoup durci ces derniers temps. Il est vrai que nous avons introduit une notion de réparation du préjudice causé au peuple qui n'existait pas alors.

Ma mère vit Staline secoué d'un commencement de rire qu'il réprima, pour dire en souriant :

— Et pour cause, à l'époque du tsar, le tsar lui-même ne savait pas ce que le mot travail signifiait, quant au peuple...

Il s'interrompit une nouvelle fois, s'installa dans un fauteuil et resta prostré deux longues minutes avant de reprendre :

— Je disais qu'en Géorgie, nous utilisons souvent les magnétiseurs. Même si, dans l'état actuel des connaissances scientifiques, nous ne cernons pas très bien le phénomène, il faut s'en accommoder. J'ai été obligé de me séparer des médecins du Kremlin, de ces soi-disant grands spécialistes qui n'ont rien trouvé de mieux que de me prescrire le repos total. De toi à moi, j'y aspire. Il fut un temps où j'ai souhaité prendre ma retraite, car j'ai déjà rendu au peuple le centuple de ce que la nature m'avait donné. Mais ils n'ont pas voulu. Personne au parti ni au Politburo ne l'a voulu. Ils ont insisté. Je les méprise, car aucun d'entre eux n'est capable de me succéder. C'est pour cette raison que je suis condamné, je dis bien condamné au pouvoir. Personne ne s'imagine à ma place. Chacun a des qualités, mais aucun n'a de vision d'ensemble. Le bon dirigeant d'un empire doit être comme un gros chat, d'une infinie patience, regardant les uns et les autres s'agiter fébrilement. Et puis, alors que plus personne n'est capable d'imaginer cette grosse boule bondissante, elle se déploie. Le pouvoir exige de donner le sentiment qu'on élève une apparente médiocrité au niveau d'un art. Mais ma supériorité, puisqu'il faut bien la reconnaître, c'est d'avoir établi un nouveau rapport entre la vérité et le mensonge. Qu'une goutte de vérité soit versée dans un océan de mensonge, et cette vérité suffit à donner à l'ensemble la couleur de l'authentique. Je n'ai pas de plus grand ennemi que l'instinct élémentaire de chaque individu à vouloir connaître la vérité. Il en est de même de l'autonomie comme de l'indépendance. Je les punis sévèrement dans mon entourage, car elles sont le signe manifeste d'un manque de confiance en moi, donc dans le peuple.

Il s'arrêta sur ce dernier mot pour reprendre son souffle. Malgré la pénombre, ma mère remarqua qu'il avait pâli.

— Pour le bien du peuple, je dois poursuivre inlassablement. Pourtant, si les médecins sont partis, les douleurs ne les ont pas suivis. Je compte sur tes dons pour aider le peuple à maintenir son guide à sa tête. C'est une énorme contradiction historique. Moi qui ai formé de grands médecins dans ce pays, me voilà réduit à utiliser une médecine officieuse pour aider ma vieille carcasse à conduire ce peuple qui ne peut pas se passer de moi. Tu dois m'aider à continuer, chère Olga, mon âge et mes douleurs ne sont pas opposables au peuple. C'est ma faute, j'aurais dû être infiniment plus prévoyant et préparer ma succession avec beaucoup plus de soin au lieu de faire croire à chacun qu'il pourrait tout aussi bien me succéder ou disparaître et perdre la vie. Le résultat, c'est que je n'ai été entouré que de laquais, qui s'enfouiraient sous le sol pour me plaire. Mais s'ils n'avaient pas été convaincus de pouvoir perdre la vie à tout instant, ils se seraient comportés comme des héritiers sans hésiter une seconde à accélérer les choses pour prendre ma place. Ainsi, je ne connaîtrai jamais le repos sur cette terre, il me faudra inlassablement travailler.

Il fit une nouvelle pose, les yeux hagards.

— Je m'épuise dans le combat contre les faits. À expliquer que les faits ne sont rien, qu'ils doivent nous être inféodés, pour que subsiste uniquement le but que nous nous sommes fixé. C'est une rude tâche, harassante. Si j'ai bien compris, je souffre de graves problèmes circulatoires qui sont la cause de mes douleurs dans les bras et les jambes et de terribles maux de tête. Aucun médicament n'y peut rien, alors si nous recourons à une médecine parallèle pour soulager le peuple, qui pourra nous le reprocher? Vois-tu, à cette heure-ci, j'ai très mal dans la cuisse gauche, montre-moi si tu peux y faire quelque chose?

Il s'allongea sur le divan.

— Approche et n'aie pas peur, tu ne vas pas poser tes mains sur le Christ!

Ma mère s'accroupit auprès de lui et lui posa ses deux mains jointes sur la zone douloureuse. Il ferma les yeux. On l'aurait cru sur son lit de mort dans son plus beau costume de drap sombre. Pendant une longue demi-heure, ils ne se dirent rien et ma mère pensa qu'il dormait. Puis il se mit à parler lentement, les yeux fermés.

— Tu me prends pour une icône, n'est-ce pas? Et pourtant, je suis fait comme les autres, de chair et de sang. Cette sacralisation, ce culte de la personnalité, je ne les ai jamais voulus pour moi-même. Je les ai acceptés pour le bien du peuple. Après le grand Lénine, il a eu besoin d'un guide, tout entier dévoué à lui. Les hommes ont besoin de sacré pour progresser, pour se battre, pour se dévouer au bien corps et âme. C'est l'idée qu'ils se font de moi, l'image qu'ils ont de ma personne qui les ont conduits à la victoire contre les nazis. Car je leur renvoie l'image qu'ils veulent contempler d'eux-mêmes.

Soudain ragaillardi par son propre discours, il ouvrit grands les yeux.

— Tu sais, le capitalisme est le mode de développement le plus naturel à l'homme, celui qui flatte ses penchants les plus instinctifs, guidés par l'intérêt et la cupidité. C'est particulièrement vrai en Russie qui est au monde le pays où la tradition est la plus ancrée de ne jamais partager ni argent ni pouvoir. Pour l'argent, c'est désormais chose faite, pour le pouvoir, c'est prématuré.

Il fit une dernière pause avant de chuchoter :

— Ne le répète pas, nous avons fait pour le Christ plus que quiconque. En le chassant des consciences perverties par deux mille ans d'Églises corrompues, nous avons ramené l'humanité vers ses préceptes fondateurs. Il fallait le tuer pour qu'il ressuscite. En le tuant une deuxième fois pour instaurer le communisme, nous lui assurons cette fois la vie éternelle pour de bon. C'est l'ancien séminariste qui te parle.

Sur ces mots, elle eut l'impression qu'il s'était bel et bien endormi. Par des coups d'œil d'oiseau prenant soin de ne jamais s'attarder, de peur qu'il ne la surprenne, elle détailla chaque centimètre de son visage. Pour la première fois depuis qu'elle avait pénétré dans l'antre du maître venait à ses sens une odeur de vieillesse mêlée au tabac froid, alourdie par l'humidité. Le Vojd respirait profondément comme un vieil homme à l'heure de la sieste dans un fauteuil à l'ombre d'un cerisier, aux premiers jours de chaleur printanière.

Ma mère s'inquiéta, car une nouvelle demi-heure avait passé, et le maître ne se réveillait toujours pas. Elle ne pouvait pas poursuivre l'imposition de ses mains plus longtemps sans risquer de lui brûler la peau. Comme Staline ne donnait toujours pas signe de conscience, elle se releva sans faire de bruit et s'assit dans le fauteuil qui faisait l'angle du divan, et elle resta là, discrète, comme une liseuse d'antan. Six ou sept heures s'écoulèrent. Le Vojd était resté dans la même position et seuls des ronflements intermittents et quelques vents libérateurs témoignaient qu'il était en vie. S'il était mort, on la rendrait responsable, et ce serait sûrement la fin de l'empoisonneuse magnétiseuse lapidée dans les caves du Kremlin ou saignée avec un couteau rouillé comme au temps d'Ivan le Terrible. Ma mère lutta toute la nuit contre sa vessie qui, alliée à la stupeur de cette situation irréelle, l'empêchait de dormir. Au lever du soleil, n'y tenant plus, alors qu'un peu de liquide coulait sur ses jambes contre son pantalon de laine, elle s'élança sans bruit à la recherche du cabinet de toilette. Puis elle revint s'asseoir près de Staline. Il était déjà près de dix heures du matin quand le Vojd ouvrit un œil. Il se fixa sur ma mère et, le temps qu'il reprenne conscience des événements de la veille, il dit :

— Je me suis donc endormi. J'ai le souvenir d'une douce chaleur qui s'est substituée à la douleur, puis d'une sensation, celle que tous mes nerfs s'apaisaient pour m'attirer vers le fond du divan.

Il se releva lentement pour s'asseoir, remettant un peu d'ordre dans sa mise.

— Tu as décidément un don prodigieux. Je me réveille à la même heure que d'habitude, mais la nuit m'a paru tellement apaisante que j'en conclus que tu as une action bénéfique sur moi. Le peuple peut t'en être reconnaissant.

Il se mit debout, se passa la main dans ses cheveux noirs clairsemés, tira sur sa veste pour l'ajuster et s'éclaircit la voix avant d'ajouter :

— Tu reviendras. Mais avant de te libérer, je dois attirer ton attention sur le fait que nul ne doit être mis au courant. Tout cela reste exclusivement entre nous, tu t'en doutes. S'il s'avérait que tu ébruites notre relation, je n'aurais, et tu le comprends bien, aucune autre solution que de te faire disparaître. Tu imagines que, s'agissant de l'intérêt du peuple, mes scrupules seront bien minces. À l'époque des purges, lorsque la situation le nécessitait, j'ai parfois suggéré plusieurs dizaines de milliers d'arrestations dans la même journée qui se sont transformées pour la plupart en exécutions, pour le bien de nos desseins. Certains pensent que l'utilité des grandes purges comme celles de 37 était d'éliminer des ennemis, de les éradiquer. Au contraire, il ne s'agissait que d'en créer de nouveaux. Un système comme le nôtre ne peut se passer d'ennemis. Ils sont notre carburant. Tu remarqueras que l'hostilité de nos amis est infiniment plus subtile et difficile à déceler que celle de nos ennemis. Ma relation avec les gens que j'aime a toujours été plus difficile à gérer pour moi que le contraire. Ce qui m'a conduit à me débarrasser de beaucoup d'entre eux, par crainte qu'ils ne soient tentés d'abuser de mes bons sentiments à leur égard.

Staline s'interrompit alors, soucieux.

— Mais pourquoi, diable, te parlais-je de tout ça? Ah oui! Cela me revient. Les circonstances sont différentes aujourd'hui, même si je sens poindre de nouveaux ennemis de l'intérieur, mais tu comprendras aisément que je ne peux pas laisser dire n'importe quoi. Critiquer Staline, trahir sa confiance, je l'ai souvent pardonné à condition que je n'apprenne pas que, derrière le simple homme que je suis resté malgré tous les flatteurs et les courtisans, on ne vise pas le représentant du peuple. Alors écoute bien mon conseil de ne t'ouvrir à personne de notre rencontre.

Il se rapprocha de son bureau, ouvrit un dossier qui s'y trouvait pour en extraire une simple feuille de papier imprimée.

— Je vois que tu es mariée, à un fonctionnaire ministériel scientifique. Hum! Je serais toi, je ne lui en parlerais pas. Tu as confiance en lui?

— Oh oui, camarade Staline.

— C'est bien ce que je craignais. Tu ne peux et tu ne dois pas lui faire confiance. Crois-en mon expérience. Le mariage est un concept bourgeois, car il présuppose sans le moindre fondement la confiance entre deux êtres. Quelle confiance puis-je faire à celui des deux qui travaille activement pour moi si je sais qu'il est lié à une personne étrangère à nos objectifs? La fidélité à un homme ou à une femme dans le mariage révèle une propension considérable à me trahir. C'est pour ça que j'ai toléré beaucoup de débauche parmi les camarades. Pourtant, chacun le sait, je suis un homme prude. Je préfère les voir folâtrer, passer de corps en corps, de maîtresse en maîtresse plutôt que se fier à une seule femme. Depuis la révolution, j'ai fait arrêter, déporter, parfois exécuter beaucoup d'épouses de mes principaux collaborateurs qui l'ont très bien compris, car ils savaient que je ne faisais pas cela pour leur nuire. Bien au contraire, je voulais les affranchir du risque de voir leur jugement altéré par des conjoints qui ne peuvent pas avoir le sens de l'État comme eux. J'ai beaucoup souffert de la mort de ma femme, il y a vingt ans, qui a trouvé le moyen de se soustraire à la vie, un acte abominable. On ne fait pas justice soi-même et encore moins à soi-même. Elle m'a laissé seul avec mes enfants. Je l'ai pris comme une trahison. D'un coup de pistolet dans la tête, elle a abandonné le peuple et celui qui le représente. Peut-être avait-elle pensé qu'un mariage avec un homme comme moi pouvait être une union ordinaire. Aujourd'hui, je me félicite de n'être lié à personne. Crois-en mon expérience, ne parle de rien à ton mari. Sans doute penses-tu que tu peux lui livrer le secret des tombes et que pas même un feu follet n'en sortira. Sur le papier tu as probablement raison. Si cet homme t'aime, il n'aura aucune intention de mettre ta vie en péril. Mais ce que tu ne maîtrises pas, c'est un élément sur lequel ni lui ni toi n'avez prise. Tiens ! Imagine qu'il soit arrêté demain par la police secrète car il est soupçonné de conspirer. À la Loubianka, les hommes qui traitent les dossiers et mènent les interrogatoires sont des collaborateurs zélés, mais ils ne sont pas de la toute première finesse, c'est l'emploi qui veut ça. Le chef des interrogatoires est un pygmée, tellement petit qu'on le croit loin. Il a beaucoup souffert de sa taille et de sa situation sociale. Aujourd'hui il jouit de sa position : grâce au système, le paysan arriéré s'est mué en tortionnaire de qualité. En plus, il a le sens de la formule : « Votre arrestation suffit à établir votre culpabilité, et je ne veux pas la moindre discussion à ce sujet. » Ou un autre jour : « Dis-nous tout, et nous démêlerons nous-mêmes ce qui est vrai de ce qui est un mensonge. » Imaginons un instant que ton mari tombe entre ses mains et qu'incidemment, car il a peur et on le comprend, pour se protéger contre cet homme, il en vienne à se prévaloir de la relation qui nous lie. Ce serait une erreur, car on sait à la Loubianka que je ne suis pas adepte du clientélisme, que je bougerai encore moins pour un ami que pour un étranger, car l'amour et l'amitié de l'homme Staline ne peuvent aller contre l'intérêt du peuple. Dès qu'on prononce le nom de Staline, on intéresse. Alors on le fait parler encore et encore, jusqu'à ce que toute la Loubianka apprenne que j'utilise une femme médecin pour des dons indépendants de ses connaissances scientifiques. Que dirait-on alors ? Et comment reprocher à ton mari d'avoir parlé sous la torture ? Il ne peut pas parler sur les faits qu'on lui reproche et qui ont conduit à son arrestation, car il n'a probablement rien à se reprocher.

Tout en voyant Staline se griser de son propre discours, ma mère ne put réprimer son admiration pour cette exaltation politique qui le transportait dès les premières heures de sa journée.

— C'est quelque chose que j'ai compris très tôt quand j'ai pris les rênes du pays. Pour maintenir la cohésion entre des nationalités si fortes et si orgueilleuses, et les plier à la plus grande avancée de l'histoire de l'humanité, il faut maintenir un niveau acceptable de terreur. Et qu'est-ce que la terreur ? C'est la certitude pour tout homme de l'Union soviétique, du plus humble au plus puissant, de l'anonyme à l'ami intime de Staline, que rien ne le protège d'une décision de l'exécuter qui peut tomber chaque instant sans véritable fondement. Les hommes doivent accepter qu'à tout moment, sans raison précise, on puisse les ramener à cette forme absolue de modestie qu'est la mort. Ainsi, pour reprendre mon exemple, comme ton mari n'aurait pas été arrêté pour des faits graves et réels, mais plus à cause d'une rumeur, le voilà obligé de parler de toi en espérant que notre relation sera l'ombrelle protectrice contre le rayonnement brûlant de ses tortionnaires. Lesquels ne se priveront pas de colporter la nouvelle que le camarade Staline est revenu aux pratiques prérévolutionnaire, quand la tsarine recourait à Raspoutine pour apaiser l'hémophilie de son fils chéri, le tsarévitch. Et à travers moi, c'est le peuple qu'on meurtrira. Voilà, ma chère, rien ne presse, mais je pense que tu dois réfléchir.

— Je ne lui dirai rien, camarade Staline.

Staline regarda ma mère avec le regard d'un père pour son enfant. Puis, d'abord bienveillant, son sourire se fit légèrement sardonique.

— Je sais que tu ne lui diras rien. Mais ce n'est pas de cela que je te parle. Tu dois analyser plus méthodiquement la situation, et user de la meilleure dialectique possible pour te demander si notre relation n'implique pas légitimement que tu te sépares de ton mari. Je ne fais que te le conseiller à ce stade, car je te crois assez intelligente pour arriver à cette conclusion par toi-même et je m'en voudrais de t'influencer. D'un point de vue pratique, notre organisation sera la suivante. Je t'enverrai chercher quand j'aurai besoin de toi. En général, j'aime que les soirées se prolongent tard dans la nuit, jusqu'à l'aube même. J'aime emmener mes hommes voir un ou deux films après un bon repas géorgien. Je les libère vers trois ou quatre heures du matin. Le plus souvent c'est à cette heure-là que je me retire pour rester seul. Je délaisse les musiques folkloriques pour écouter Mozart, souvent le 23e concerto. Aucun autre morceau ne parvient à me détendre à ce point, et si tu es là pour apaiser mon corps, ce sera un grand bénéfice pour notre peuple. Je t'enverrai chercher à ce moment-là de la nuit. Mais cela pourra tout aussi bien être à n'importe quelle heure du jour, si mes douleurs me gênent dans mon travail. La consigne est claire, ne dévoile jamais la raison pour laquelle tu es là, et si un jour je dois me justifier, je dirai que tu es devenue mon urologue parce que nous avons chassé les médecins juifs conspirateurs et qu'il fallait bien continuer à soigner mes petites infections urinaires, n'est-ce pas ? Je te laisse aller. Reste dans l'antichambre, je vais passer un coup de téléphone et ils vont te ramener chez toi.

*

Ma mère a quitté le Kremlin épuisée, les jambes flageolantes entre deux gardes sombres qui l'ont poussée dans une voiture. Un froid très vif s'était installé dans la capitale, lacérant son visage fatigué de cette nuit sans sommeil. Ses gardes la conduisirent là où ils l'avaient enlevée, à l'hôpital, sans se soucier de savoir si elle avait besoin de se laver et de se changer. C'était la première fois depuis qu'elle connaissait mon père qu'elle passait une nuit loin de lui, sans l'en avertir. Elle imaginait sa peur, son angoisse, sa souffrance et se consolait en pensant qu'elle pouvait d'ici le soir l'en délivrer. Mon père était homme à prévoir le pire. Pour lui, elle devait déjà être morte, le visage cyanuré au fond d'une limousine entre deux tortionnaires désemparés. Elle aurait voulu le rassurer. À cette époque, il n'était pas facile de téléphoner. Si elle y était parvenue, elle n'aurait rien su lui dire sans le mettre en danger, car son téléphone de travail était sur écoute.

Elle a rejoint son service, où ses patients avaient déjà formé une longue file d'attente. Elle enfilait sa blouse dans ce cabinet peint d'un jaune gouvernemental lorsque le chef du département d'urologie fit son entrée. Il se tenait la mâchoire comme pour ne libérer que des mots pesés avec soin.

— Vous pensez que l'affaire des médecins juifs peut dépasser le cadre de l'hôpital du Kremlin ? lui dit-il, suffoquant d'inquiétude.

Ma mère prit un air ingénu pour lui répondre :

— Je ne suis pas assez introduite dans les hautes sphères pour pouvoir vous répondre, Alexandre Vladimirovitch.

Il la regarda, circonspect.

— Donc, cet homme qui est venu vous chercher hier, cela n'a rien à voir?

— Rien.

— Vous comprendrez que je me pose la question. Je vous vois partir au bras d'un tchékiste, revenir le lendemain, pour le moins défraîchie, mais cela ne me regarde sûrement pas, n'est-ce pas?

— Je ne dirai pas que cela ne vous regarde pas, mais je ne vois pas de lien avec ce qui vous préoccupe.

— Vous me rassurez. Voyez-vous, cette cabale contre les médecins juifs m'inquiète un peu. Car j'ai un nom à consonance juive bien que je n'aie pas le moindre ancêtre de cette nationalité et je ne voudrais pas qu'un malencontreux amalgame...

— Je comprends.

Il se releva alors que l'inquiétude qui l'avait courbé s'atténuait.

— Pouvez-vous me donner la raison de votre départ prématuré hier, et celle de votre arrivée tardive aujourd'hui?

— Je n'en vois pas l'utilité.

— Je vais être obligé de faire un rapport à l'administration, j'en suis désolé, mais vous connaissez la règle. Je ne peux pas me mettre en faute, surtout sans connaître la vérité. Dites-moi ce qui s'est passé.

— Je comprends très bien, mais je n'ai rien à vous dire.

Dans l'après-midi, ses consultations terminées, ma mère s'est endormie dans un cagibi, sur un tas de linges sales. Une infirmière, une Caucasienne, l'a surprise dans ce piteux état et l'a regardée avec mépris. Ma mère a ensuite entrepris sa tournée du soir des malades avant de retourner chez elle en métro. Quand elle est entrée, mon père était assis à la table de la cuisine. Il n'avait pas quitté sa veste. Un gros nuage de cigarette enveloppait son visage et de la main qui ne fumait pas il tenait un verre de vodka à mi-chemin entre la bouteille et sa bouche. Il a sursauté en voyant ma mère et s'est presque jeté à ses pieds de bonheur. Sans céder à son enthousiasme, elle a posé tranquillement son manteau au crochet du petit couloir qui mène à la cuisine vers laquelle elle l'a repoussé. Puis elle lui a souri. Mon père a reculé avec l'expression d'un homme qui se demande s'il n'a pas noirci inconsidérément la situation.

— Tu ne peux pas imaginer à quel point je suis heureux. J'essayais depuis deux heures de me convaincre de survivre à ta disparition. J'en suis venu à la conclusion qu'il n'en était pas question. Je me demandais comment j'allais m'y prendre pour en finir. Je m'en voulais de ne pas t'avoir demandé de capsule. Je n'ai pas d'arme. Restait la pendaison, mais la malheureuse applique qui est au plafond m'aurait trahi, j'en suis sûr. Je ne parvenais pas à me résoudre à m'ouvrir les veines, c'est trop long de regarder le sang couler comme ça.

Ma mère n'a rien répondu, elle s'est approchée du lavabo, a fait couler l'eau du robinet pour s'en asperger le visage. Elle l'a laissée s'écouler quelques secondes avant de répondre :

— Je suis désolée que tu aies pu penser que ma vie était en jeu. Il n'en était rien.

— Mais alors, qu'est-ce qui s'est passé ?

Ma mère se tordit les mains et s'activa dans la cuisine pour feindre de remettre à leur place les quelques bibelots qui la meublaient comme s'ils avaient été dérangés.

— Je crois que tu me fais assez confiance, Vassili, pour patienter un peu. Je ne peux te dire aucun mensonge et encore moins la vérité pour le moment. Nous sommes l'un et l'autre assez privés de liberté, depuis longtemps, pour pouvoir nous en passer encore un peu. Tu ne crois pas ?

Mon père la regarda, étonné. Pour toute réponse, ma mère lui montra son oreille avec l'index et elle désigna les murs. Puis elle vint vers lui, apaisée. Elle se colla contre son torse et posa la main sur ses cheveux en les fouillant.

— Tu devrais me servir un verre, je crois que j'en ai besoin aussi. Je crains que nous n'ayons pas grand-chose à manger.

— On fera avec ce qui reste, ne t'inquiète pas.

Ils s'attablèrent tous les deux sous la lumière blafarde et ma mère soupira :

— Nous avons de la chance, tu ne trouves pas ?

— Quelle chance ?

— De ne pas être dans un appartement communautaire, de ne partager celui-ci avec personne.

— Il ne manquerait plus qu'on ait à le partager. Il est tellement petit qu'on serait obligés de dormir sur un cintre.

— Oui, mais quand même, nous avons notre intimité, tu n'es pas obligé de me plaquer la main sur la bouche quand nous faisons l'amour. C'est un privilège.

— C'est vrai.

— Ce cri, rien que ce cri, il semble tellement dérisoire et pourtant il nous fait vivre. J'ai oublié de te le dire, mais, il y a quelques semaines, le concierge m'a transmis la plainte de nos voisins. Je lui ai cloué le bec en lui demandant pourquoi ils ne s'étaient pas manifestés plus tôt. Mais j'ai bien peur de l'avoir froissé.

— Pourtant, il me semble bien que notre chambre donne sur leur cuisine. S'ils y passent leurs nuits, alors nous devrions faire l'amour dans notre cuisine qui donne sur leur chambre. C'est une énigme. En tout cas, une chose est certaine, si nous parvenons à avoir un enfant un jour, nous devrons faire une demande pour un nouvel appartement.

— Nous n'en sommes pas là, malheureusement.

— C'est vrai que j'y pense souvent. Encore plus en ce moment. J'ai la sensation qu'on peut prendre nos vies à tout instant et je me dis que, si nous avions un enfant, au moins nous laisserions quelque chose, une empreinte génétique de notre passage. Tu sais, je ne comprends rien à cette soudaine persécution des juifs. Cela ne ressemble pas à Staline. Je crois plutôt à un accès de paranoïa de la clique qui l'entoure. Enfin, tout cela ne nous concerne pas. Nous ne sommes juifs ni l'un ni l'autre, même si ton père l'était.

— Sauf qu'il s'agit pour l'instant autant de médecins que de juifs.

— Parce qu'il semble que les médecins juifs de l'hôpital du Kremlin aient tué Jdanov. Et Jdanov était le préféré de Staline. Alors, selon moi, l'entourage de Staline s'est hâté de s'en prendre aux médecins juifs, pour lui montrer qu'il n'y est pour rien dans la mort de Jdanov.

— Personne n'est pour quelque chose dans la mort de Jdanov. C'était un obèse cardiaque condamné à s'étouffer. Et, de toute façon, un jour ou l'autre, Staline aurait eu sa peau.

— Et pour quelle raison ?

— Parce que Jdanov se savait aimé de Staline, et que Staline ne supporte pas que ceux qui sont aimés de lui se comportent en favoris.

Mon père trouva que la conversation allait trop loin et, à son tour, il désigna les murs de son index. Puis le silence s'installa dans la pièce. Ma mère accoudée à la table se remit à se tordre les mains. Mon père voulut la rassurer.

— Ne t'inquiète pas, Olga chérie, tout cela ne nous regarde pas. Nous savons l'un et l'autre qu'il n'est pas nécessaire d'être concerné par une affaire pour être assassiné ou déporté, je te l'accorde. Le système est parfois un peu difficile à comprendre, mais je ne vois pas le rapport entre une affaire de médecins de la nomenklatura du Kremlin et une modeste urologue d'un hôpital de banlieue.

Il baissa la voix avant de reprendre :

— Même s'ils t'ont interrogée, car je suis persuadé qu'ils t'ont interrogée. C'est leur habitude de ratisser large. Pour une malheureuse coupure au doigt, ils n'ont jamais hésité à sectionner un bras. Mais ton retour ici, c'est la preuve qu'ils en ont bel et bien fini avec toi. Rationnellement, nous ne craignons rien. Nous pouvons toujours être victimes de pulsions irrationnelles. Ni plus ni moins qu'avant. Tu ne crois pas ?

Tout au long de cette conversation, ma mère était absente,

absorbée par les tourments qu'elle dissimulait à mon père. Elle était rongée par le dilemme et la nécessité de prendre une décision rapidement.

Pour finir, elle se leva et se mit à faire le tour de la pièce, les mains dans le dos, les yeux dirigés vers le sol. Quand enfin elle s'immobilisa, elle se dressa en face de mon père :

— Il faut que je te dise la vérité.

Mon père, surpris, se leva à son tour et tourna la paume de ses mains vers le ciel avant de pointer les murs de son index.

Ma mère hocha la tête lentement, comme quelqu'un qui s'apprête à prononcer une sentence.

— Ne t'inquiète pas, on ne nous écoute pas. Je te l'ai fait croire pour gagner du temps.

Elle s'interrompit encore un moment pour rassembler ses pensées. Elle n'était plus la femme qui, pas plus tard que le matin même, s'inquiétait pour son mari à l'idée qu'il ait pu la croire disparue.

— Je n'ai pas été arrêtée, et encore moins interrogée.

— Mais alors?

— J'y viens. Je vais te faire beaucoup de peine et je sais que tu ne la mérites pas. Voilà, j'ai découché.

— Découché? Tu veux dire que tu as erré dans la nuit, en plein Moscou, comme une âme en peine?

— Non, Vassili, j'ai dormi chez un autre homme.

Mon père resta pétrifié, les yeux dans le vague. L'époque se prêtait aux nouvelles les plus déconcertantes, mais celle-ci le laissait sans voix.

— Je sais que ce n'est pas bien, et que je n'ai aucune raison de te trahir, reprit ma mère. Le fait que nous ne parvenions pas à avoir d'enfants n'entre pas non plus en compte. Tu ne dois pas chercher une justification rationnelle à mon attitude. C'est ainsi, Vassili, cruel, injuste. Une folie de femme.

Mon père se leva et, chancelant, s'appuya contre le mur délavé. Puis il fixa le sol comme quelqu'un qui se résigne à mourir alors qu'une balle le vide de son sang. Puis, reprenant ses esprits, il se saisit de la chaise et s'assit. Il prit sa tête à deux mains avant de desserrer son étreinte pour parler doucement et sans colère :

— Cela va te paraître étrange, mais je suis presque rassuré. Je ne pouvais pas croire que tu aies déserté notre foyer de ta propre volonté. J'étais sûr qu'ils t'avaient arrêtée, tourmentée, et que tu ne voulais rien me dire, pour m'épargner. Curieusement, je me sens presque soulagé. La politique n'était pour rien dans ton absence. Voilà la bonne nouvelle. Suivie d'une autre, épouvantable.

Il s'interrompit de nouveau pour reprendre une contenance qu'il s'imaginait avoir perdue.

— C'est chose assez commune, aujourd'hui, de voir les couples se défaire. Nous appartenons au peuple en priorité et secondairement à quelqu'un d'autre. J'ai dû te lasser avec mes manières de chien fidèle. C'est le problème de cette société. Elle offre si peu de joies immédiates qu'on se sent obligés de croire en l'amour pour supporter le quotidien en attendant ces jours meilleurs qui justifient notre sacrifice. Ou de cultiver le plaisir animal derrière le paravent de la pudibonderie collective, comme certains de nos dirigeants dégénérés. Tu dois trouver que je réagis bien, mais au fond, je suis dévasté. Sais-tu le sentiment qui m'anime, là, maintenant? De la nostalgie. La nostalgie des temps heureux qui rendaient tout le reste secondaire. Les voilà évaporés. Avec toi, j'atteignais au plus profond de moi-même une sorte de quiétude, film protecteur contre les aberrations d'une révolution à laquelle nous restons fidèles. Heureusement, il me reste la dialectique pour comprendre. Que je ne t'aie jamais méritée est une hypothèse plausible. Celle qui me ferait le moins de mal, c'est simplement que tu me rendes responsable de notre inaptitude à avoir un enfant et que ton corps se soit résolu à quitter un homme à qui ton esprit et ton cœur n'ont rien à reprocher. Du moins, je l'espère. Tu vas peut-être trouver que je suis un peu trop accommodant. Mais je ne voudrais pas que ces circonstances soient un prétexte à faire entrer chez nous la brutalité qui est dehors. Je parie que tu es allée à la rencontre de cet homme sans vraiment le vouloir, guidée par un instinct de vie. Après dix ans de vaines tentatives je peux difficilement te reprocher de ne pas croire en moi. Et cet homme qui me prend mon unique raison de vivre, qui est-il ?

Ma mère a baissé la tête.

— Quelqu'un de haut placé dans le parti.

— Il n'est pas juif, au moins ? Ils s'en sont pris aux médecins juifs, mais qui sait si demain être juif ne sera pas un motif d'exclusion du parti.

— Non, il n'est pas juif.

— Je m'inquiète pour toi, Olga. Je sais que je ne suis pas l'homme idéal mais j'ai bien des avantages. Je suis de la couleur des murs, et les types comme moi sont les derniers qu'on pense à persécuter. Quand on les arrête, c'est pure malchance, on ne peut rien contre les caprices du sort. Un homme haut placé dans le parti, c'est l'assurance de le voir un jour descendre de son piédestal, et avec lui toute sa famille pour qu'aucun témoin ne lui survive. La mort n'existe que si quelqu'un reste pour prendre le deuil du disparu. Un meurtre est censé n'avoir jamais eu lieu si personne n'en garde le souvenir, d'où cette rage d'éliminer des familles entières.

Mon père avait cette curieuse façon de se remettre en selle dans les moments de grands désarrois en parlant beaucoup et en rationalisant tout autant.

— Il n'est pas nécessaire qu'on parle de lui, a répondu ma mère. Il n'est pas utile de tenter de comprendre ce qui se passe aujourd'hui. Je veux simplement m'excuser et passer à autre chose. J'ai rencontré un autre homme et c'est ainsi, on ne fait pas toujours ce qu'on veut dans la vie...

— Nous sommes assez bien placés pour le savoir, vu les circonstances historiques, mais je croyais justement que la sphère privée était le dernier lieu où nous pouvions être nous-mêmes, avoir une influence sur le cours des choses...

— Eh bien, tu te trompes, Vassili, il n'y a plus de domaine réservé.

— Tu te sens obligée d'apporter ta contribution au repeuplement de l'Union soviétique saignée par la guerre la plus meurtrière de son histoire, c'est cela ?

— Peut-être, inconsciemment.

— C'est étrange, tu n'es plus la même femme. Cet homme exerce une sacrée fascination sur toi pour te métamorphoser de la sorte en si peu de temps. À moins que l'affaire ne soit beaucoup plus ancienne et que la formidable comédienne que tu es ne tienne plus à son rôle. Tu n'es pas femme à bouleverser ta vie en quelques jours, n'est-ce pas ?

— Je ne veux pas en savoir plus sur moi-même, Vassili, nous devons juste nous préparer à divorcer.

— Tu vas partir habiter ailleurs.

— Très bientôt.

— Bien. L'autre jour, au péril de sa vie, un de mes collègues m'a murmuré : « Nous vivons des années sombres. » Sur le moment je l'ai contredit, mais je le regrette.

Le regard de mon père se perdit dans le vague, puis il lâcha pour finir :

— J'ai l'impression de ne plus avoir peur de rien. La terreur semble m'avoir quitté comme un vieux papier peint poussé par l'humidité tombe d'un mur. Je n'ai plus de raison d'avoir peur. Quelle légèreté de ne tenir à rien ni à personne ! On ne peut plus rien vous prendre. On ne peut plus vous faire de mal. On devient un petit maître du monde.

Deux jours après, alors que mon père dormait dans la cuisine et ma mère dans la chambre qui faisait aussi office de salon, on sonna à la porte de l'appartement. Il était 2 heures du matin. L'homme qui se tenait dans l'embrasure avait le regard lavé par l'ennui. Mon père ouvrit.

— Je viens chercher Olga Ivanovna Atlina, lâcha-t-il d'une voix de baryton-basse.

Mon père le regarda en biais.

— Vous venez l'arrêter, n'est-ce pas?

Le milicien observa mon père avec une lenteur calculée, des pieds à la tête.

— Si j'étais venu l'arrêter, camarade, je serais déjà dans la pièce où elle dort. Je serais en train de la tirer par les cheveux, je la traînerais en chemise de nuit dans les escaliers et ensuite dans la neige avant de la faire monter dans la voiture à coups de pied dans le ventre, tu comprends?

— Je comprends, camarade, répondit mon père tremblant.

— Mais non, camarade, je te fais une blague. Si je venais l'arrêter, j'agirais de la même façon, je resterais devant la porte et j'attendrais qu'elle soit prête avant de la conduire à la Loubianka.

— Donc?

— Donc, rien du tout. Je t'ai dit que je ne suis pas là pour l'arrêter, je suis là pour la conduire quelque part, mais je ne vais pas rester pour autant prendre racine devant cette porte.

— Je vais la prévenir, camarade, fit mon père, montrant son empressement à bien faire.

Ma mère qui avait tout entendu s'habillait à la hâte, lorsque mon père pénétra dans la chambre où il la laissait dormir seule depuis l'annonce de leur séparation.

— Je crois que ton huile a envoyé quelqu'un te chercher. C'est drôle, pendant un instant, j'ai pensé qu'on venait t'arrêter et j'étais presque rassuré parce que tout redevenait comme avant. Et là, te voir partir avec un milicien qui va t'avoir à la bonne, c'est un sentiment très étrange. Tu ne prends pas toutes tes affaires ?

— Non, pas aujourd'hui. Je reviendrai certainement dormir encore quelques jours avant de partir définitivement.

— En attendant, tu ne pourrais pas me laisser ta capsule de cyanure ?

— Pour quoi faire, tu ne veux tout de même pas...

— Oh non, mais je pensais... On ne sait jamais. Même abandonné, bafoué, ton amant pourrait être quand même tenté de me faire arrêter.

— Jamais de la vie, je ne le permettrais pas, Vassili.

— Alors tu gardes la capsule pour toi. Il est vrai qu'il est bien possible que tu en aies plus besoin que moi, dans le monde où tu vas évoluer. Cet homme pourrait t'entraîner dans sa déchéance plus vite que tu ne le penses, tu peux encore réfléchir, Olga, il n'est pas trop tard.

— Si, Vassili, il est trop tard.

— Je suis sûr que ce n'est pas la passion mais plutôt la raison qui parle. Tu n'aimes pas cet homme, mais comme il a jeté son dévolu sur toi, tu as peur de lui résister et de le contrarier. Pour lui aussi, la vie est éphémère, et tu penses qu'il est prêt à tout pour satisfaire un désir compulsif, y compris celui de nous envoyer en

51

Sibérie, alors tu prends sur toi de nous sauver. C'est très plausible, ce que je te dis.

— Mais c'est faux, Vassili, je ne te reviendrai pas.

Le milicien était entré dans la cuisine.

— Alors, on se presse?

Ma mère apparut devant lui tout habillée.

— Désolée de t'avoir fait attendre, camarade, je suis prête.

Elle fit alors un petit signe de la main à mon père, blême derrière ses lunettes rondes épaisses.

*

Arrivés au Kremlin, ils suivirent le même dédale de couloirs, d'escaliers et de portes. Elle reconnut la salle d'attente à son odeur. Une femme différente de la dernière fois y faisait office de planton. Elle la fit asseoir, et quand elle jugea qu'il était temps, la fit entrer dans le cabinet, lui demanda d'ôter ses vêtements qu'elle vérifia un à un en retournant les poches et en palpant les coutures. Puis elle lui palpa les seins et l'intérieur des cuisses avec une mine de dégoût. Pour finir elle lui fit signe de se rhabiller. L'attente commença alors, jusqu'à 5 heures du matin. Un soldat la conduisit jusqu'au bureau d'angle. Il lui ouvrit la porte et elle trouva Staline assis derrière son bureau.

Il tenait sa pipe serrée entre les dents, mais elle n'était pas allumée. Il se leva pour venir à sa rencontre, lui serra la main et la fit asseoir dans un fauteuil alors que lui s'installait comme un prince oriental qu'il était dans le divan, veillant au confort de sa position. Ma mère fut frappée par ses yeux, rieurs et injectés de sang, poussés par l'alcool hors de leurs orbites pourtant bien masquées par ses paupières de renard. Il ne s'en cacha d'ailleurs pas.

— J'ai un peu exagéré ce soir. Je ne bois que du vin de Géorgie coupé d'eau, mais j'ai dû en engloutir des litres. Je ne bois jamais au point d'être ivre. Cela me priverait du plaisir de voir les gens de mon entourage perdre leurs moyens au troisième ou au quatrième grand verre de vodka. Je les vois alors tels qu'ils sont : des enfants. Nous avons passé une bonne soirée, nous avons beaucoup ri, j'ai appris de nouvelles blagues. Pas des histoires grivoises, je ne les apprécie plus, il fut un temps où elles m'amusaient mais il est révolu. Nous sommes restés cinq heures à table, une petite dizaine de plats, je n'ai pas mangé de tout, mais j'avais quand même bon appétit. Et puis j'ai conduit tout le monde à la salle de cinéma et nous avons visionné deux films, un excellent western américain et un Charlie Chaplin. Nous avons encore beaucoup ri. Mon ministre de la Cinématographie, Bolchakov, est un pleutre. Je n'ai jamais vu quelqu'un de terrorisé comme lui. C'est trop, vois-tu, il y a un stade où la terreur est contre-productive pour la nation et où on est tenté de se débarrasser de ce genre d'individu, car paralysés d'angoisse ils ne sont bien sûr plus capables d'aucune initiative, ils font tout mal et déversent leur bile frelatée sur leurs subordonnés. Un cheval qui n'a peur de rien, il faut le tuer, car il va contre les instincts de sa race. Un cheval craintif, il faut aussi le tuer sinon un jour c'est toi qu'il tuera dans un mouvement inconsidéré pour se dégager. Il en est de même pour les hommes. La terreur requiert un dosage subtil, sinon nous sommes obligés de tuer beaucoup trop de monde, et je le répétais encore ce matin au Politburo, elle doit être perçue comme un phénomène irrationnel du point de vue de ses victimes, mais elle est un phénomène quasi scientifique du point de vue de ceux qui l'infligent, sinon, c'est n'importe quoi. Lorsque nous projetons des films étrangers que j'ai personnellement sélectionnés, je crois savoir que Bolchakov, mon fameux ministre de la Cinématographie, travaille plusieurs semaines auparavant avec un traducteur professionnel. Il apprend ensuite la traduction par cœur et il nous la récite pendant le film au fur et à mesure des dialogues. Mais ce pauvre type n'a aucun sens de la dramaturgie, alors il nous lit ce texte d'une voix monocorde semblable à celle d'un diacre qui débite un évangile sans en comprendre le sens, et souvent cet abruti prend du retard, tellement de retard qu'il finit de nous déclamer la traduction alors que le film est terminé depuis au moins dix minutes. Mais je dois louer sa mémoire, ce bonhomme doit avoir en tête les dialogues d'une bonne centaine de films. J'en profite pour lui indiquer quelques censures. Les Américains savent faire des films, il faut le reconnaître. Tout n'est pas négatif chez eux, nous aurions tort de le croire. Si tu le permets, je vais enlever mes chaussures et m'allonger sur le divan.

— Voulez-vous que je vous aide, Iossif Vissarionovitch ?

Staline la regarda avec un œil de charbon.

— Tu penses que je suis trop vieux pour défaire mes lacets ou tu proposes de t'abaisser à me les défaire ?

— Ni l'un ni l'autre, maître, répondit ma mère pourpre de confusion.

— Qu'as-tu dit là, « maître » ? Tous ces efforts pour parvenir à l'égalité absolue entre les hommes et tu m'appelles « maître » ? reprit-il d'une voix sans colère et presque amusée.

— Cela m'a échappé, camarade Staline.

— Passons, dit-il.

Après s'être défait de ses chaussures, il s'allongea dans le sens de la longueur en coinçant deux coussins sous sa nuque.

— Où en étais-je ? Ah oui, je te parlais des Américains. J'aimais beaucoup Roosevelt, un homme très cultivé, qui aurait su se tenir debout, dirais-je, s'il n'avait pas été paralysé des jambes. Je l'ai vu à Téhéran et à Yalta, il était d'une grande finesse. Rien à voir avec le marchand de chemises qui l'a remplacé, ce petit commerçant de Truman. Je revois cet embryon de bourgeois insignifiant à Potsdam, tout fier de m'annoncer qu'il détenait la bombe atomique. Il était comme un de ces policiers chétifs qui se haussent du col parce qu'ils tiennent un molosse en laisse. C'était pour me faire peur et uniquement pour ça, qu'il l'a lancée sur le Japon. Les Japonais étaient prêts à se rendre depuis un bon moment quand il a fait sa démonstration de force. Cette bombe est une mauvaise chose. Je n'ai jamais eu de problème à tuer, mais je l'ai toujours fait pour le progrès de l'humanité. J'ai épuré mais jamais éradiqué. La bombe atomique ne servira jamais aucun progrès de l'humanité, elle ne sert qu'à la faire disparaître. Tout ce que je fais, c'est pour m'inscrire dans l'histoire et je ne ferai jamais rien qui puisse anéantir l'histoire elle-même, comprends-tu?

— Vous avez raison, camarade Staline.

— Nous avions de meilleures relations avec les États-Unis quand nous étions alliés. Mais, depuis Truman, les choses ont changé.

Il s'interrompit quelques secondes avant de revenir à lui.

— Notre séance de la dernière fois m'a fait beaucoup de bien. Je n'ai plus eu de douleurs pendant plusieurs jours, ou pour être sincère ces douleurs se sont atténuées. Mais voilà que ça repart. Mes artères sont bouchées et le sang y circule avec tant de difficulté qu'il doit comprimer les nerfs pour se faire de la place. Tu as un vrai pouvoir sur la douleur, mais je comprends bien que tu ne peux pas grand-chose sur son origine. L'imposition de tes mains ne suffit pas à fluidifier mon sang. Je devrais faire plus d'exercice, j'imagine, mais ce n'est pas ma nature. J'ai arrêté de fumer, je pense que ça va me faire du bien, cinquante-cinq années de tabac n'ont rien dû arranger. Je devrais me ménager, si je ne veux pas finir comme Lénine. Lénine, lui, au moins, il m'avait comme successeur, mais moi qui ai-je pour me succéder? Beria? Cet homme, quand il me verra mort, baissera son pantalon sur ses chevilles pour me chier dessus. J'ai pensé à me débarrasser de lui. Ce serait d'une facilité déconcertante. Il ne s'appartient pas, donc il m'appartient. C'est un obsédé sexuel qui viole des jeunes femmes dans sa propre datcha à moins de vingt mètres de la maison où vit sa propre femme. Mais c'est un travailleur. Même s'il est terriblement personnel, il a montré qu'il avait le sens de l'intérêt du peuple. Malenkov est fidèle lui aussi, son visage de flanc aux œufs lui nuit, mais il donne l'image de ce qu'il est : un homme gélatineux. Molotov ? Je ne lui fais pas entièrement confiance, même s'il devrait être plus fiable maintenant que nous l'avons débarrassé de sa juive de femme qui se donnait des manières de riche héritière américaine maîtresse de son destin. Khrouchtchev est un fidèle, un vrai prolétaire, mais un rustre, et parfois j'ai l'impression qu'il a plus de vis et de clous dans le crâne que de neurones. Mais pourquoi te livrer toutes ces confidences ? Tu dois te dire : « Il est tellement seul dans l'exercice de son immense pouvoir qu'il a besoin de s'épancher et il le fait avec la première venue, car c'est moins dangereux que de se confier à un homme ou une femme qui a du poids dans le système. » Et d'ajouter : « Mais pourquoi fait-il cela, pourquoi me met-il en danger comme ça, car si demain il regrette notre conversation, il n'aura pour le bien du peuple aucune autre solution que de me faire disparaître. » Est-ce que je me trompe ?

— Je crois que vous vous trompez, camarade Staline.

— C'est une phrase que tu prononces avec un naturel bien agréable. D'autres considèrent que suggérer que je me trompe est suicidaire. Mais bien que je me trompe, comme tu le prétends, as-tu écouté mes conseils en gardant strictement pour toi nos rencontres ?

— Oui, camarade Staline, je n'en ai parlé à personne.

— Pas même à ton mari ?

— Pas même à mon mari.

— Comment lui expliques-tu que tu doives le quitter en pleine nuit pour une destination secrète ?

— Je lui ai dit que j'avais un amant et que j'allais bientôt le quitter pour de bon.

— Impressionnante duplicité, dis-moi, il est vrai que vous, les femmes, avez un incroyable talent pour ça. Tu lui as parlé de divorce ?

— Je lui en ai parlé, Iossif Vissarionovitch, et je l'ai convaincu.

— Ce ne sont pas seulement tes mains qui sont douées, tu as un drôle de talent de comédienne. Mais tu as un vrai problème. Le divorce ne sert à rien si vous ne vous séparez pas physiquement. Comment comptes-tu t'y prendre?

— Je ne sais pas encore, camarade Staline. Je n'ai pas trouvé de solution, je n'ai pas les moyens et...

— Je ne peux même pas t'aider. Je n'ai pas le pouvoir d'attribuer un logement, je ne suis que Staline, je crois d'ailleurs que nous en manquons et je me doute que la clique qui m'entoure s'est empressée d'attribuer à ses dévoués ceux qui étaient libres. Il te faudra trouver une solution si tu veux que ce divorce ait une réalité, tu m'en parleras... Maintenant, occupe-toi de mes jambes qui me font souffrir.

Alors ma mère posa ses mains sur les jambes de Staline, à l'endroit où le sang peinait à circuler dans des artères et des veines sclérosées par des années de banquets pantagruéliques. Comme la fois précédente, à peine les premiers effets de la manipulation se firent-ils sentir que le Vojd sombra dans un sommeil profond. Ma mère qui savait qu'il ne se réveillerait que huit heures plus tard s'endormit à son tour, d'une seule oreille.

Le Vojd ne se réveilla qu'en fin de matinée. Quand il vit ma mère près de lui, il lui dit:

— Mais tu es encore là, toi, quelle heure est-il?

Il jeta un œil à une pendule: 11 heures!

Il sourit, puis il reprit:

— Je vais mieux ce matin, je ne ressens pas sur mes épaules le poids des forces maléfiques qui m'enfoncent dans le sol. J'ai bien dormi. As-tu remarqué que personne ne vient jamais me réveiller? Parfois les circonstances imposeraient qu'on me sorte du sommeil plus tôt. Mais personne n'en prendra jamais la responsabilité. Quoi qu'il arrive, ce sont les événements qui sont priés d'attendre. Lorsque les Allemands ont pénétré en Union soviétique, je ne l'ai su qu'à l'heure de mon réveil. Et qu'est-ce que cela a changé ? Peux-tu me dire ? Rien, strictement rien. Ils n'ont pas quitté notre pays avec trois ou quatre heures de retard pour autant. Bon, je te libère. Je vais tout de même réfléchir à ton problème de logement.

Un geste pour la congédier accompagnait ces mots prononcés sans considération pour celle qui l'avait veillé assise, le cou tordu, se réveillant toutes les cinq minutes tant l'atmosphère de cette pièce se prêtait peu au repos.

*

Il était près de midi, quand ma mère parvint à reprendre son travail à l'hôpital où, ce jour-là particulièrement, de nombreux hommes et femmes attendaient ses miracles. Quelques-uns avaient trouvé à s'asseoir dans le couloir, les autres se tenaient debout.

La surveillante d'étage en la voyant arriver fit une moue de réprobation. Pour la seconde fois, elle s'était absentée une matinée entière sans s'excuser ni se justifier. Ma mère avait aggravé son retard en faisant un détour par chez elle pour se laver avant de reprendre son travail, et se débarrasser de l'odeur âcre du vieil homme qui lui collait à la peau.

Son chef ne fut pas long à se précipiter dans son cabinet et, sans considération pour la vieille patiente qui se tenait devant ma mère, il lui bondit dessus, les yeux exorbités derrière des lunettes de myope dont le verre épais grossissait les verrues qu'il avait autour des yeux.

— Tu es inconsciente, Atlineva. Mais qu'est-ce qui peut bien se passer dans ta tête, rappliquer avec une matinée de retard comme si de rien n'était, sans donner d'explication ? C'est la deuxième fois. La première, je n'ai rien dit. J'ai vu un milicien t'emmener, et je t'ai pensée disparue pour toujours. Ta responsabilité ne pouvait pas être mise en jeu. Quand tu es revenue le lendemain, j'en ai conclu qu'on t'avait relâchée et je m'en suis réjoui pour toi et pour le service. Les choses ne sont pas allées plus loin. Mais là, pour la deuxième fois, tu t'éclipses pour la matinée et tu reviens comme si de rien n'était. Tu imagines bien que je suis obligé de faire un rapport à la direction de l'hôpital et tu sais ce que tu risques, je ne te fais pas un dessin. On va te renvoyer et ensuite, ça n'est évidemment pas de mon ressort, j'imagine que le fait de quitter l'hôpital suffira à te ranger parmi les ennemis du peuple. Pourrais-tu au moins me donner un commencement de justification de tes absences ?

— Je n'ai rien à dire, camarade, répondit ma mère tout en palpant la vessie de la vieille dame.

Le chef de service remonta ses lunettes sur son front, se redressa avant de conclure :

— Bien, je sais ce qu'il me reste à faire, écrire un rapport. Mais je ne vois rien à y mettre qui puisse inciter à la clémence de ses lecteurs.

Et il sortit de la pièce en bousculant l'infirmière qui travaillait.

Ma mère fut convoquée la semaine suivante par le directeur de l'hôpital, un homme dont les yeux agités contrastaient avec des traits paisibles. Il n'était ni beau ni laid, et si elle n'avait pas su qui il était, ma mère ne l'aurait pas reconnu. Il se montra très courtois.

— Diriez-vous que le principe d'une seconde chance est un principe bourgeois ?

Ma mère chercha la réponse autour d'elle.

— Je n'ai pas vraiment d'opinion sur le sujet, camarade directeur.

— Quelque chose en moi me dit que donner une seconde chance à quelqu'un n'est pas dans l'air du temps. Or je dois vous donner une seconde chance ou vous précipiter dans les ennuis. Et ce choix n'appartient qu'à moi. Nous ne nous connaissons pratiquement pas l'un et l'autre et, pourtant, nos sorts sont très liés.

— Ah bon ! Et pourquoi ?

— Je ne sais pas comment vous le dire autrement, j'ai lié ma vie à la vôtre.

— Ah oui ?

— Il y a un certain temps, un de vos collègues dont je tairai le nom a demandé à me voir. Il s'est plaint que vous faisiez état d'un don. Ce don selon lui est usurpé, mais il assure à vos

60

patients, pour des raisons purement psychologiques, un taux de guérison supérieur à celui des autres médecins. Il s'est inquiété de l'éventualité que vous en usiez pour un prochain avancement alors que la méthode est déloyale. Elle aurait consisté selon lui à se prévaloir d'un talent qui n'est qu'imposture. Mais, comme les gens du peuple sont prêts à croire n'importe quelle sornette et à s'en persuader, il affirme que vos méthodes ont un effet sur leur mental, ce qui les aide à guérir. En ce sens, toujours selon lui, vous flattez chez le peuple des tendances à l'irrationnel.

— Et l'irrationnel est un crime ?

— C'est une sacrée régression, en tout cas du point de vue des autorités. Vous connaissez le travail gigantesque qu'elles ont réalisé pour détourner le peuple des tabous, des superstitions et autres croyances surnaturelles. Notre révolution est positive. Elle combat toutes les dérives irrationnelles. J'ai gardé sa plainte par devers moi.

— Merci, mais pourquoi ?

— Jamais je ne vous en aurais parlé si nos chemins ne risquaient pas de se séparer pour toujours. Je vous aime.

Il s'interrompit quelques secondes pour voir sur le visage de ma mère l'effet de sa nouvelle. Ravi de son étonnement, il reprit :

— Vous ne vous en doutiez pas, bien sûr ?

— Comment aurais-je pu m'en douter ? lui répondit ma mère avec candeur.

— Je n'ai pas transmis votre dossier. Mais celui qui vous veut du mal a jugé bon de passer au-dessus de moi. Et l'on m'inquiète. On me presse de me justifier de n'avoir pas transmis la plainte de votre collègue. Alors j'ai rétorqué que je la considérais comme infondée. Il m'a été répondu : « Mais ce n'est pas à toi d'en juger, camarade directeur d'hôpital, imagines-tu ce que deviendrait l'Union soviétique s'il revenait à un directeur d'hôpital de juger de la qualité d'ami du peuple d'un de ses subordonnés ? Bien sûr, si tu en étais convaincu, tu pourrais prendre l'initiative de la dénoncer, mais comment peux-tu t'opposer à ce qu'un de tes subordonnés le fasse ? C'est pure démence ! » Je lui ai fait remarquer que le terme d'ennemi du peuple est un fourre-tout, une poubelle de la haine courante, l'arme blanche d'une minorité qui souffre de folie de la persécution. J'attends la sanction de mon comportement. J'imagine que votre ennemi va s'empresser de dénoncer vos absences injustifiées. Il va vouloir porter l'estocade.

— Alors qu'allez-vous faire ?

— Rien.

— Rien ?

— Non, rien. Je vous aime, Olga. Si je vous avais dénoncée dès le début, un jour ou l'autre, ils auraient quand même trouvé un moyen de me tuer ou de me déporter. Mais je l'aurais été sans classe. Là, je conserverai une certaine esthétique, comprenez-vous, il y a une esthétique de la vie et j'y suis plus attaché qu'au peuple. Rien que cette phrase pourrait me valoir d'être fusillé. C'est certainement ce qui finira par m'arriver. Un jour, un éminent cadre de la police politique me parlait de l'exécution d'un homme. « Qu'a-t-il fait ? lui ai-je demandé naïvement. — Rien, me répondit-il. Mais il s'est préparé à mourir comme quelqu'un qui a commis une faute. C'est magnifique, et c'est cela, l'aboutissement du système. » Voilà, chère Olga, pourquoi je persiste à espérer, tant qu'il en est encore temps, pouvoir mourir comme quelqu'un qui n'est coupable de rien. Je ne vous demande aucune contrepartie, car tout cela ne concerne que moi. Des ennuis, vous en aurez, mais ils ne viendront pas d'ici.

Puis il se leva, la raccompagna jusqu'à la porte et lui serra la main sans émotion.

En le quittant, ma mère eut le pressentiment qu'elle le voyait pour la dernière fois. Elle se surprit à lutter contre l'idée qu'il était fou. Mais elle n'aurait pas su dire pourquoi.

Une semaine ne s'était pas écoulée qu'on frappa à la porte de l'appartement une nuit aux alentours d'1 heure du matin. C'était le même homme que la fois précédente, le même regard de veau anémié qui traîne son ennui dans un monde dont il a une conscience limitée. Mais curieusement la voiture ne prit pas la direction du Kremlin. Le parcours fut beaucoup plus long. À aucun moment il ne vint à l'esprit de ma mère de demander où on l'emmenait. Ce n'est qu'au dernier moment qu'elle découvrit dans les phares de la limousine une impressionnante datcha à l'architecture stylée et d'une couleur indéfinissable. Elle sut plus tard qu'elle était à Kountsevo, la résidence du Vojd à Moscou. Le parcours qui la mena à la salle d'attente, proportionnellement à la taille de la maison, fut beaucoup plus court qu'au Kremlin. La datcha lui fit une impression sinistre, comme si la vie l'avait quittée depuis longtemps. Il ne manquait que des draps sur les fauteuils pour en faire une maison abandonnée. L'attente ne fut pas très longue, à peine une heure, et la fouille réduite, exécutée par un homme qui regardait le plafond pour ne pas avoir à croiser son regard quand ses mains se perdaient. À son entrée, le Vojd était déjà allongé sur un divan dans une pièce froide mais de taille raisonnable. Sans rien dire, il lui fit signe de s'approcher et de s'asseoir. Il lui lança d'une voix pleine de colère contre ses maux :

— Ne perdons pas de temps, je souffre le martyre aujourd'hui.

Ma mère s'exécuta. Elle le vit fermer les yeux. Rassurée, elle se dit qu'il s'était endormi une nouvelle fois et qu'elle pouvait se préparer à sa nuit de chien de garde sur le fauteuil. Mais, la demi-heure d'imposition des mains passée, le Vojd ouvrit les yeux et s'assit avec difficulté.

— Tu me fais grand bien, lui dit-il en la transperçant de son regard sombre.

— J'en suis très heureuse, camarade Staline.

— Tu m'es devenue indispensable, tu ne crois pas?

— Oh non, camarade Staline, personne n'est indispensable.

— Oh si, moi, s'esclaffa-t-il en poussant sur ses bras pour s'asseoir. Tu as raison, personne n'est indispensable, pas même moi, et quand je serai mort, je fais confiance à mes successeurs pour s'attacher à en faire la preuve. Tu es une personne modeste comme je le suis. Le peuple croit que je suis attaché aux honneurs, il n'en est rien, les honneurs sont une création de mon entourage.

Il s'interrompit un moment, traversé par un songe, puis il se mit à haleter comme si une soudaine angoisse l'étreignait.

— On me dit que les gens ont peur. Mais que savent-ils de mes angoisses, de cette terrible sensation d'être en permanence la cible d'un complot? Parfois j'ai la poitrine déchirée par mon cœur qui bat à rompre d'une peur indicible, inexplicable, qui me prévient de je ne sais quel danger imminent. Si je n'avais pas terrorisé les autres, il y a bien longtemps que je ne serais plus qu'un cadavre mangé par les vers.

Il eut un sourire de profonde détresse, mais il prit sur lui de se montrer enjoué.

— Enfin, je suis là et je me sens mieux. J'avais une nouvelle à t'annoncer. Je crois que j'ai réglé ton problème de logement, sans me compromettre à t'obtenir un privilège. Voilà, j'ai besoin de chaleur et de retourner dans mon pays, la Géorgie. Je vais y résider à partir de la semaine prochaine au Frais Ruisseau, ma résidence préférée. Tu m'y accompagneras. J'y serai mieux pour travailler et l'atmosphère là-bas est beaucoup moins oppressante qu'à Moscou. Je peux y vivre au milieu de vrais prolétaires, des braves types qui n'attendent rien de moi, des amis de toujours qui ne connaissent rien à la politique, mais qui m'amusent, qui boivent et qui chantent. Je dois encore régler le problème de la confidentialité de ta résidence dans cette propriété, car je tiens plus que jamais à ce que ta présence ne s'ébruite pas. Tu peux te préparer à partir au moins deux bons mois, je t'emmène pour mon bien, au même titre que les eaux minérales de Narzan. De grandes tâches m'attendent. Je dois préparer le déplacement des juifs. Ils veulent leur nation. Ils vont l'avoir, je suis déjà en train de les chasser de Moscou. La police politique s'affaire pour leur recensement, on mobilise les gardiens d'immeubles, les mêmes moyens que les nazis, mais pour des mobiles plus nobles. Nous allons leur créer un deuxième Israël à l'Est, en Sibérie, au milieu des moustiques et des sangsues. Ils vont comprendre ce que signifie trahir ma confiance et comment je traite les bourgeoisies nationalistes. Je suis un habitué de ces grands travaux d'épuration et je crois être le seul à avoir la méthode pour les mener. J'ai remis une bonne vingtaine de millions de déviants dans le droit chemin, celui qui conduit au cimetière, et j'en ai gracié près d'une cinquantaine de millions en leur offrant du travail dans nos grandes étendues vierges. Les juifs seront malheureusement, je n'ai aucune illusion, mon dernier grand chantier contre la réaction. Moi qui ai toujours été un Russe irréprochable, j'ai gardé pour ma Géorgie une tendresse particulière. Et je suis content de t'emmener là-bas pour que tu y découvres ces senteurs que le froid de Moscou a sauvagement réprimées, même si je m'acharne à faire pousser de belles fleurs dans le jardin de cette maison. Nous serons bien là-bas, car j'y aurai tout pour m'apaiser, un vrai projet politique, la douceur du Sud et l'efficacité de tes soins. Mais avant de nous quitter pour nous retrouver bientôt, je dois te faire part d'une petite déception. Mes services ont fait des recherches sur ta famille et il apparaît que, bien avant de se marier, ton père dans l'enthousiasme de la perspective des jours nouveaux a changé son nom pour un nom de militant à consonance russe. Le nom avant modification, c'était Altman, mais, et c'est le pari que je fais, tu n'en as peut-être jamais rien su. C'est tout à fait possible, des familles entières se sont murées dans un déni de leur nationalité pour épouser la cause en faisant fi des arrière-pensées tribales. Une fois que j'ai accepté l'idée que tu ne savais rien de l'ancien nom de tes parents, une autre information est venue alimenter mon inquiétude. On me dit que, le premier jour où tu as soulagé mes douleurs, une garde t'a fouillée et a trouvé dans une zone intime une capsule qu'elle a portée à son chef qui l'a fait analyser. Et qu'est-ce que j'apprends? Que c'est du cyanure, ce même poison foudroyant avec lequel l'entourage de Hitler s'est donné la mort. Et si l'on fait une lecture des faits uniquement d'après leurs apparences, que voit-on? Une femme, médecin, assurément juive, qui pénètre au Kremlin avec une capsule de cyanure dans sa culotte. Ce n'est pas ordinaire en pleine affaire des blouses blanches, qu'en dis-tu?

— Cam...

— Ne dis rien. Avec un dossier pareil à la Loubianka, ils n'auraient pas besoin de t'arracher un à un les poils pubiens pour te faire avouer que tu es un modèle de terroriste qui projetait d'assassiner le maître de l'Union soviétique. Tu es bien d'accord?

— Je...

— Ne dis rien. Et pourtant, tu pourras un jour témoigner, si tu me survis, ce que j'espère étant donné ton âge, que le camarade Staline, s'il est ce qu'il est, c'est que sa profonde clairvoyance et son immense lucidité, compte tenu de son âge, lui permettent d'éviter les pièges les plus enfantins. Tu es médecin, c'est incontestable. Tu ne savais pas que tu étais juive, je te l'ai concédé, n'y revenons pas. D'ailleurs, comprenons-nous bien, que tu le sois ne m'aurait gêné en rien, en revanche, que tu tentes de me dissimuler ta vraie nationalité, cela je l'aurais pris pour un outrage. Maintenant, pour l'histoire du cyanure, contrairement aux imbéciles qui peuplent ma police politique, je ne pense pas que tu aies voulu m'assassiner. Parce que tu ne pouvais pas savoir, quand un de mes hommes est venu te chercher, qu'il allait te conduire chez le camarade Staline. C'est impossible. Donc ma thèse est la suivante. Quand tu as vu qu'on venait te chercher sur ton lieu de travail, tu as pensé qu'on venait te chercher pour t'emmener à la Loubianka. Erreur, ma fille, les arrestations politiques ont toujours lieu la nuit. Car ces arrestations se transforment ainsi en rumeurs qui empêchent les autres de dormir, et l'insomnie vient à rappeler à ceux qui l'auraient oublié que je veille sur notre peuple, nuit et jour. Non, j'expliquerais plutôt le poison par une drôle d'idée que tu t'es mise en tête, mais comment, je n'ai pas la réponse. Car si tu ne connaissais pas ta vraie nationalité, comment as-tu pu t'imaginer arrêtée et torturée comme les médecins du Kremlin l'ont été ? C'est ce point que je ne parviens pas à éclaircir, car, si tu n'es pas un médecin criminel, de quoi peux-tu avoir peur qui justifie de se promener avec une capsule de cyanure dans la poche ? C'est ce qu'il faut que j'éclaircisse. J'ai bien ma petite idée. Tu pensais peut-être que tu n'avais rien à te reprocher, mais, en bonne communiste, tu admettais l'idée qu'on puisse venir t'appréhender pour des crimes dont tu n'avais pas encore dessiné le contour. Je dois encore approfondir la question. Mais rien ne presse. Tu as la semaine pour divorcer, je vais organiser ton voyage pour la Géorgie et pendant deux mois tu seras débarrassée de tout souci matériel. Après, nous verrons.

Une voiture a reconduit ma mère chez elle dans la nuit.

Quand la peur s'infiltre dans un organisme, celui-ci n'a plus la perception neutre du sang qui l'alimente. La sensation qui domine désormais est celle d'un liquide acide et brûlant. Cette nuit-là, dans son lit de fortune installé par terre pour permettre à mon père de dormir tout son saoul, ma mère comprit ce qu'elle n'avait jamais pu entrevoir clairement auparavant : la raison pour laquelle les hommes et les femmes qui se savent atteints d'un mal incurable ne prennent jamais l'initiative de mettre fin eux-mêmes à leurs jours plutôt que d'accepter cette déchéance qui s'offre comme un lien entre la vie et la mort. Elle ne dormit pas le reste de la nuit et le lendemain elle se rendit à l'hôpital, exténuée. Son travail reprit normalement jusqu'à la fin de la semaine. Le soir, pour éviter de croiser mon père, elle traînait à l'hôpital, jusque tard dans la nuit, acceptant des gardes qui ne lui revenaient pas au point d'attirer l'attention de ses collègues. Ils ne comprenaient pas qu'après deux absences injustifiées, elle se fasse remarquer par une présence exagérée et donc suspecte. À son retour, tard dans la nuit, elle trouvait mon père endormi sous la table de la cuisine. La pièce exhalait une forte odeur d'alcool. Un jour, on frappa à la porte à 2 heures du matin. Ma mère n'eut pas le moindre doute sur le fait qu'on venait la chercher, mais pour l'emmener à la Loubianka cette fois. Sans aucun signe de panique, résignée et presque soulagée, elle ouvrit la porte avec le même naturel que pour des invités. Ils étaient plusieurs miliciens aux longs manteaux et ma mère pensa que l'emploi n'est rien, si le costume n'est pas livré avec. Au nombre, elle conclut que la destination finale n'était pas le Frais Ruisseau mais les locaux nauséabonds de la police politique.

Lui montrant un vague papier, le plus gradé des trois lui dit :

— Nous avons ordre d'arrêter Sergueï Sergueïevitch Sloutchine, est-il là ?

— Vous devez faire erreur, lui dit ma mère, c'est moi que vous venez arrêter.

En regardant ses seins qui pointaient dans le décolleté de sa robe de chambre, l'officier lui répondit avec une grosse voix de pierre qui tombe dans un puits :

— Vous n'avez pas une tête à vous appeler Sergueï et je n'ai pas d'ordre pour vous.

Ma mère réveilla avec difficulté mon père qui lutta plus longtemps contre la nausée que contre la nouvelle. Elle était bouleversée. Elle ne sut rien lui dire, alors qu'il s'habillait, se pressant pour ne pas agacer ses futurs tortionnaires comme si des précautions pouvaient changer quelque chose à son traitement. Il lui fit un petit signe de la main en partant et lui jeta un regard désespéré ; puis, résistant un moment à un garde qui le poussait vers la sortie, il lui lança :

— Je ne voudrais pas apprendre que ton amant s'est servi de cette arme pour m'écarter de sa route.

Ma mère voulut pousser un cri, mais elle n'y parvint pas.

Le lendemain, elle croisa le concierge qui fit mine de ne pas être au courant de l'arrestation de son mari. Il se contenta de la féliciter au nom de ses voisins et en son nom propre pour le retour à la normale sonore.

— Aucun cri de plaisir ne s'échappe plus de votre appartement, preuve que la quiétude est de retour parmi vous. En revanche, il m'a été rapporté qu'une sorte de râle, provenant d'une voix masculine, a été entendu par vos voisins. C'est ce qu'ils m'ont dit, mais comme ils ne semblaient pas en être offusqués, je n'ai pas considéré ce fait comme une nuisance.

*

Pour la première fois, elle eut hâte qu'on vienne la chercher pour l'amener près du Vojd. Le voyage commença le dimanche suivant dans un train où elle fut accompagnée par une femme. Dix comme elle faisaient la tonne, et du voyage, ma mère ne quitta pas du regard ses mains qui ne pouvaient trouver de gants à sa taille dans la production soviétique. Elle ne disait rien, comme tous les gens qui se sentent investis d'une grande tâche et doutent d'être à sa hauteur. Ma mère se fit la réflexion qu'elle était certainement à la hauteur, mais que c'était plutôt la tâche qui n'en était pas une.

Le Frais Ruisseau était une grande maison à mi-chemin entre la maison coloniale et le réfectoire d'un orphelinat des enfants des ennemis du peuple. Dès sa première visite au Vojd, ma mère ne put s'empêcher de lui parler de mon père.

— Tu es bien une femme. Je t'emmène loin des gelées moscovites dans un lieu magique où la nature conserve tous ses droits, où j'attendais que tu vantes ma bonne mine, et toi, tu m'entretiens de problèmes domestiques. Tu me dis qu'il a été arrêté par la police politique. C'est bien probable, ça n'a rien d'extraordinaire à Moscou par les temps qui courent. Mais je ne suis que Staline. Que puis-je bien faire? S'ils l'ont arrêté, c'est qu'ils ont leurs raisons. Il est sans doute soupçonné de quelque chose. S'il est innocent, ils le relâcheront. Tu avais l'intention de divorcer, de toute façon, alors qu'est-ce que ça change? Si encore tu avais des enfants avec lui, je comprendrais que tu t'attendrisses, mais il n'en est rien. Je peux toujours me renseigner, mais vais-je me le rappeler alors que ma mémoire s'éloigne jour après jour? S'il te plaît, ne m'en parle pas à chacune de nos rencontres.

Ma mère comprit qu'elle ne devait plus évoquer le sujet. On l'avait installée à l'abri des regards dans une dépendance dont elle n'avait pas le droit de sortir, une cabane de quatre mètres sur quatre avec un évier et des toilettes, et un lit de camp d'une place. On lui apportait à manger et à boire à heures fixes, et des livres de la bibliothèque du Vojd. Celui-ci trouva amusant d'y ajouter *Le Roman du masque de fer* d'Alexandre Dumas, un de ses auteurs préférés. L'homme qui lui portait ses repas était le cuisinier du guide. Il s'appelait Plotov. Il lui adressa rarement la parole, la première fois pour lui dire son nom, parce qu'elle le lui avait demandé. Il en avait semblé contrarié. À l'évidence, il avait ordre de lui parler le moins possible, mais il ne résista pas au plaisir de lui annoncer un jour la naissance d'un petit-fils prénommé Vladimir. Nul ne pouvait prédire à l'époque que cet enfant, qu'il décrivait déjà blond aux mèches soyeuses, serait quarante-sept plus tard président de la Russie.

— J'ai reçu des nouvelles de Moscou, un compte rendu d'un de mes hommes à propos de la détention de ton mari. Je ne l'ai pas lu, je le découvre en même temps que toi. Celui qui me l'envoie est un homme de confiance. Je vais recevoir demain ou après-demain un rapport officiel dont je ne me servirai que pour comparaison, car pour le moment je me contente de la relation des faits, concoctée par mon émissaire. Que dit-il? En général, il ne manque pas de style, comme tu le verras. « À la Loubianka, ses tortionnaires ont enfilé leurs longs tabliers. On l'a attaché à une chaise. Le tortionnaire en chef commence par le prévenir que toute personne qui n'est pas passée entre ses mains est un nouveau-né à la douleur. Puis il prend un papier pour s'assurer qu'il ne fait pas fausse route dans ses recherches : "Camarade, dit-il en lisant difficilement du fait de son alphabétisation récente, camarade, tu vas être malmené, ça tu le sais. Ce que nous attendons de toi, ce sont des aveux complets sur deux choses : d'abord la vraie nationalité de ta femme que nous ne connaissons pas et que tu es le seul à connaître. La deuxième question concerne ses activités : parfois elle part dans la soirée ou dans la nuit, nous voudrions savoir ce qu'elle fait, car si nous te le demandons, c'est que nous l'ignorons. Tu as bien sûr la possibilité de répondre avant d'être torturé. Et tu ne seras pas torturé si la réponse que tu fais nous convient. — Je pourrais savoir quelle réponse vous conviendrait ? répond le prévenu. — Désolé, camarade, de ne pas pouvoir te satisfaire, ce serait trop facile, tu comprends. — Alors je peux vous dire que ma femme est russe de lointaine origine polonaise et que je ne sais absolument pas ce qu'elle fait quand elle sort."

« Le tortionnaire l'a regardé avec une moue de déception. "Tes réponses tombent très mal, camarade, ce n'est absolument pas ce que nous attendions, alors au travail. — Mais vous avez prétendu que vous ne saviez pas ? — Certes, nous ne connaissons pas la vérité, mais nous sommes parfaitement capables de discerner, dans cette affaire, ce qui n'a aucun rapport avec elle. Ne pas connaître la vérité n'exclut pas de savoir ce qui est mensonger. — Donc vous allez me torturer. — J'en ai bien peur, mais pour toi je vais faire une exception. — Laquelle ? — Je le ferai sans plaisir. Mais, avant toute chose, je tiens à t'informer que tu n'es pas un cas parmi tant d'autres. — C'est-à-dire ? — Tu es un suspect d'importance, mais ton importance t'échappe. — En quoi suis-je un prisonnier d'importance ? — Tes réponses intéressent en haut lieu. — Je m'en doutais." »

À ce moment-là de la lecture, Staline baissa le papier qu'il avait devant les yeux et sans regarder ma mère il s'interrogea :

— Cette réponse m'intrigue. Comment peut-il se douter que ses réponses intéressent en haut lieu ?

Ma mère s'empressa de lui répondre :

— C'est que je lui ai fait croire que je le quittais pour un homme haut placé dans le parti, pour l'impressionner en quelque sorte.

— Je comprends mieux, mais quelle coquine tu fais, quand on soupçonne les femmes de malice, on n'imagine jamais la moitié de ce dont elles sont capables.

Il referma la chemise qui contenait le rapport et le posa sur un coin de table.

— La suite est moins intéressante, je t'en fais grâce. Pour le moment, je voudrais te conduire visiter le jardin. Si ma mémoire est bonne, c'est la première fois que nous sommes réunis de jour. Je découvre une belle femme à l'ossature solide, avec de beaux cheveux ondulés, une vraie Russe dont nous pouvons être fiers.

Une fois dans le jardin, il lui parut rayonnant.

— L'eau et le soleil font des miracles, que l'un vienne à manquer et tout devient désolation. La nature fait tant de beauté. En même temps, elle peut être tellement injuste, surtout avec les pauvres, que nous ne pouvons pas lui faire totalement confiance. Nous devons l'asservir. Si tu te souviens, l'Ancien Testament fait référence à cet assujettissement. Mais tu n'es pas d'une génération qui a lu l'Ancien Testament. La nature est très semblable aux hommes, elle complote souvent en silence et ne se plaint pas lorsqu'on la réprime brutalement. Elle a longtemps été du côté du pouvoir contre le peuple, le menant au froid et à la famine. Désormais, avec nous, elle est à sa botte.

Ils parcoururent lentement les allées. Devant chaque parterre d'une espèce différente, il s'émerveillait. Il s'arrêta devant un massif de roses et ses yeux s'embuèrent. Comme ma mère le fixait, stupéfaite, il se détourna de son regard. Alors il lui dit d'une voix tremblotante :

— Je n'ai jamais célébré la vie à ce point et jamais tu n'as été aussi près de la mort. As-tu senti sa caresse dans ton cou ?

*

Durant une semaine, ma mère ne le vit plus. Staline se livrait à des orgies avec ses vieux camarades géorgiens jusque tard dans la nuit. Il était ensuite pressé de dormir. Il se levait de plus en plus tard. Mais les douleurs oubliées quelques jours réapparurent en force. Ma mère se rendit auprès de lui une nuit où l'alcool n'avait rien pu pour endormir ses souffrances. Lorsqu'elle eut fini de lui imposer les mains, il se leva et d'une démarche de vieillard se dirigea vers son bureau.

— J'ai eu des nouvelles de ton mari, lui dit-il en se saisissant d'un dossier. Alors, que me dit-on ?

Cette fois il lut pour lui-même, alternant des expressions amusées et étonnées.

— Ce sont plutôt des bonnes nouvelles. Il a été longuement torturé, mais n'a pas soufflé mot sur ta nationalité ni sur les raisons de tes escapades nocturnes. Pourtant, si j'en crois mon émissaire, ils n'y sont pas allés avec le dos de la cuillère et je connais notre homme, il n'est pas du genre à noircir le tableau.

Staline continua à parcourir le texte :

— Certains dialogues entre le tortionnaire et ton mari méritent notre attention : « Je n'avais rien à vous donner et pourtant vous m'avez tout pris », lui dit ton mari. « Il me reste ta dignité », lui répond l'interrogateur. « Je vous en fais cadeau, ne vous donnez pas plus de mal. » Finalement, la bonne nouvelle pour toi, c'est qu'il n'a rien avoué, ni ta nationalité ni la raison de tes escapades nocturnes. C'est donc qu'il ne savait rien, car avec le procédé de l'électricité, on peut faire avouer à un grand-père qu'il n'est qu'un nourrisson. J'en conclus que tu ne lui as rien dit, rien de rien. Tu es digne de confiance. Je n'en doutais pas vraiment, pour être sincère.

— Alors il va être relâché, n'est-ce pas ?

— Il devrait finir par l'être, mais c'est un peu prématuré.

Quelque chose me chagrine, comment dire? En première analyse, je pense que tu ne lui as rien dit. Je pense aussi qu'il est impossible de résister au traitement qui lui a été réservé. Il reste toutefois une probabilité, même infime, que la torture n'ait pas eu raison de lui. Pour le savoir, je réfléchis tout haut, cela me semble assez simple. Logiquement, je crois qu'il faudrait le remettre à la question sur un sujet dont nous savons qu'il a la réponse. Je m'explique. Ton mari sait que tu as un amant. Si, sous le supplice, il ne l'avoue pas, c'est qu'il n'a pas avoué qu'il connaissait ta vraie nationalité et ta relation avec moi. D'un autre côté, je suis partagé, car, s'il craquait et se mettait à déballer tout devant les hommes de la Loubianka, ces hommes pourraient apprendre dans le même temps que tu as un amant, mais aussi ta vraie nationalité et, comble de tout, que tu soignes Staline alors que les gens de ton espèce sont dans notre collimateur. Sans oublier que tu me traites avec des méthodes surnaturelles héritées de l'ancien régime. Le supprimer ne servirait à rien, car je ne serais toujours pas assuré que tu ne m'as pas trahi. Vous supprimer tous les deux, c'est m'ôter le précieux concours de tes dons. C'est un vrai problème politique que j'ai là à résoudre.

Il s'ensuivit un long silence pendant lequel Staline fit les cent pas dans la pièce. Ma mère se mit à pleurer. Il la regarda comme une curiosité.

— Camarade Staline, je voudrais vous implorer...

Il la coupa sans attendre.

— Par pitié, ne m'implore de rien, tu ne sais pas quelle réaction cela peut déclencher chez moi. Ne fausse pas mon jugement, ne me donne aucune preuve de l'amour que tu lui portes, car je serais capable de... Sèche tes larmes et reprenons. Ne me pousse plus aux solutions les plus radicales.

Il réfléchit quelques instants dans le silence de la pièce, rendu pesant par ma mère qui retenait ses larmes.

— Je vais demander qu'on l'interroge. S'il avoue que tu as un amant, il s'en sortira. Tu sais, il est jeune et bien portant d'apparence. Des exemples d'hommes ou de femmes qui sont morts sous la torture, nous en avons. Mais il ne s'agissait que d'êtres faibles ou vieux, prédisposés à mourir.

Les trois jours suivants passèrent sans que Staline sollicite les soins de ma mère. Ce n'est que la nuit du quatrième jour qu'il fit appel à elle, alors qu'elle dormait profondément, épuisée par les insomnies successives. Elle le trouva allongé sur son divan, les mains jointes sur le ventre comme s'il se préparait à mourir.

— As-tu remarqué que je ne te fais plus fouiller.

— J'ai remarqué, camarade Staline.

— J'espère que tu apprécies cette marque de confiance. J'ai d'excellentes nouvelles pour toi. Ton mari a fini par avouer. Après trois heures d'un interrogatoire mené d'après mes sources selon les règles de l'art, il a fini par dire ce que je souhaitais entendre. Il a lâché que tu as un amant, haut placé dans le parti, mais dont il ne connaît pas le nom. Ils ont trouvé son empressement à affirmer qu'il ne savait pas son nom un peu suspect. Alors ils l'ont « examiné » une heure de plus, puis une heure encore pour revenir sur ta nationalité. Ils n'ont obtenu rien de plus. Nous pouvons dire désormais qu'un certain niveau de confiance s'est instauré entre nous. J'ai demandé qu'on le libère. Comme tu le sais, je ne suis que Staline, mais j'ai bon espoir qu'on suive ma recommandation.

Il sourit et respira profondément, comme s'il était soulagé.

— J'ai regardé son dossier professionnel, cet homme à qui j'accorde un certain crédit, désormais, peut nous être utile. J'ai lancé un grand projet de sous-marin nucléaire. Peregoudov, un scientifique de talent qui pourrissait dans un camp depuis l'avant-guerre, s'est vu confier la tâche de mener à bien ce projet. Je vais y associer ton mari. Il disposera sur le site d'un logement de fonction, ce qui lui permettra de libérer l'appartement de Moscou que tu garderas pour toi. Quant à toi, on me dit que tu es recherchée par la police comme « ennemie du peuple » pour avoir déserté ton travail. Je vais user de mon petit pouvoir pour qu'on suspende les recherches. Mais tu ne vas plus être payée, cela ne serait pas très moral de te verser un salaire alors que tu es renvoyée de ton hôpital. De retour à Moscou tu me feras penser à essayer de trouver une solution pour t'assurer un travail qui ne t'éloigne pas de moi.

Staline poussa alors un long soupir en regardant le bout de ses chaussures et ma mère découvrit qu'assis sur ce divan, ses pieds touchaient à peine le sol.

— Quand plus tard on parlera de moi, j'espère que tu seras là pour témoigner que ma force, c'était ma capacité à prendre les grandes décisions autant qu'à soigner les détails tout en restant proche des plus humbles que je n'ai jamais cessé de servir. Pour en finir avec toute cette histoire, j'ai une question : ton mari boit-il ?

— Ce n'était pas son habitude, camarade Staline, mais il faut reconnaître que, depuis que je lui avais annoncé mon départ, il s'était mis à boire.

— Je te posais la question comme ça, parce qu'un rapport me dit que, pour les personnels qui travaillent sur des projets où ils subissent une forte radioactivité, la seule défense connue c'est l'alcool, qui protège des rayons ionisants. On me dit aussi que nous avons un vrai problème à concevoir des sous-marins avec des hommes qui boivent de la vodka du soir au matin. Or, si on leur interdit de boire, ils vont à une mort certaine. En cela je vois un inconvénient, s'ils meurent avant que notre projet de sous-marin nucléaire n'ait abouti, c'est une catastrophe pour le pays. Tu comprends le dilemme. Eh bien, c'est ça vois-tu, la politique, il faut constamment prendre des décisions, j'en suis fatigué, et je ne vois personne qui puisse le faire à ma place. Dans deux jours, nous retournons à Moscou. Je vais quitter le Frais

Ruisseau avec tristesse. J'ai déjà presque la nostalgie de ce lieu qui m'a donné mes rares moments de quiétude. Quelque chose me dit que je ne le reverrai pas. Et quelque chose me dit que tu vas me survivre. C'était inespéré au départ. L'aurais-tu parié ?

Staline fut victime quelques semaines plus tard d'une hémorragie cérébrale. Elle le laissa conscient, sans voix ni mouvement, mais dans une position qui inspirait l'effroi au point que personne n'osa le toucher. On le laissa baigner dans son urine jusqu'à ce que survienne son décès auquel personne ne parvenait à croire. L'affaire des blouses blanches prit fin avec la libération des médecins juifs accusés injustement de complot. Le projet de déportation des juifs fut enterré.

Ma mère se rendit à son hôpital de banlieue. Elle fut reçue par le nouveau directeur qui l'informa que l'ancien avait été arrêté et qu'il était mort pendant son interrogatoire à la Loubianka, sans doute d'une petite faiblesse cardiaque. Le nouveau directeur lui confirma qu'elle n'était plus recherchée comme ennemie du peuple à la suite d'une intervention en haut lieu. En revanche, il n'était pas question de la réhabiliter dans ses fonctions.

Elle ne m'a jamais parlé de ses retrouvailles avec mon père. L'un et l'autre sont restés de bons communistes. Le retour à une vie ordinaire après avoir été supplicié était normal pour l'époque. Comme il l'était de ne pas en tenir rigueur au régime. La dérive de certains n'assombrissait en rien le projet révolutionnaire et la foi qu'on avait en lui. Peu d'hommes étaient alors capables d'ajouter à la souffrance de la torture celle de la désillusion.

Alors que les premiers sous-marins nucléaires appareillaient, mon père a été muté dans une base de la mer de Barents pour assurer le suivi technique de la flotte nucléaire. C'est là que je naquis en 1957. Leurs ébats avaient repris avec intensité, mais il fallut plus de trois ans à ma mère pour que son cycle menstruel se rétablisse. 1957, c'est aussi l'année de la mort de mon père, d'alcoolisme.

Nous sommes restés encore de nombreuses années sur la base, ma mère et moi. Elle y était chargée d'un dispensaire pour les familles de sous-mariniers. Les marins eux-mêmes avaient alors leur propre service de santé. Elle était un peu plus qu'infirmière, mais pas tout à fait médecin, et passait pour une médiocre thérapeute. Elle ne pratiquait plus l'imposition des mains, et ses résultats s'en ressentaient, car elle avait beaucoup perdu en connaissances théoriques. Les familles de sous-mariniers lui en voulaient de son peu de réussite. Elles ne lui en faisaient jamais directement le reproche, mais sa prétendue incompétence me revenait aux oreilles par les enfants des mères qu'elle soignait au point que toute cette communauté de parents de sous-mariniers m'était devenue insupportable. Par haine du milieu, j'étais à n'en pas douter le seul petit garçon qui ne rêvait pas des profondeurs ni de la gloire qui leur était attachée. Un jour, la femme d'un sous-officier lui reprocha son incompétence en public. Ma mère fut tentée pour éblouir la communauté de recommencer à user de son magnétisme. Elle l'aurait fait pour moi, pour que je sois fier d'elle et qu'on cesse de la critiquer en ma présence. Elle y pensa longuement et le soir où elle l'envisagea fut le moment où elle me raconta toute l'histoire avec un luxe de détails. Elle fut ensuite incapable de fermer l'œil de la nuit et je l'entendis faire les cent pas dans sa chambre car, je ne sais par quel hasard, si notre appartement était vétuste, nous avions chacun une chambre. Le lendemain, aux premières heures du jour, elle ranima le feu de notre poêle à bois d'appoint, dont la fumée s'échappait par une cheminée de fortune qui sortait à l'air par le mur de la cuisine. Le cri que j'entendis ensuite me parut très étrange. Un hurlement mêlé de plaisir semblait sortir du tréfonds de sa féminité. Je me levai en sursaut. Je la trouvai presque souriante, ses deux mains brûlées par les plaques rouges, tournées vers le ciel.

Quelques semaines plus tard, alors que l'hiver avait repeint la nature d'une épaisse couche de blanc, je fus pris de douleurs dont l'origine semblait mystérieuse. Comme aucun médicament n'en venait à bout, dans le voile de fièvre de la fin d'après-midi, je vis ma mère approcher ses mains martyrisées de mon ventre et, soulevant un coin de mon pyjama, les poser sur ma peau brûlante. Le lendemain, le mal avait disparu.

VERTES ANNÉES

Lorsqu'on frappa à la porte, le jeune officier comprit que c'était le signal de la fin de son entretien avec son supérieur. Il se leva tandis que ce dernier se dirigeait à grands pas vers la porte pour accueillir son visiteur. Un homme de taille moyenne, large d'épaules, fit son entrée. Il serra très chaleureusement la main de son hôte en lui collant une tape sur le bras. Celui-ci le débarrassa de son pardessus alors que le jeune officier manifestait sa déférence au nouveau venu. Le voyant, l'homme lui fit signe qu'il pouvait s'en dispenser. Puis il le scruta d'un regard pénétrant. Il observa chez le jeune homme ses yeux d'un bleu pâle, peu mobiles et fuyants, ses lèvres roses en surplomb d'un menton en retrait. L'ensemble lui donnait l'air d'une fouine nerveuse qui cherche un petit animal à saigner. Le jeune officier, après avoir salué le général, s'éclipsa sans bruit en refermant la lourde porte molletonnée derrière lui.

— Bonne recrue? lança le général en s'approchant du fauteuil que lui désignait son interlocuteur.

— Je n'ai pas encore d'opinion, répondit le colonel en reprenant sa place derrière son bureau. Ce n'est pas un garçon facile à cerner. Il est assez primesautier. Je le sens ambitieux, volontaire, mais assez secret.

— Corruptible?

— Je ne le connais pas assez pour être formel, mais je parie que son ambition l'en prémunit.

— Quand je m'occupais de recrutement et d'entraînement, il y a des années, j'ai eu des gars comme ça qui ne faiblissaient sur rien. Ni l'alcool, ni les femmes, ni les libéralités. Avec le temps, je me suis fait une doctrine. Ce sont soit les meilleurs, soit les pires de nos agents. Les agents dont l'âme ne fuit pas s'effondrent d'un coup en faisant des ravages considérables. Mais il faut reconnaître aussi que dans cette catégorie d'ascètes nous avons eu quelques hommes remarquables. C'est son premier poste à risque, n'est-ce pas?

— Oui. Il était stationné jusqu'ici à Saint-Pétersbourg. Il était en charge de la chasse aux dissidents où il a montré de très bonnes dispositions. Mais il n'avait aucune raison d'être sollicité par nos ennemis politiques, il avait si peu à leur dire qu'ils ne sachent déjà.

Le colonel se leva et se dirigea vers une bibliothèque en bois exotique bon marché pour en sortir deux petits verres à fond de loupe et une bouteille. Les deux hommes trinquèrent les yeux dans les yeux et burent cul sec.

Le général se frotta le menton en regardant par la fenêtre comme s'il cherchait à réunir ses idées. Le colonel qui le connaissait bien le laissa se concentrer en regardant par la fenêtre à son tour. On n'y voyait rien d'autre qu'une ville de l'est de l'Allemagne par temps gris.

— Nous allons prochainement avoir besoin de savoir sur qui nous pouvons compter.

Le général parlait désormais à un vieux compagnon que seules d'obscures circonstances bureaucratiques avaient relégué un peu plus loin dans la hiérarchie. L'un comme l'autre savaient que leur métier excluait la confiance en autrui, pourtant cela faisait des années qu'ils ne pouvaient s'empêcher de se traiter amicalement.

— Notre système ne pourra pas perdurer en l'état au-delà de quelques années. Le signal viendra le jour où nous déciderons de nous retirer d'Afghanistan. Nous sommes incapables de continuer cette guerre, mais se retirer c'est accepter la défaite de l'Union soviétique devant une nation dix fois plus petite et cent fois moins armée.

Le colonel s'attendait sans doute à une bien plus mauvaise nouvelle.

— Cela nous le savons tous, Guennadi, il va falloir réformer le système, se battre contre la corruption qui gangrène tous les échelons du parti, poursuivre énergiquement dans la voie tracée par Andropov...

Le colonel s'arrêta car, en face de lui, le général hochait sa large tête enfoncée entre ses épaules, lui signifiant qu'il n'y était pas du tout.

— Non, Piotr, il ne s'agit plus de réformer. Gorbatchev s'y évertue. Il écope dans un pétrolier géant dont la coque aurait été crevée par un iceberg. Les États-Unis nous ont ruinés en maintenant les cours du pétrole à un niveau misérable. Ils nous ont conduits dans une course aux armements qui nous laisse exsangues, tout en faisant pression sur nos ressources avec la complicité des pays producteurs de pétrole du Moyen-Orient. À côté de cela, ils concentrent leurs efforts pour nous compliquer la tâche en Afghanistan et en faire notre Vietnam. Je ne suis pas venu te parler de réformes, je suis venu t'entretenir de la fin du communisme.

Le colonel le fixa, incrédule. Puis le général reprit, d'une voix qui s'employait à convaincre sans dramatiser :

— D'ailleurs, puisque nous sommes entre nous, nous pouvons reconnaître que l'action des Américains pour nous mettre à genoux ne fait que précipiter un malaise structurel qui, de toute façon, conduisait inexorablement à la fin du système.

— Mais, Guennadi, comment peux-tu dire une chose pareille ?

— Je ne suis pas le seul à le dire. Mais cela n'a rien de sub-versif ni de contre-révolutionnaire. Ce qui m'intéresse, Piotr, ce n'est pas de savoir quel sera le prochain système. Je me préoc-cupe plutôt de préfigurer la place qui sera la nôtre dans ce nou-veau système. J'ai une autre préoccupation à court terme.

— Laquelle ?

— Quelles que soient l'évolution de notre régime et la forme qu'il prendra, nous avons quelques camarades et moi deux préoccupations : je ne veux entendre parler ni d'une grande les-sive ni d'un nouveau Nuremberg. Les Occidentaux aiment ces actes de contrition collectifs, cela n'est pas envisageable chez nous. Par ailleurs, nous ne devons pas perdre notre pouvoir. Plus on avancera dans le temps, plus le monde se partagera entre ceux qui savent et ceux qui croient savoir.

— C'est ce qui nous distingue des Occidentaux, nous n'avons jamais fait croire aux masses qu'elles savaient.

— Je partage ton opinion, Piotr. Et j'ajouterai — je vais peut-être te choquer, mais tu ne vas pas tarder à me comprendre — que ceux d'entre nous qui survivront le mieux, et nous devons en faire partie, n'ont jamais vraiment cru au communisme. Je pense pour ma part que c'est un mode de domination comme un autre, qui correspond à une réalité histo-rique, à un rêve qu'il était souhaitable de caresser.

Le général s'interrompit un court instant pour regarder à nou-veau par la fenêtre, comme s'il pouvait apercevoir dans cette gri-saille couleur de zinc un élément nouveau.

— As-tu jamais réfléchi à ce qu'est un ennemi du peuple ? C'est le concept le plus génial que nous ayons inventé. Parfois je me promène dans la grande forêt qui entoure ma datcha près de Moscou et je regarde les arbres. L'autre jour, je me suis arrêté devant un immense conifère qui filait vers le ciel majestueux, sûr de lui. Je me suis approché de son écorce et je lui ai murmuré : « Prends garde à toi, magnifique arbre, tu as tous les signes exté-rieurs qui font de toi un ennemi du vent. » Ce n'était qu'une façon de voir les choses, la nôtre depuis la fin des années vingt. Le communisme tombé, et il chutera, crois-moi, il faudra se résoudre à ce que nous sommes : un ordre dans une nature par essence chaotique. Un ordre né de la connaissance. Je ne pense pas que nous devons nous user à contresens de l'histoire. Je sais que beaucoup de nos camarades seront tentés de le faire, mais c'est improductif. Plus nous résisterons à la chute de ce système, moins nous aurons de chance de figurer en bonne place dans le prochain.

Piotr hochait la tête par petits mouvements successifs pour se convaincre des propos de son ami.

— Mais ce que tu dis, ça donne quoi sur le plan opérationnel ?

— Ça ne donne rien de particulier pour l'instant. Nous devons nous employer à créer une communauté soudée qui traversera les événements avec un point de vue et des modalités d'action communes.

— Tu veux dire que nous allons créer un deuxième KGB à l'intérieur du KGB ?

— Nous n'en sommes pas là. Nous devons nous contenter d'observer et d'apprécier les cadres qui évoluent autour de nous. Nous aurons beaucoup de défections. L'appel du large. Avec la fin de l'idéologie, il faut s'attendre à voir l'« intérêt personnel » s'exprimer plus vivement.

— Donc, rien ne change pour le moment.

— Rien du tout, Piotr, il faut être plus vigilants, et nous compter. Les Occidentaux font des prodiges pour retourner nos agents. C'est une période propice pour mesurer leur fidélité, non au système mais à la Maison. Le seul conseil que j'ai à te donner, si tu es de la partie, c'est d'éprouver tes cadres et de repérer ceux qui seront dignes de participer à la prochaine aventure. Et, plus que jamais, ne rien lâcher aux Américains, qui aimeraient se faire passer pour nos amis de demain.

Cette conversation achevée, les deux hommes quittèrent le bureau du colonel pour aller déjeuner. Ce n'est qu'une fois dans la rue que ce dernier reprit la conversation :

— Quel message voulais-tu faire passer à nos ennemis ou à nos alliés, tout à l'heure? Tu imagines que la Stasi fait son possible pour écouter mon bureau et que, peut-être avec la complicité d'un de leurs agents retournés, la CIA est capable d'en faire autant?

Le général prit un air circonspect.

— Je doute que nous soyons écoutés, si c'est le cas, c'est grave pour toi. Mais que nos amis ont-ils à apprendre de notre conversation? Je dirais qu'ils s'attendent à un effondrement de l'empire. Si un message a pu passer, c'est que nous ne nous accrocherons d'aucune façon aux débris laissés par ce naufrage. Nous resterons sur les côtés. Un jour, ils ne seront peut-être plus les mêmes ennemis, mais je peux t'assurer d'une chose, à moins que la Russie éternelle ne disparaisse, ils resteront nos adversaires. En revanche, un pays qui n'a plus d'intelligence structurée n'est plus l'ennemi de personne, et c'est ce qu'ils souhaitent pour nous.

Il s'arrêta au bas des marches pour allumer une cigarette. Il tira une bouffée profonde, recracha la fumée, ajusta son chapeau dévié par le vent puis reprit :

— À propos de... comment s'appelle-t-il déjà?

— Plotov.

— C'est cela, donc, à propos de Plotov, il n'y a pas que les femmes et l'argent qui peuvent le perdre, il y a aussi l'attrait d'un nouveau mode de vie et, ne l'oublie jamais, la rancœur, cette profonde macération qui donne aux traîtres une foi de charbonnier. Le scientifique qu'on vient d'arrêter à Moscou avait justement ce profil. Il renseignait la CIA par vengeance. Tu ne peux pas imaginer l'énergie qu'il a déployée pour le faire. Crois-tu qu'il voulait venger ses parents? Même pas, il voulait nous faire payer les années de goulag de ses beaux-parents.

Le colonel eut un petit sourire en coin.

— Tu imagines que, si sa femme n'a pas voulu que son mari la touche pendant toutes les années d'incarcération de ses parents, ce bonhomme devait être sacrément énervé contre le régime. Mais tu as raison, je vais jeter un œil à ses antécédents familiaux.

Les deux hommes se mirent à marcher sur les bords d'une avenue dessinée après la guerre qu'ils quittèrent au troisième bloc d'immeubles pour prendre une transversale qui les conduisit à un restaurant à la devanture austère. Avant d'y pénétrer, le général qui avait suivi jusque-là ses pensées sans rien dire retint Piotr par la manche.

— Nous n'avons quand même pas vécu toutes ces années pour accepter une reddition déguisée en fraternisation, car c'est cela qui nous attend. Je ne suis pas trop inquiet sur leur volonté de triturer la mémoire. Les communistes ou anciens communistes d'Europe de l'Ouest n'accepteront jamais qu'on compare certains agissements à ceux des nazis. Car ce sont surtout les Européens qui ont cette manie de la mémoire. Les Américains n'ont pas de goût pour les morts des autres. Reste que je ne voudrais pas trouver un jour un de nos gars sur un banc public, une bouteille à la main, oublié de tous comme ces soldats de Napoléon après 1815.

Alors que le colonel avait déjà la main sur la poignée de la porte, le général le retint une dernière fois.

— Si tu veux savoir quel est le degré de résistance de Plotov aux femmes, ne le sonde pas dans un contexte ordinaire. Cela ne sert à rien. Attends ou provoque des conditions exceptionnelles de pression ou de peur. Peur physique ou à défaut frayeur psychologique. Dans ces moments-là, le désir se développe, par compensation. Lorsque la mort ou la déchéance rôde, la tentation est forte de compenser par des pulsions de reproduction. Cet homme est un spécialiste de la chasse aux dissidents, il sait semer la terreur, mais nous ne connaissons pas sa réaction s'il en est lui-même victime. Simple suggestion, mon cher Piotr.

— Je crains de ne pas trouver ici les conditions idéales pour cette épreuve, Guennadi.

Le restaurant n'était pas très vaste et l'on imaginait mal les deux hommes s'attabler en son milieu. Et, si le général ne s'était pas montré suspicieux jusqu'ici, il ne dissimula guère son embarras. Un maître d'hôtel au long visage désenchanté les conduisit dans une arrière-salle où se trouvaient deux petits salons. Le colonel lui demanda en allemand :

— C'est le salon que vous nous avez réservé ?

— Absolument, monsieur, répondit le maître d'hôtel.

À sa surprise, le colonel rétorqua :

— Y en a-t-il un autre de libre ?

— Je crains que non, monsieur.

Sans expression particulière, il lui intima l'ordre d'intervertir avec les occupants d'un autre salon. Ce qui fut fait sans tarder, et le couple déplacé obtempéra sans humeur.

Le colonel commanda une bouteille de schnaps, demanda qu'on mette de la musique assez forte pour couvrir le bruit de leur conversation, et les deux hommes s'installèrent.

— Pour ton information, nous n'envoyons plus d'appâts aux Occidentaux, dit le général.

— J'avais remarqué, mais quelle en est la raison ?

— Trop faciles à retourner. Les jeunes en particulier sont trop faciles à corrompre. Une façon pour nous de reconnaître la réalité.

— Quelle réalité ?

Le général prit une tranche de pain sombre et répondit, la bouche à moitié pleine :

— L'idéologie, c'est quand on essaye de faire croire aux masses qu'autre chose que l'avidité peut mener le monde. Elle reprend toujours le dessus et quelques analystes du long terme de la Maison parient confidentiellement avec moi que les idéologies disparaîtront avec ce siècle. En Afghanistan, c'est différent, ces hommes ont la foi et elle les rend redoutables.

— Pourquoi ne partons-nous pas?

— Tout le monde en est convaincu à tous les niveaux de la direction de l'État, mais personne n'a le courage d'affronter la réalité. Les Américains ont les moyens d'accepter une défaite comme au Vietnam, car leur système le leur permet. Pour nous, c'est autre chose, une défaite précipiterait l'empire dans la fosse. Mais j'insiste, la principale raison, c'est que les hommes du Kremlin n'ont pas le courage d'avouer que nos soldats sont morts pour rien. Il me semble que nous sommes prêts à toutes les concessions pour sauver les apparences. Contrairement à ce qui se dit, les Américains ne veulent pas nous voir quitter l'Afghanistan si nous devons le faire en gardant la tête haute.

Le garçon apporta les entrées, des œufs mayonnaise que les deux hommes regardèrent avec gourmandise. Le général étendit sa serviette sur le croisement de sa veste dont il retroussa légèrement les manches comme un paysan préoccupé d'épargner son costume de fête.

— J'ai vraiment bien connu ces gens. Quand le premier Directorat m'a envoyé à la *rezidentura* à Washington, je craignais d'être mêlé à ce mode de vie que je combats depuis ma jeunesse. L'appréhension d'être séduit, pour être honnête, la crainte de ma réaction devant l'abondance. En fait j'ai réagi avec indifférence et j'ai été soulagé. J'ai vu qu'ils n'avaient au fond aucune indulgence pour la subversion. Ils se contentaient de la récupérer, d'en faire un marché. Qu'importe qu'un chanteur avec une guitare vomisse sur l'Amérique devant un parterre de dizaine de milliers de jeunes ébouriffés. En quelques mois on le transforme en produit et le contestataire finit en bienfaiteur d'une association caritative. Il faut reconnaître qu'ils ont très bien négocié le virage de la rébellion des années soixante-dix. À cela s'ajoute une capacité exceptionnelle à faire croire à leur électorat réactionnaire qu'une idéologie du bien guide leurs intérêts les plus fondamentaux. Quand je suis parti, on voyait bien que ce pays dégénérait par son obsession de la consommation, l'obésité en est le signe, bientôt plus un seul Américain ne pourra marcher.

Le général s'interrompit pour avaler le contenu de son assiette en deux bouchées. Le colonel l'observait, dubitatif. Ami de longue date, le général restait une énigme pour lui. Sa brillante carrière ne laissait aucun doute sur le jugement que l'on portait sur lui en haut lieu. Mais son côté franc-tireur, presque libre penseur, n'avait jamais cessé d'inquiéter le colonel qui, malgré des efforts sincères, ne pouvait s'empêcher de considérer sa hardiesse comme un péché contre-révolutionnaire. Toutefois, il avait constaté qu'en dépit des apparences et d'une rhétorique presque subversive, le général revenait toujours sur une ligne d'autant plus dure qu'elle tenait de sa réflexion propre et non d'une simple allégeance à la doctrine. Et d'ailleurs, si un grade les séparait, et quel grade, c'est qu'on l'appréciait à Moscou.

Le colonel posa sa fourchette qu'il tenait de la main gauche, s'essuya la commissure des lèvres.

— Et cette mission d'inspection, combien de temps va-t-elle durer?

— Je ne sais pas. On m'a chargé de faire un état des lieux de nos stations dans les pays de ce côté du rideau de fer pour savoir où en sont nos alliés, leur niveau de mobilisation, les risques de défection, la réaction des services secrets à la subversion, le niveau de formation des hommes, tous ces sujets qui doivent donner lieu à un rapport.

— Et ensuite?

— On me donnera un poste à Moscou, j'imagine. Pour être sincère, je n'ai aucune envie de repartir à l'étranger ni de m'occuper d'opérations spéciales, j'ai un peu perdu le goût de l'action. En revanche, je me verrais bien mettre la main sur la gestion et la formation de l'encadrement supérieur. Un poste d'observation utile pour les mois à venir.

Le général versa à son ami une rasade de schnaps puis remplit son verre. Il en fit tourner le petit pied comme s'il en observait les reflets.

— Je pensais à quelque chose qui peut t'être profitable.

Il s'interrompit tout en continuant à faire tourner le verre entre ses gros doigts. Puis il reprit :

— Il se pose une question théorique. Elle a son importance pour la formation des cadres : « Que peut-on attendre d'un agent qui a lui-même pratiqué le meurtre ou l'assassinat pour des raisons de service ? » Le problème ne s'est pas posé pour les anciennes générations qui côtoyaient le meurtre au quotidien. Mais aujourd'hui beaucoup de nos agents peuvent s'épargner cette peine. J'ai une théorie : il y a plus à attendre d'un agent qui n'a jamais tué que d'un autre qui en aurait l'habitude. Car, plus tard, lorsqu'il est en situation de prendre des décisions stratégiques impliquant parfois un grand nombre de morts, celui qui a tué se trouve sans le savoir devant une alternative : perpétuer le meurtre pour se convaincre que ceux qu'il a pratiqués lui-même sont anodins, ou s'empêcher d'agir par effroi. Qu'est-ce qui faisait la force de Staline ou de Hitler ? Ils n'ont jamais tué de leurs mains. Réfléchis à cela pour tes nouvelles recrues.

Le colonel opina puis leva un toast en souriant. Il pensa que le général ne serait jamais porté à la plus haute fonction dans l'organisation. Il y avait chez lui une créativité intellectuelle qui lui donnait une liberté qu'aucun système ne pouvait consacrer en le portant à sa tête. Le KGB ne pouvait pourtant pas se passer de lui, de sa vision prospective et de son assiduité à concourir à la sauvegarde de son pouvoir. Son agilité intellectuelle détonnait dans son corps de garçon de ferme vieillissant. Le général, il en avait la certitude, ne postulait pas à la plus haute des fonctions. Il se complaisait dans une attitude d'électron libre au service d'une institution qui n'était rien de moins que sa vie et qui connaissait peu d'exemples de pareille dévotion.

Aussitôt leur verre bu, le colonel leur reversa une rasade. Il avait le nez grenat et le verre de ses lunettes posées dessus en agrandissait les pores violacés.

— Et ici, alors, comment ça se passe?

— Rien de particulier. Les Américains font toujours beaucoup d'efforts pour infiltrer les Allemands, mais ces derniers ne leur laissent aucun espace.

— La Stasi?

— Pas uniquement, tout le peuple allemand est derrière sa police politique, le moindre fait anormal lui est rapporté. Dans toute l'Europe de l'Est, ce sont toujours les premiers de la classe. Les Occidentaux font aussi un gros travail pour établir des relais parmi nos troupes stationnées ici. Autant dire que toute notre activité est centrée sur le contre-espionnage, même si l'ennemi n'a pas le dixième des succès qu'il remportait à Moscou quand j'y étais en poste.

— Et l'opposition politique?

— Il y en a moins qu'ailleurs dans tout le bloc de l'Est. Le capitalisme ne les tente pas, mais restaurer la grande Allemagne, c'est autre chose.

— Le nationalisme contre l'idéologie, c'est l'éternelle question, n'est-ce pas?

— Si je peux te donner un conseil, ne perds pas trop de temps avec les Allemands. Ces gens-là sortiront de notre orbite un jour ou l'autre. Concentre ton énergie sur nos cadres, nous avons encore un sacré bout de chemin à faire avec eux.

La bouteille de schnaps fut vidée alors que le repas touchait à sa fin. Le colonel demanda au maître d'hôtel qu'on leur serve un dernier verre. Le général se fit songeur. Il ne sortit de sa réflexion qu'une fois son verre vide posé sur la table.

— Je reviendrai certainement dans les trois mois. J'attends de toi un recensement des agents sur lesquels nous pourrons compter. Je voudrais un profil psychologique très serré de nos cadres avec une notation détaillée et commentée. Ces dossiers seront officieux pour l'instant, ils ne concernent que toi et moi et n'engagent ton opinion personnelle que dans le cadre de notre relation.

— Tu veux dire que le KGB...

— Nous ne pouvons laisser se diffuser la rumeur, à l'intérieur du KGB, d'un recensement parallèle des cadres de l'organisation en vue d'une évolution probable de notre société. À ce stade, chez beaucoup de camarades, cela aurait l'effet d'une bombe.

Les deux hommes se levèrent de table, enfilèrent leur pardessus et sortirent du restaurant. Le général retrouvant la lumière naturelle regarda tout autour de lui, étonné de l'harmonie de ce monde sans couleurs. Une fois dans la rue, une idée lui traversa l'esprit :

— Je crois qu'il serait utile que je te fasse parvenir les enregistrements des entretiens passés par ton Plotov lors de son intégration au KGB. Ils peuvent être riches d'enseignement.

— Vous avez déjà été recruté par nos services, il ne s'agit donc pas d'un entretien d'embauche. Nous souhaitons seulement vous évaluer et vous entendre. Dans la pratique, il est préférable qu'un homme du renseignement parle peu, sauf lorsque le langage sert les intérêts du service. La parole est presque toujours un début de trahison. Les mots trompent notre pensée et sont assez rarement en adéquation avec la réalité. Toutefois, en bien des occasions, nos agents doivent savoir convaincre, orienter, manipuler. Nous avons eu en France, au cours de la dernière décennie, un agent de haute volée, communiste convaincu, cela va sans dire, qui est devenu le conseiller en économie libérale du Premier ministre. Les Français ont toujours été mal à l'aise avec le libéralisme, et notre homme s'est imposé comme un des meilleurs spécialistes de la doctrine auprès des plus hautes instances de l'État. Il avait, on s'en doute, accès à des informations précieuses pour nous et l'avantage considérable d'être insoupçonnable, indétectable. C'est ainsi qu'un de nos espions a fait la politique libérale de la France. Outre ses qualités intellectuelles, cet homme était certainement un grand malade. Comment ne pas l'être pour devenir un éminent économiste libéral lorsqu'on est un communiste convaincu? C'était une sorte de schizophrène. Je ne dis pas que nous attendons cela de vous, je voulais juste vous donner un exemple d'infiltration réussie. Un bon agent, c'était son cas, c'est quelqu'un qui sait se taire, bien sûr, mais il doit également se montrer à l'aise quand il s'exprime. Un autre caractère est important à évaluer chez un agent, de mon point de vue : son rapport à la réalité, la perception qu'il en a. De notre lien au réel dépend celui au mensonge. Je ne suis pas là pour vous faire subir un interrogatoire. Votre recrutement est un fait et notre conversation n'y changera rien. Mais nous souhaitons mieux vous connaître pour mieux utiliser vos qualités. Bien sûr, quatre-vingt-dix pour cent du travail d'évaluation s'effectuera sur le terrain, mais il n'en demeure pas moins que nous sommes tenus à un minimum de confrontation. Je vais être transparent avec vous. Nous allons parler de votre passé. Vous imaginez bien que nous le connaissons en détail. Mais il m'intéresse de comparer ce que nous en savons avec la façon dont vous choisirez de me l'exposer. Cela donnera lieu à une discussion libre, ne le prenez pas comme un examen. Notre propre passé est en règle générale ce qu'on connaît le mieux. Pourtant vous seriez surpris par les distorsions constatées entre ce qui a été et le souvenir qu'on en a.

Le colonel appuya sur la touche rouge du magnétophone, alluma une cigarette et regarda par la fenêtre. Le décor était toujours le même, celui d'une cité administrative d'un pays de l'Est. L'architecture était celle d'un système dans lequel il avait vécu depuis ses premiers jours. La visite de son ami, il y avait maintenant un peu plus d'un mois, l'avait laissé tout à la fois perplexe et anxieux. Il ressentait comme un vertige intermittent et l'impression que le sol se dérobait sous ses pieds quand il marchait. Moscou à plusieurs milliers de kilomètres faisait de lui un exilé loin du Centre, de ses intrigues, mais aussi du probable bouleversement qui se préparait. Jamais, avant sa rencontre avec Guennadi, il n'avait imaginé que le système soviétique pourrait s'écrouler. Il avait encore plus de difficulté à concevoir celui qui pourrait le remplacer. Il voulut garder espoir, mais à l'évidence son ami avait raison, ils étaient proches de la faillite. Il n'était pas réaliste de penser qu'une nouvelle réforme puisse sauver le socialisme. Andropov, son maître comme celui de tous les cadres de sa génération, avait bien essayé, mais l'empire avait continué à couler, infiltré par les affairistes, la corruption, le réveil des nationalités et une bureaucratie tentaculaire. Il se sentit soudainement vidé par l'absence de perspective. À cinquante ans passés, il était usé par l'alcool, la cigarette et l'absence d'exercice. Il se reprochait son manque d'ambition et son dévouement qui faisaient de lui un homme qui avait tout à perdre avec les changements annoncés. Il n'était pas du genre à s'apitoyer longuement sur lui-même. Ses responsabilités même relatives reprenaient vite le dessus sur ses inquiétudes. Après avoir tiré une longue bouffée de sa cigarette qui avait consumé la moitié du filtre, il l'écrasa dans un cendrier et reprit l'écoute de la bande que son ami lui avait envoyée de Moscou.

*

— Je vais commencer par une question simple, pourquoi avoir choisi le KGB ?

Le crépitement de la bande anima le silence qui s'ensuivit.

— Mon commandant, je n'ai pas choisi le KGB, vous le savez bien. On ne postule pas pour le KGB, c'est lui qui vous recrute.

— Donc, c'est un hasard.

— Oh non, étudiant je connaissais un homme qui travaillait à l'antenne de Saint-Pétersbourg et je lui ai fait part de mon intérêt. Ce n'est qu'à la fin de mes études que j'ai été approché par un agent.

— Vous avez toujours voulu faire du renseignement ?

— Aussi loin que je m'en souvienne, je voulais être un espion.

— Pourquoi ?

— Enfant, c'était un rêve de gloire. Je voulais être un héros. Ce désir a été conforté plus tard par une réflexion selon laquelle, dans certaines circonstances, un homme du KGB peut faire pour son pays plus qu'un bataillon tout entier.

— Donc vous êtes individualiste?

— Ce n'est pas de l'individualisme, mon commandant, car les agents du renseignement font partie d'un ensemble.

— Quand on sert dans le KGB, selon vous, qui sert-on?

— La patrie, le socialisme et son corps.

— Dans cet ordre?

— Je ne crois pas qu'on puisse les distinguer.

— Vous savez que la Maison, sous un autre nom à l'époque, a connu, sous l'influence de personnes dont nous avons fait le procès, des débordements parfois criminels, qu'en pensez-vous?

— Les écarts sont répréhensibles, mais ils ne doivent pas remettre en question les institutions.

— À quoi attribuez-vous cette dérive?

— À un culte de la personnalité inadapté à notre idéologie.

— Pourtant, même si nous avons fait son procès, Staline a fait de grandes choses, vous ne pensez pas?

— Certainement, et nous lui devons la victoire sur les nazis. Le monde entier la lui doit.

— C'est assez pour lui pardonner ses excès, n'est-ce pas? D'ailleurs, j'ai lu dans votre dossier que votre grand-père, un cuisinier de talent, a été celui de Staline.

— C'est vrai.

— Il devait être un très bon cuisinier pour être resté si longtemps à ce poste et être passé au travers des purges.

— Il l'était.

— Votre père a intégré les forces combattantes du KGB pendant la guerre, j'imagine que cela a dû influencer votre vocation.

— Très certainement.

— Et comment cet homme aussi structuré prenait-il la foi orthodoxe de votre mère?

Un silence s'installa, puis l'interrogé reprit :

— Il la prenait très mal.

— Et vous?

— Je la respecte.

— Pourtant, vous convenez que cette foi est contraire à tous nos principes. Je ne parle même pas des religions qui n'ont jamais été que l'auxiliaire de la classe dominante, j'évoque la contradiction d'être à la fois communiste et pieux. Qu'en pensez-vous?

L'interrogé se gratta la gorge, ce bruit se confondant avec le crépitement de la bande.

— Je reconnais là une attitude contradictoire.

— Pourquoi?

— La religion est le plus souvent superstition et à ce titre elle remet en cause les fondements scientifiques de notre approche. Je suis bien d'accord que nous n'avons aucun besoin de spiritualité.

— Vous seriez prêt à le dire à votre mère?

— Absolument.

— Vous comprendriez qu'elle soit inquiétée pour sa foi?

— Euh... en théorie oui, mais dans les faits elle ne cause aucun préjudice au socialisme et sa pratique religieuse est très discrète.

— Nos services nous font part d'un retour à la religion de beaucoup de citoyens soviétiques, qu'en pensez-vous?

— À mon avis, c'est le signe d'un relâchement de notre travail idéologique, quand je dis nous je parle du parti.

— Que penseriez-vous de l'éventualité d'une nouvelle vague répressive?

— Elle n'aurait d'intérêt qu'à la condition qu'elle coïncide avec un travail idéologique d'ampleur. J'ai connu des cas de ferveur religieuse dont aucune répression n'est venue à bout.

— Par exemple?

— Des juifs qui partageaient notre appartement communautaire à Saint-Pétersbourg, et ce n'était pas simple, les altercations avec mes parents les jours de fêtes religieuses n'étaient pas rares.

— Et vous, enfant, que pensiez-vous de cette famille?

— C'étaient des gens très gentils, mais très en retrait, du fait de leur nationalité et de leur croyance.

— Beaucoup d'entre eux voudraient quitter l'Union soviétique, qu'en dites-vous?

— Dès lors qu'ils ont reçu une éducation élevée qui leur permet d'intervenir à un niveau stratégique pour notre pays, leur départ serait une trahison. D'autres n'ont pas d'utilité, c'est différent.

— Pas d'utilité?

— Je pense que nous n'avons aucune raison de laisser partir de grands scientifiques dépositaires de secrets d'État, mais, quant à leurs congénères qui ne sont pas qualifiés, je suis d'avis de les laisser aller, leur naturel est au commerce, nous n'en avons pas besoin.

— Faites-vous une distinction entre nos ennemis et les opposants de l'intérieur?

— Oui. Je crois les opposants plus répréhensibles que nos ennemis car, en plus, ce sont des traîtres.

— Mais ne doit-on pas un peu atténuer leur responsabilité?

— Comment?

— En considérant qu'ils sont aliénés et en les traitant comme tels.

— Absolument, je pense que, pour devenir dissident, il faut perdre le sens commun, et cela mérite une thérapie plutôt qu'un châtiment qui ne change rien à la personne.

— Je reviens à votre inclination pour les services secrets. Vous disiez qu'un espion peut rendre à son pays les services d'une armée tout entière. Mais, lorsqu'on est militaire, on ne tue le plus souvent que des victimes anonymes. Dans notre métier, on tue peu, mais on ne doit pas avoir d'état d'âme au moment de s'exécuter. Et parfois il faut assassiner quelqu'un avec qui l'on a longuement tissé des liens, mois après mois, année après année, en le regardant droit dans les yeux. Qu'en pensez-vous?

— Je m'y suis préparé et je l'assume parfaitement.

— Vous ne semblez pas être homme à avoir des états d'âme.

— Je n'en ai pas.

— Vous devez être « soupe au lait » à l'occasion, je me trompe.

— Non.

— Est-ce bien compatible avec votre travail ? La colère est commandée par l'affectivité qui n'est pas le meilleur allié d'un agent de renseignements. Vous avez un bon niveau en judo, je crois, pourquoi avoir choisi les arts martiaux ? Pour mieux contrôler votre agressivité ? Pour surmonter des complexes ? Peu importe la réponse. J'ai aussi le sentiment que vous ne craignez pas beaucoup le danger.

— C'est vrai.

— Cela peut être un handicap, celui qui n'a pas peur prend souvent des risques excessifs. À l'échelon de notre territoire, nos meilleurs agents de renseignements sont les gens ordinaires. Ils nous renseignent car ils ont peur. Sans eux, nous ne serions rien.

— Je sais, mon commandant, la qualité de la surveillance intérieure dépend de la capacité de sa police politique à « terroriser » la population de façon que celle-ci se sente obligée de renseigner celle qui la surveille.

— C'est la théorie de la réciprocité. Bon, je crois que nous en avons terminé. Si je devais vous évaluer, ce qui n'est pas le cas, je dirais que vous êtes quelqu'un de cynique et entier à la fois, peut-être un peu trop entier encore, mais avec l'expérience... Encore une question avant de nous séparer, que pensez-vous du modèle occidental ?

— C'est un modèle qui conduit dans une impasse, car il est fondé sur l'accumulation de richesses par une minorité.

— Une façon comme une autre d'exercer le pouvoir.

— Ce n'est pas celle que je préfère.

— Bien, restons-en là. Ah, j'allais oublier, vous qui avez étudié le droit, pensez-vous qu'il puisse être justifié que le KGB agisse en dehors du cadre de la loi ?

— Non. Je suis pour le respect de la loi, quoi qu'il arrive. Le KGB ne doit pas s'exonérer du droit, quitte à faire le droit lui-même si nécessaire.

— Je comprends.

*

Le colonel, en homme méticuleux qu'il était, rembobina la bande avant de la ranger dans un des tiroirs de son bureau. Il avait le sentiment de n'avoir rien appris d'intéressants sans toutefois avoir perdu son temps. Il se sentait las. Il n'avait aucune envie d'entreprendre une nouvelle tâche. Les propos de Guennadi l'avaient déstabilisé. Devait-il le croire et jusqu'où ? La prophétie du général allait-elle se réaliser ? Pouvait-il d'ores et déjà adhérer à cette faction qui se projetait dans un avenir incertain sans compromettre sa fin de carrière et risquer un jour ou l'autre de passer pour un traître ? Ce que lui demandait son ami n'avait néanmoins rien de compromettant. Il ne risquait rien à évaluer ses cadres, à tester leur attachement à l'institution, leur capacité d'adaptation, à détecter dans ses cadres supérieurs ceux qui seraient bientôt capables de privilégier la Maison au détriment d'un système essoufflé, sans basculer de l'autre côté de la barrière en se ralliant à l'ennemi d'aujourd'hui. Malgré ce qu'il lui en coûtait, il finit par se convaincre que Guennadi avait raison, le KGB de demain serait celui d'une troisième voie.

*

Quelques semaines plus tard, le colonel et son subordonné marchaient dans la rue sous un soleil pâle, en longeant la principale avenue de la ville. À la surprise du jeune homme, le colonel bifurqua dans une allée transversale.

— Je ne vais pas dans le même restaurant que d'habitude. C'est une nouvelle adresse. Je l'ai choisie parce que je suis persuadé que la Stasi la truffe de micros. Quand nous serons là-bas, nous leur ferons passer les messages qui nous intéressent, mais je propose que notre vrai sujet, lui, soit abordé sur les trajets aller et retour, quitte à ce que nous mettions un peu plus de temps que nécessaire pour nous y rendre. Comment se passe votre installation ?

— Très bien, mon colonel, nous sommes bien logés, nous avons de l'espace et notre entourage est convivial.

— Restez tout de même vigilants. Les Allemands de l'Est ne sont pas nos ennemis, loin s'en faut, mais j'ai toujours eu pour principe que nous n'avons pas d'amis dans les pays frères. Votre boulot ne doit pas être très passionnant, n'est-ce pas ?

— C'est un travail classique de collecte et de classement de données, j'imagine que c'est un passage obligé pour un officier qui comme moi reçoit sa première affectation à l'étranger.

— Je vais être direct, car je pense que vous l'êtes aussi. J'ai jeté un œil sur votre dossier de l'Institut du drapeau rouge. Il semble que vous avez passé la sélection de justesse. Si j'ai un conseil à vous donner, essayez d'être plus sociable. Ils ont un peu coincé sur votre caractère introverti et votre difficulté à communiquer. En résumé, ils trouvaient que vous puiez l'espion à cent mètres. Ils ont jugé que c'était un peu trop risqué de vous affecter en Occident, raison pour laquelle ils vous ont envoyé dans le moins exotique de nos pays alliés. S'il ne doit y avoir qu'une règle dans l'espionnage, c'est de ressembler le moins possible à ce qu'on est. C'est la raison pour laquelle un grand nombre de nos cadres supérieurs à Moscou qui sont issus du parti sont reconnaissables sous n'importe quel déguisement. Comment était-ce, à Saint-Pétersbourg ?

— La matière était plus vivante. Les dissidents sont un gibier plus remuant.

— Surtout que leur nombre n'est certainement pas en diminution.

— Ils se sentent appuyés par les services secrets et les médias occidentaux, je me demande parfois s'ils n'ont pas un sentiment d'impunité.

— Jusqu'à ce qu'ils se retrouvent dans un hôpital psychiatrique et qu'après une ou deux injections leur ego en ait pris un tel coup qu'ils se sentent coupables lorsqu'ils vont pisser tout seuls.

— Vous avez raison, mon colonel.

— Je sens que vos prédispositions pour l'action sont un peu bridées ici.

— Je ne me plains pas.

— J'ai peut-être une grosse affaire pour vous qui permettrait de démontrer vos qualités de terrain. Elle nous vient de l'antenne du KGB de Berlin.

— Et si je peux me permettre, en quoi nous concerne-t-elle?

— L'Allemande de l'Est qui est impliquée a été recrutée ici, car, outre qu'elle est un agent de la Stasi, c'est à ce qu'on dit une très belle femme.

Le colonel jeta un œil discrètement par-dessus son épaule. De sa position, il voyait le haut de son crâne planté de cheveux blonds et fins qui n'allaient pas tarder à se faire rares. Le jeune officier marchait en cadence et, alors qu'un de ses bras adoptait un mouvement pendulaire, l'autre semblait fuir la symétrie par une étrange crispation. Sa mâchoire serrée accentuait la fuite de son menton vers son cou.

— Nous allons tourner un peu en rond si vous n'y voyez pas d'inconvénient, nous gagnerons du temps, je ne pense pas que nos amis aient installé de micros dans les lampadaires. Cette femme, donc, a été envoyée à Berlin-Ouest comme appât pour recruter un informateur. C'est un homme qui travaille à l'Otan. Il dispose, semble-t-il, d'un accès à des informations de premier choix concernant des spécifications techniques de la flotte de sous-marins des différents pays européens. Elle l'a d'abord approché d'une façon habituelle, avec ses charmes qui ne sont pas les nôtres. Puis, quand elle a jugé opportun de le faire, elle lui a proposé de le recruter. Le type est ébloui, mais pas assez pour trahir pour ses seuls beaux yeux. Il a commencé par demander de l'argent, c'est classique, beaucoup d'argent. L'homme est habile, l'argent ne lui suffit pas, il ne veut pas d'une relation unilatérale.

— C'est-à-dire?

— Il veut s'installer dans un double jeu pour se couvrir. En résumé, il veut faire croire à sa hiérarchie que c'est lui qui a recruté l'Allemande. Pour qu'il soit crédible, elle doit lui fournir à son tour des informations consistantes sur les troupes du pacte de Varsovie. Bien sûr, les Européens vont se méfier, car les cas de défection d'agents est-allemands sont rares. Mais c'est habile de sa part, il se couvre en se découvrant, vous comprenez?

— Je crois comprendre.

— Cette relation a cependant l'inconvénient de les rendre l'un et l'autre incontrôlables. Chacun est supposé transmettre le minimum d'informations pour se rendre crédible, mais voyez-vous, dans ce genre de jeu de double, à la fin, on ne sait plus très bien qui trahit vraiment. On peut imaginer que notre Allemande, sous prétexte de donner le change, fournisse des informations sérieuses sur les troupes du pacte de Varsovie et qu'en retour, les informations reçues soient minces. On peut tout aussi bien concevoir que l'homme et la femme s'entendent pour soutirer un maximum d'argent de chaque côté en fournissant des informations de grande valeur, puis décident de partir ensemble et de se faire oublier quelque part en Patagonie. Dans ce cas de figure, nous apprendrions beaucoup sur les sous-marins européens de l'Otan et l'ennemi recueillerait de très utiles informations sur la situation de nos missiles en Allemagne de l'Est. C'est ce qu'on appelle un jeu à somme nulle, sauf pour les deux protagonistes. C'est une situation complexe et dangereuse. J'aimerais que vous vous en occupiez.

— Et comment, mon colonel?

— Je n'en ai pas la moindre idée. À vous de réfléchir et de me proposer d'intervenir sans que nous perdions l'opportunité de collecter des informations sur la flotte de l'Otan. Il faut contrôler la fille sans faire exploser l'ensemble. C'est assez délicat, il faut réussir une opération de contre-espionnage sans hypothéquer une opération d'espionnage, le genre de tâche qui demande un certain sens de la stratégie.

Le visage du jeune officier se ferma un peu plus. Après quelques mètres parcourus en silence, le colonel ajouta :

— Cette opération est une chance pour vous, une occasion qui ne se renouvellera peut-être pas.

— Et pourquoi ? demanda le jeune officier, intrigué.

— Les belles années sont derrière nous, je le crains. La guerre froide s'essouffle, nous ne parviendrons pas à maintenir cette tension entre les deux blocs indéfiniment, cette escalade est désastreuse pour nous sur le plan économique. Je crois qu'elle hypothèque sérieusement les chances de mener à bien le projet socialiste. Dans les prochaines années, vous verrez que les agents de nos stations dans les pays « frères » passeront la plus grande partie de leur temps à essayer de contenir la montée de la dissidence et à produire de la paperasse, toujours plus de paperasse qui atterrit à Moscou où elle est classée par des analystes qui ne sont jamais sortis de leur bureau. Pour ne rien vous cacher, c'est pour cela que je suis très heureux de cette affaire qui nous ramène aux fondements de notre métier. Je vous laisse réfléchir. Pensez aussi à ce que nous allons nous dire au restaurant qui soit audible par nos amis de la Stasi. Un sujet qui ne leur révèle rien, tout en leur donnant l'impression que nous sommes actifs dans quelque chose, sinon ils risquent de s'apercevoir que nous savons qu'ils nous écoutent et... vous connaissez la musique.

Ils atteignirent le restaurant dix minutes après sans avoir échangé une parole de plus. Avant d'y pénétrer, le colonel lâcha à son subordonné :

— Je ne voudrais pas que vous pensiez que tout est négatif dans votre dossier. Il y est aussi consigné que vous êtes fidèle en amitié, c'est une qualité. Vous m'avez peut-être trouvé un peu sombre tout à l'heure sur les perspectives de la Maison. Mais je voudrais vous dire qu'en toute circonstance, elle reste l'endroit où il faut être. De là vous ne perdrez jamais rien du spectacle et vous en saurez toujours plus que le commun des mortels. Regardez l'Amérique, le seul Président de leur histoire qui se soit mis les services secrets à dos, ils le lui ont fait payer très cher. L'assassinat de Kennedy a été un avertissement pour les dirigeants du monde entier.

*

Le lendemain était le premier jour du week-end. Plotov décida d'emmener sa famille à la campagne. Son épouse et ses deux enfants montèrent dans la Zhiguli. La nature était souriante, un soleil timide caressait les champs et leurs hautes herbes courbées par le vent. La voiture, solitaire, serpentait dans l'arrière-pays. Le visage de Plotov était fermé, plus que d'ordinaire. Sa femme lui en fit la remarque, mais ne lui posa aucune question. C'était la règle. Un homme du KGB ne devait jamais se livrer à sa femme, quelle que soit la gravité de ses soucis. Plotov était plus que préoccupé. L'affaire que lui avait confiée le colonel l'obsédait. Il avait le sentiment, dans la résolution de cette intrigue de jouer sa carrière, tout autant que l'estime qu'il avait de lui-même. Pour la première fois depuis qu'il avait intégré la Maison, il se trouvait investi d'une charge d'importance au centre de l'affrontement entre les deux camps, confronté à un vrai jeu de double qui éprouvait ses qualités d'homme de renseignements.

— Je ne suis pas contrarié, simplement concentré. Je ne peux pas t'en dire plus, mais je vais devoir faire face à d'immenses responsabilités.

— Ils te confient la décision d'appuyer sur le bouton atomique, lança sa femme, satisfaite de son espièglerie.

Plotov fit un effort sur lui-même pour ne pas relever. Le silence s'interposa entre eux un long moment, à peine troublé par les gesticulations de leurs filles à l'arrière de la voiture. Sa femme, jugeant qu'il avait duré assez longtemps, décida d'y mettre fin :

— C'est vraiment un beau pays, tu ne trouves pas?

L'officier acquiesça sans ouvrir la bouche.

— Comment expliques-tu que les gens ne manquent de rien ici, contrairement à chez nous? reprit-elle.

— Je ne sais pas, répondit son mari, contrarié de s'obliger à répondre. Ils sont probablement mieux organisés.

— Et pour la propreté, quelle différence, les Allemands sont très soignés.

— Les Russes le sont tout autant qu'eux, la différence c'est que nous avons tout autour de nous ces peuples à peine sortis du Moyen Âge.

— Dis-moi, Volodia, les problèmes qui te préoccupent, ils pourraient avoir des conséquences sur notre vie?

— Je ne sais pas. Mais j'imagine que, si j'échoue, ils ne tarderont pas à nous renvoyer quelque part en URSS.

— Ce serait dommage. J'ai eu un peu de mal au début, mais je commence à m'accoutumer à notre vie ici. Notre appartement est spacieux, la nourriture abondante et variée. Mais il n'y a aucune raison que tu ne réussisses pas, Volodia, je ne t'ai jamais rien vu rater. Seulement, si tu me permets, il faudrait que tu donnes une plus grande impression de facilité dans tes succès, on a toujours le sentiment que tu les arraches, aux autres mais aussi à toi-même. Et puis, tu affiches trop ton mauvais caractère.

— Tu as fini?

— Je ne dis pas cela pour te contrarier, Volodia chéri, mais je pense être la personne qui te connaît le mieux. Je sais que tu es émotif et, si tu ne l'étais pas, je ne t'aurais pas épousé. Mais parfois on dirait que tes émotions te submergent et, dans ces moments-là, il faut reconnaître que tu fais presque peur. Pas à moi, bien sûr, mais je comprends que tu inquiètes les autres.

Alors qu'aucun obstacle ne se dressait devant eux, Plotov freina brusquement. Il regrettait déjà son emportement quand il dit à sa femme d'une voie sourde :

— Écoute-moi. Je dois voir le colonel lundi matin et je n'ai pas le début d'une solution au problème qu'il m'a confié, alors fais-moi le plaisir de m'oublier un peu.

— Bien, répondit-elle à haute voix. Les enfants, votre père est avec nous, mais on fait comme s'il n'était pas là, d'accord ?

— D'accord, répondirent les enfants à l'unisson.

*

Le lundi matin suivant, Plotov était dans le bureau du colonel, affaibli par un début de migraine. Il semblait au bord des larmes quand il avoua à son supérieur qu'il n'avait pas encore la moindre idée de la façon dont il allait opérer.

— C'est normal, répondit le colonel, ce cas n'est pas simple. Je m'en suis voulu ce week-end de vous avoir laissé partir comme ça avec une seule partie des données. Le problème essentiel est la confiance que la Stasi accorde à cette femme. Si, pour une raison ou une autre, ils découvrent que nous la testons sans leur accord préalable, nous allons les vexer et ils vont se plaindre à Moscou par la voie politique. Par ailleurs, en ma qualité de chef de cette station du KGB, je ne peux pas me satisfaire d'un doute. Si cette femme bascule, c'est toutes les forces du pacte de Varsovie qui seront mises à nu en échange d'informations sur la flotte de l'Otan qui ne seront pas forcément aussi décisives. Que l'on apprenne que cette femme est passée à l'Ouest et je me sentirai pleinement responsable de cette bévue.

— La solution la plus simple serait bien sûr de la faire passer au détecteur de mensonges et de lui poser deux questions : « Avez-vous l'intention de passer à l'Ouest et avez-vous l'intention de vous faire rémunérer par l'ennemi ? » Mais comme vous l'avez dit, mon colonel, ce serait une déclaration de guerre à la Stasi.

— Nous pourrions aussi la faire passer au détecteur de mensonges à Berlin-Ouest par une équipe du KGB qui se ferait passer pour ses correspondants occidentaux cherchant à s'assurer de sa droiture. Mais ça risquerait de la rendre méfiante et de créer une confusion qui bloque tout le processus, car n'oublions pas que nous sommes preneurs des informations sur la flotte sous-marine européenne de l'Otan. Alors, que proposez-vous?

— Je ne vois pas d'autre solution qu'une approche un contre un. Je me rapproche d'elle. Elle se doutera qu'il s'agit d'une surveillance, mais il m'appartient d'endormir sa vigilance.

— Je dirais même que, pour gagner du temps, vous devriez lui dire d'entrée que le KGB s'inquiète de cette transaction et que vous vous mettez en relation avec elle pour en discuter librement et sans la moindre suspicion. Elle le comprendra. J'ajouterai même qu'au contraire, elle ne comprendrait pas que le KGB se désintéresse d'une opération de cette importance. Il va falloir être patient et vous assouplir, Plotov. À vous de jouer, donnez la mesure de vos talents de manipulateur. Mais ne vous méprenez pas, c'est elle, la figure de roman d'espionnage. Elle est très belle et d'une remarquable intelligence. Il va falloir vous décontracter un peu, vous faire un peu plus séducteur. Vous n'êtes pas le plus à plaindre. Sauf si tout ça se révèle être un échec, et je suis persuadé du contraire. Et n'oubliez pas qu'il existe quatre-vingt-dix chances sur cent pour que cette femme fasse très bien son travail.

— Et elle est si belle que ça?

— Oh oui! aussi belle que les plus belles femmes de Voronej. Et pour couronner le tout, elle fait semblant de ne pas le savoir.

*

La semaine suivante, Plotov était à pied d'œuvre. Il avait revêtu ses vêtements les moins austères et s'était dirigé à pied vers les locaux où travaillait l'agent de la Stasi. Son physique souffrait de l'absence d'exercice due à la proximité de tous les lieux liés à l'Intelligence. Il ne marchait jamais plus de cent cinquante mètres pour se rendre de chez lui à son bureau ou de son bureau à ceux de la Stasi. Comme l'aurait fait un diplomate dans un pays à risque, il vivait dans un périmètre limité, mais il n'avait même pas la crainte du danger et le mauvais sang qui va de pair pour l'empêcher de grossir. Il savait que quelques grammes de plus seraient fatals à sa garde-robe. En chemin, il se composa le personnage d'un homme détendu, affable, qui s'interdit de se comporter en inquisiteur. Afin que son personnage ne soit pas trahi par ses propres inquiétudes, il s'efforça de se convaincre que sa carrière n'était pas en jeu. Il en avait connu d'autres. En particulier ce jour où, dans le métro à Moscou, il s'était accroché avec une sorte de punk. Au lieu de le mépriser comme l'aurait fait n'importe quel officier du KGB et d'appeler la sécurité pour le faire battre à mort, il lui avait foncé dessus. Il s'en était sorti avec un bras cassé, lui l'ancien champion de judo. Par chance, sa hiérarchie n'avait pas réagi à l'incident.

Le lien de vassalité entre l'URSS et l'Allemagne de l'Est lui aurait permis de convoquer la jeune femme, mais il n'en fit rien. Dans le pire des cas, ce serait la fin de sa carrière d'espion à l'étranger et la perspective de se voir un jour affecté dans une des stations occidentales. Cette inaptitude n'empêcherait pas qu'on le reclasse à la surveillance du territoire à Saint-Pétersbourg ou à Moscou, ou bien dans n'importe quelle autre bourgade de l'empire. Mais Vladimir Vladimirovitch Plotov exécrait par-dessus tout l'échec, et la seule perspective de celui-ci le faisait transpirer dans son costume de mauvaise qualité. Dans son combat contre sa propre crispation, il réalisa qu'en dépit de ses efforts un de ses bras ne voulait toujours pas contrebalancer l'autre. Alors il s'arrêta sur l'esplanade sur laquelle était construit l'immeuble de la Stasi. Il ajusta ses deux bras le long du corps et repartit en observant la symétrie de leur balancement. Toujours insatisfait, il s'immobilisa de nouveau avec un regard impitoyable pour ce membre qui ne lui obéissait pas. De sa fenêtre, la jeune Allemande l'observait, intriguée.

Plotov pénétra dans le bureau de la jeune femme avec un sourire de pure circonstance. Il remarqua qu'elle était bien plus grande que lui et ce fait le contraria. Il faisait beaucoup d'efforts pour rendre son visage impénétrable, mais n'avait aucune idée de ce que le sommet de son crâne pouvait révéler sur lui-même. Qu'une femme puisse le déchiffrer lui déplaisait. Après un court échange de politesses, pendant lequel il observa la jeune femme par en dessous, il remarqua qu'elle prenait l'expression d'une femme attentive à ce qu'il allait lui dire.

— Simple visite de courtoisie, camarade. Le KGB ne peut pas rester complètement en retrait d'une opération importante. La Stasi en a eu l'initiative, on ne peut que s'en féliciter. Nous sommes là pour vous accompagner et informer régulièrement Moscou du déroulement de cette affaire. J'ai été désigné par ma hiérarchie pour être votre correspondant.

Il prononça une phrase qui n'avait aucun naturel dans sa bouche :

— Je suis ravi de faire votre connaissance et je suis certain que nous allons travailler en bonne intelligence.

La jeune femme contempla alors le petit homme plus qu'elle ne le regarda.

— J'en suis certaine, répondit-elle avec un sourire qui découvrait de belles dents régulières.

L'officier ressentit soudain une satisfaction dont il cernait mal l'origine jusqu'au moment où il comprit qu'elle ne lui plaisait pas. Cette femme était certes belle, désirable, mais elle ne lui plaisait pas. La perfection de ses formes était dérangeante. À aucun moment il n'avait craint cette hypothèse, mais il se trouvait tout de même rassuré en réalisant que cette plastique n'avait aucun pouvoir sur lui.

— Comment voulez-vous que nous procédions, camarade?

Elle parlait un allemand très délié avec une lenteur naturelle, ce qui rassura Plotov qui manquait encore d'aisance dans cette langue.

— Je propose que vous me disiez tout ce que vous voulez sur cette affaire et ensuite, si certains points méritent d'être approfondis, nous y reviendrons ensemble. Ce n'est pas un interrogatoire, comprenez-vous? Je préfère que notre relation garde quelque chose d'informel aussi longtemps que possible. Cela vous convient?

La jeune femme opina sans répondre puis se concentra pour décider par où elle allait commencer.

— Je suis depuis quatre ans agent d'informations à Berlin-Ouest sous une fausse identité et une fausse qualité. Officiellement, je dirige une entreprise de services informatiques. J'y passe la plus grande partie de l'année et j'essaye d'entrer en contact avec des personnes influentes susceptibles de nous fournir des informations stratégiques. J'entre dans les administrations sous le couvert de ma société et j'y reste grâce à la relation personnelle que je crée avec certains hommes. Ces relations sont le plus souvent bâties à long terme, le physique y joue bien sûr un rôle prépondérant, mais j'en use avec beaucoup de parcimonie, je ne veux pas avoir la réputation d'une femme facile. D'ailleurs la plupart des hommes que je rencontre se contentent de l'agrément et de la fierté de passer une soirée avec une belle femme d'affaires réputée inaccessible. Je passe la vitesse supérieure si l'homme me paraît avoir les responsabilités, le profil psychologique et j'ajouterai même sexuel pour me fournir des informations d'importance.

— Qu'entendez-vous par profil sexuel?

— Je parle de degré de dépendance, c'est fondamental pour s'attacher quelqu'un.

— Ah, je vois.

— Et, récemment, nous avons décidé d'aller encore plus loin, en essayant de recruter cet homme qui a un accès privilégié à des données de l'Otan.

— Vous en avez informé l'antenne du KGB à Berlin-Ouest ?

— Oui, et ils m'ont laissé carte blanche en me demandant d'informer leur station de Dresde. Ils préfèrent qu'on se rencontre le moins possible à Berlin pour ne pas me brûler.

— Comment les choses se sont-elles passées avec cet informateur ?

— Voilà plusieurs mois, pour ne pas dire deux ans, que j'essayais de le recruter. J'ai tout misé sur lui. Nous avons une relation affective depuis le début. Il y a un peu moins de trois mois, j'ai mis les cartes sur la table, je lui ai proposé de le recruter contre d'importantes sommes d'argent. Il n'est pas très loin de la retraite. Vous savez, camarade, mes seuls charmes ne m'auraient pas permis de le retourner. L'argent non plus. Mais la conjonction des deux à l'approche de la retraite a permis une alchimie positive.

— La configuration prévue au départ s'est un peu compliquée.

— Oui, il a voulu se couvrir en faisant croire que c'est lui qui m'a recrutée et qu'il est le seul à pouvoir m'approcher.

— Et pour donner de la substance à ses allégations, vous êtes contrainte de lui transmettre des informations convaincantes sur les forces du pacte de Varsovie. Ce qui nous oblige à un minimum de contrôle sur les informations qui vont lui être révélées.

Plotov se leva de la chaise inconfortable où la jeune femme l'avait installé.

— Que diriez-vous d'une marche ? C'est une question financière importante pour moi. Si je ne fais pas un peu d'exercice, je vais devoir changer toute ma garde-robe et je n'en ai pas les moyens. Mais peut-être pourriez-vous m'aider ?

— Que voulez-vous dire ?

— J'imagine que vous n'allez pas renseigner les Occidentaux pour rien.

La jeune femme lui jeta un regard noir avant de répondre :

— Il n'a pas encore été question d'argent, mais cela ne saurait tarder.

— Si vous ne demandez pas d'argent, vous ne serez pas crédible. À moins qu'on ne vous propose autre chose, comme de vous régulariser à l'Ouest sous une vraie identité avec un travail dans le renseignement ouest-allemand.

— Vous n'y pensez pas? fit la jeune femme, choquée.

— Non, je ne dis pas que vous accepteriez, mais qu'ils le proposent me paraît certain et que vous fassiez mine d'accepter, logique.

Ils empruntèrent les escaliers pour descendre et se retrouvèrent sur l'esplanade. Un jet d'eau famélique en animait le centre au pied d'une statue érigée à la gloire des travailleurs. Ils se mirent en marche à petite allure, comme deux intellectuels qui deviseraient sur l'état du monde. La jeune femme regardait devant elle, ni détendue ni crispée. Plotov l'observait à la dérobée de son œil bleu délavé. Il dut un court instant se convaincre qu'il ne questionnait pas une dissidente, mais bien un agent des services secrets d'un pays frère et pas le moindre, car il offrait la façade la plus avantageuse du socialisme.

— Et comment est-ce, l'Occident? reprit Plotov de la voix d'un homme qui mène le jeu.

— Pourquoi, vous n'y êtes jamais allé, camarade? répondit-elle en esquissant un sourire.

Plotov, pincé, rétorqua froidement :

— Jamais, et pour être sincère, ça ne me manque pas.

La jeune femme raccourcit son pas, voyant que l'officier n'était pas sur la même fréquence.

— Si je devais résumer, camarade, je dirais qu'ils ont tout en apparence, mais par rapport à nous il leur manque l'essentiel, un projet.

Plotov se rehaussa :

— C'est assez bien répondu, camarade, mais pensez-vous que nous ayons encore vraiment un projet?

— Que voulez-vous dire?

— Avec la « perestroïka », on ne peut plus parler de projet mais d'accommodement d'un système à une réalité qui chaque jour croît au détriment de l'idéologie. Dans ce contexte, on peut comprendre qu'une jeune femme comme vous soit tentée par l'Occident.

— Ce n'est pas le cas, camarade, ceux qui ne connaissent pas l'Occident ne perçoivent rien de la dureté des rapports humains qui prévaut chez eux. Il faut se battre en permanence pour survivre.

— J'en viens à un autre sujet. Vous n'avez pas de famille?

— Si, bien sûr, j'ai une famille...

— Non, je veux dire une famille au sens d'un mari et des enfants.

— Non, je suis célibataire.

— Est-ce indiscret de vous demander pourquoi?

— Probablement parce que ma fonction ne m'en a pas laissé le temps.

— En général, il me semble que c'est plutôt le contraire, les femmes qui ne veulent pas de foyer choisissent un métier qui les empêche d'en construire un.

Plotov s'immobilisa un court instant pour jouir de son effet.

— Pour en finir avec les questions indiscrètes, si vous me le permettez, n'est-ce pas un peu difficile de... comment dire, même si c'est pour le socialisme et la patrie, de se donner comme ça, à des hommes qu'il vous est interdit d'aimer?

La jeune femme s'efforça de ne pas le regarder pour répondre :
— Rien n'est difficile lorsqu'on fait son devoir.

Plotov se planta devant elle et, levant la tête pour intercepter son regard, il lui lança, d'un ton définitif accompagné d'un sourire pour en atténuer l'âpreté :

— Si je peux vous faire part de ma conviction, je pense que vous n'aimez pas les hommes.

Le soleil de face, la jeune femme lui rétorqua sans cligner des yeux :

117

— Je pense que je peux vous persuader du contraire, si vous le souhaitez.

Pour toute réponse, Plotov émit un petit « hum » difficile à interpréter. Il choisit cet instant précis pour s'en retourner.

Sur le chemin, il ne parla pas et parut tour à tour pensif, préoccupé et offusqué. À l'évidence, il ne parvenait pas à exprimer des émotions qui s'entremêlaient dans son esprit, incapables de s'extérioriser. La jeune femme n'en parut troublée en rien. Devant l'entrée de l'immeuble, Plotov décida de la quitter, jugeant que ce premier entretien avait assez duré. Elle eut un sourire poli à son endroit mais, avant de disparaître dans le hall, elle se retourna et lui dit en souriant :

— Finalement, nous n'avons pas beaucoup marché. Vous allez devoir renouveler votre garde-robe. Si vous avez besoin d'argent, n'hésitez pas à m'en parler.

*

Plotov regardait le bout de ses chaussures. Étant donné sa taille, ses yeux n'avaient pas un long chemin à faire. Le colonel avait défait le bouton du col de sa chemise et venait d'allumer une cigarette. Il inspira à pleins poumons avant de recracher une fumée lourde aux contours orangés et bleus à laquelle se mêlèrent les mots suivants :

— Vous en êtes certain ?

— Pas le moindre doute, mon colonel. Cette femme par ses insinuations a essayé de me corrompre. En me proposant d'abord ses charmes, puis de l'argent. Pour le reste, sur ce qui se passe à Berlin-Ouest, je n'en ai pas appris beaucoup. Mais j'ai acquis une conviction : cette femme n'aime pas les hommes. J'ajoute qu'elle les méprise assez pour leur offrir son corps sans scrupules. Je ne suis pas loin de conclure qu'elle préfère les femmes.

— Qu'est-ce qui vous fait dire cela ?

— Je me suis demandé un long moment pourquoi je ne la trouvais pas séduisante. La réponse est que rien dans son attitude ne traduit un désir sincère pour les hommes.

— Quelle est votre conclusion?

— Je pense que nous ne saurons jamais vraiment ce qu'elle trafique avec son correspondant à l'Ouest, mais, faute d'une vérité pleine et entière, tout incite à nous en méfier. Rien ne retient cette femme en Allemagne de l'Est. Elle n'a ni mari ni enfants. Elle s'est habituée aux facilités de la vie en Occident et je la crois capable de vivre sans perspective idéologique. J'ajoute que se préparer à un aménagement radical du socialisme en se constituant d'ores et déjà un bon petit pactole à l'étranger, c'est une façon de ne pas être pris au dépourvu. Pour finir, il y a les faits. Elle m'a très clairement proposé de coucher avec elle, comme elle m'a offert de l'argent, de façon très habile, sur le ton de la plaisanterie.

Le colonel, comme si une inspiration pouvait lui venir du décor désespérément sombre qui s'offrait à ses yeux, regarda à travers la fenêtre, frappé par l'absence de couleurs, comme si le ciel avait fourni lui-même les matériaux de construction des bâtiments administratifs qui obstruaient la perspective. Il pianota avec ses doigts sur la plaque de verre qui recouvrait son bureau.

— Quelle est votre proposition?

Plotov se crispa. Pour se donner une contenance, il se redressa dans son siège et ferma le premier bouton de sa veste. Il serra ensuite les mâchoires avant de les libérer :

— Il faut prévenir la Stasi et la mettre hors d'état de nuire. Il y a peu de chances pour que nous ayons tort. Cette femme va transmettre, j'en suis convaincu, des valises de documents sur les troupes du pacte de Varsovie.

— Et nous en recevrons au moins autant sur l'Otan, non?

— Certes, mais...

— En tout état de cause, c'est un traître.

— Nous avons assez d'indices pour le penser.

— Si nous informons la Stasi, elle ne fera rien, j'en suis persuadé. Depuis la « perestroïka », ils considèrent que nous mollissons et la confiance s'est un peu érodée. Les conséquences peuvent être terribles si certaines informations passent à l'Ouest.

— Alors que proposez-vous ?

— Il faut l'éliminer.

Le colonel pour toute réaction fronça les narines. Après avoir repris son souffle, il lâcha :

— Je préfère l'idée qu'elle disparaisse, mais ne mégotons pas, le résultat est le même. Je vais proposer cette solution à ma hiérarchie. Qui s'en occupera ?

— Selon moi, il serait plus discret de faire opérer nos agents à l'Ouest.

— Vous êtes sûr de vous, n'est-ce pas ? Nous ne sommes pas un peu trop expéditifs ?

— Il y a toujours un risque, mon colonel, une marge d'incertitude, mais les vraies décisions nécessitent de trancher.

— Donc, vous assumez.

— J'assume, mon colonel.

Le colonel sembla pensif. Pas comme un homme qui mûrit une décision, mais plutôt comme quelqu'un qui rumine les détails de son exécution.

— Je me demande si c'est une bonne idée de la faire supprimer par des agents stationnés à l'Ouest. Ils auront la police criminelle sur le dos et nous risquons de gêner notre dispositif global. S'en occuper sur le territoire est-allemand, c'est s'exposer à une explication de textes avec la Stasi que je ne veux pas avoir. La Stasi doit croire qu'elle a été éliminée par des services de renseignements de l'Ouest. Je préfère que vous alliez la descendre là-bas et que vous reveniez aussitôt, quel est votre point de vue ?

Plotov se gonfla comme un enfant qui se prépare à battre son record d'apnée dans son bain :

— Vous avez raison, mon colonel, c'est la meilleure solution. Toutefois, quelque chose me gêne.

— Quoi, vous avez peur de ne pas aller jusqu'au bout?

— Pas du tout, se défendit Plotov, mon souci, c'est que nous perdons l'opportunité de récupérer des informations sur la flotte sous-marine de l'Otan.

— Je suis bien d'accord, mais on ne peut pas tout avoir. Je vous accompagnerai à Berlin-Ouest, de façon à servir d'appât pour le contre-espionnage occidental et à vous soutenir en cas de problème. Je vais prévenir la hiérarchie. Ils vont peut-être trouver que nous allons un peu vite en besogne. Mais que sont la vie de cette femme et une promesse de renseignements sur des sous-marins de l'Otan, comparés au risque de divulguer des informations considérables sur des dispositifs du pacte de Varsovie?

— Rien.

— Rien, sauf que le pacte de Varsovie sera probablement mort au plus tard dans quelques mois, ajouta le colonel, songeur.

— C'est vrai, mon colonel, mais si on regarde l'histoire, combien d'hommes sont morts le dernier jour de la guerre? Si la guerre s'arrête, il faut bien un dernier jour. Ou alors il faudrait une convention internationale interdisant qu'on tue le dernier jour de la guerre, ajouta Plotov, content de son effet.

— Mais comment savoir, la veille du dernier jour de la guerre, que celle-ci s'arrêtera le lendemain? Voilà une vraie question, enchérit le colonel en souriant. Assez plaisanté, sauf si vous avez des doutes, nous n'avons aucune raison de reculer.

*

L'appartement des Plotov appartenait à une résidence construite pour héberger des fonctionnaires des pays frères au milieu de cadres modèles du renseignement militaire est-allemand. Blocs de béton rébarbatifs à l'extérieur, l'intérieur de ces immeubles donnait l'illusion du confort. En venant ici, la famille avait trouvé ses aises. L'officier se souvenait, comme sa femme, des jours où, avec leur premier enfant, ils partageaient vingt-six mètres carrés et demi avec ses parents dans un bâtiment vétuste, loin du centre de Saint-Pétersbourg. Sa femme avait assez bien supporté cette cohabitation avec ses beaux-parents de fraîche date, même si elle avait parfois le sentiment qu'ils n'avaient d'yeux que pour leur fils. Ils lui portaient un amour immense mais pudique et ils tiraient de chacun de ses actes une immense fierté. Ils estimaient leur bru pour autant que toute son action concourût à valoriser aussi leur fils. On ne permettait pas à tous les agents du KGB de voyager. Certes il eût été plus prestigieux qu'il fût nommé dans une capitale occidentale au cœur de la guerre des services de renseignements. Mais cela lui suffisait pour se sentir au-dessus de la masse des agents affectés à des tâches de surveillance intérieure dans des coins souvent reculés de l'URSS. Son voyage, dans quelques jours, pour Berlin-Ouest était un pas de plus dans sa carrière. Il avait hâte de découvrir l'Occident par lui-même. L'ennemi de toujours, ombre portée sur l'idéologie pour laquelle il combattait, allait apparaître devant ses yeux, lui permettre de se former un jugement. Il en aurait sauté de joie, mais il n'en montra rien à sa famille, et ne dit rien du vrai motif de son voyage qu'il présenta comme une mission d'inspection à l'intérieur de la RDA. Quand la température le permettait, il aimait se mettre au balcon de leur appartement, signe à lui tout seul de sa réussite sociale. C'est là qu'il mûrissait nombre de réflexions sur sa stratégie personnelle. Appuyé à la rambarde en fer grossier, il regardait en bas le manège des quelques voitures de résidents. Il se surprit à s'avouer qu'il détestait vraiment cette Allemande. Une haine providentielle qui facilitait sa tâche. Il n'avait jamais tué, mais il s'y était préparé depuis longtemps, conscient que ses responsabilités le conduiraient un jour ou l'autre à supprimer des vies. L'homme était assez subtil pour savoir que les charges qu'il avait retenues contre la jeune espionne, sans être minces, relevaient de son intuition plus que de faits avérés. Mais il considérait que ses convictions étaient ce qui s'approchait le plus de la vérité. Il éprouvait une énorme fierté d'avoir pris sur lui, sur des bases subjectives, d'éliminer cette femme qui à elle seule pouvait bousculer le rapport des forces entre l'Est et l'Ouest. Cette escapade à l'Ouest, autorisée par la hiérarchie, était un signe de confiance qui dépassait l'échelon régional. À Moscou, on devait déjà le considérer comme un élément de valeur.

*

Quelques jours plus tard, le colonel et Plotov roulaient sur l'autoroute, faux papiers en poche, à bord d'une voiture maquillée. Leurs mouvements ne devaient être décelés ni par l'administration de la RDA ni par celle de l'Allemagne fédérale. Le jeune officier conduisait, pour la plus grande satisfaction du colonel que cet exercice ennuyait.

— Je pense à ce que je vous disais l'autre jour. Je crains que nous n'éliminions cette femme pour rien. Les informations qu'elle risque de divulguer, les Occidentaux les auront de toute façon entre les mains dans quelques mois.

— Si vous permettez, mon colonel, répondit Plotov en se redressant sur le siège conducteur, je crois que ce n'est pas le problème. Que cette femme informe un ennemi qui ne le sera peut-être plus dans quelques mois ne change rien à l'affaire. Nous sommes confrontés à une haute trahison. Et je n'ai jamais entendu dire, de ce côté du rideau de fer, qu'on la traitait comme un délit normal. De plus elle se prépare à déserter sa patrie.

— L'Allemagne est sa patrie, c'est pourquoi elle n'a peut-être pas ce sentiment.

— À ce niveau de responsabilité, on n'est pas en droit d'anticiper sur des évolutions. La situation juridique est aujourd'hui celle qu'elle est. Si demain elle change, ce sera une autre affaire. Pour nous, peu importe, le droit est le droit. Et au regard du droit, cette femme intrigue contre nous et contre son pays. J'ajoute qu'elle en a conscience et qu'elle commence à s'en repentir.

— Comment cela ?

— Je réfléchissais à cela pas plus tard qu'hier et je me disais que si cette femme s'est révélée aussi rapidement en me faisant des propositions indignes, c'est qu'elle-même cherche à payer le prix de sa rédemption. Sinon, elle aurait adopté une autre stratégie à mon égard en prenant le temps comme allié. Ou alors elle m'a défié en me mettant sur la voie tout en pensant que l'absence de preuves la sauverait. Mais nous n'avons besoin d'aucune preuve. Où se croit-elle, en Occident, pour imaginer qu'on va instruire pendant des années un procès à charge ?

— Vous avez certainement raison. Je reconnais bien là votre formation de juriste. Vous auriez fait un bon procureur.

— J'y ai pensé à une époque.

Puis le colonel lâcha un long soupir amer avant de reprendre, le visage tourné vers les étendues agricoles :

— Il n'en reste pas moins que le bateau prend l'eau de toute part. Les pays frères se fissurent comme les fondements d'une datcha après un été de grosses chaleurs. Je donnerais beaucoup pour ne pas assister au spectacle qui se prépare.

— C'est incontestable, mon colonel, notre système est mal en point, mais ce n'est pas à nous d'accompagner ce mouvement mortifère. Au moins pour notre propre estime. Elle nous sera utile dans les mois à venir.

Le trajet ne fut pas long. Berlin-Ouest encerclé par la RDA n'était qu'un îlot occidental au milieu d'un océan communiste. Au moment de passer la frontière, Plotov ressentit un pincement à l'estomac. On aurait pu l'attribuer à l'enthousiasme de la découverte. Il n'en était rien. Il avait tout simplement le vertige de la nouveauté. Leurs faux papiers et leur fausse qualité de directeurs d'usine ne posèrent aucun problème aux gardes-frontières de chaque côté. Peu de temps après le passage du mur par la grande porte, ils garèrent leur voiture pour continuer à pied. Ils s'assurèrent discrètement qu'on ne les suivait pas et, malgré le sentiment que personne ne les filait, ils s'imposèrent un parcours où successivement ils se fondirent dans la foule des transports en commun et celle des grands magasins. Ils s'étaient donné la journée pour accomplir leur mission. Très vite, le jeune officier se fit une opinion de ce nouveau monde qu'il découvrait. De belles voitures, il y était sensible, des foules impatientes de consommer, et un drôle d'empressement à se déplacer. Pour le reste, il n'eut pas le temps de voir grand-chose. Son plan était de se présenter au bureau de l'Allemande et de l'enjoindre à le suivre sans prévenir personne. Ils devaient ensuite prendre un taxi en direction d'un quartier où se trouvaient des dépôts désaffectés. C'est là qu'il devait l'exécuter. Le colonel devait le rejoindre pour l'aider à dissimuler le corps, le temps qu'ils quittent la ville. Pour s'assurer que la femme soit à son bureau, le colonel avait demandé à un de ses agents de l'appeler en se faisant passer pour un client potentiel. Un rendez-vous avait été convenu à 14 heures précises.

Deux minutes avant, Plotov s'était présenté au siège de la société. L'emplacement de celle-ci et son aménagement moderne sans excès en faisaient une couverture idéale. L'officier patienta dans un recoin prévu pour attendre et feuilleta une revue d'informatique laissée sur une table basse, derrière laquelle il cacha son visage à la jeune femme qui faisait office de planton. L'Allemande ne le reconnut qu'une fois qu'il fut assis en face d'elle dans son bureau. L'inquiétude de retrouver le petit Soviétique de ce côté du rideau de fer se lut dans son regard. D'une voix douce et régulière, il se contenta de lui demander si elle avait un rendez-vous et à quel endroit.

— Je dois voir un fonctionnaire de la sécurité sociale à son bureau dans une heure.

— Parfait, nous sortirons ensemble d'ici le plus naturellement du monde. Vous ferez appeler un taxi. Ensuite nous rejoindrons quelques amis.

La jeune femme, un peu éprouvée, s'efforça de se donner une contenance.

— Et pourquoi ces amis?

Plotov se surprit un don pour l'improvisation.

— Un tout petit comité. Voyez-vous, l'affaire que vous traitez est d'importance. En même temps, il est très difficile de se bâtir une opinion. Nous avons donc décidé de vous faire passer au détecteur de mensonge.

— Je peux refuser de m'y soumettre, objecta la jeune femme, froissée.

— Vous le pouvez, naturellement. Mais je ne vous le conseille pas. Nous pourrions être amenés à prendre des mesures beaucoup plus radicales sans en référer aux autorités de la RDA. Il serait alors difficile d'enquêter sur votre disparition.

Plotov assortit la suite de ses propos d'un sourire minéral.

— Si vous me dites, là, maintenant, que vous travaillez pour l'Ouest, il est encore temps de changer le programme. D'ailleurs, si c'est le cas, dans votre intérêt, la meilleure solution serait de l'avouer tout de suite. Je ne pense pas que vous ayez déjà eu le temps de faire beaucoup de dégâts. Je me contenterai d'un rapport à la Stasi. Le temps qu'ils réagissent, vous pourrez vous mettre sous la protection des autorités ouest-allemandes. Je ne veux pas vous nuire personnellement, même si j'exècre les traîtres. Alors?

La jeune femme prit quelques secondes pour réfléchir.

— Je n'ai absolument rien à me reprocher.

— Bien, alors allons-y.

La jeune femme fit appeler un taxi qui les attendit au pied de l'immeuble. Le chauffeur, un Turc de fraîche date dans le pays, parlait la langue avec difficulté. Plotov en conclut qu'ils pouvaient continuer leur conversation. Il indiqua une adresse au chauffeur qui fit sursauter la jeune Allemande.

— Ainsi vous comprenez que nous n'allons pas au-devant de réjouissances. Une zone de dépôts et de hangars pour la plupart désaffectés, on peut y chanter en donnant de la voix sans déranger les voisins. Le trajet, d'après mes informations, doit durer vingt-cinq minutes. Vous pouvez descendre à tout moment. À vous de voir.

Le silence s'installa, à peine plus lourd que leurs pensées. Alors qu'un bon tiers du chemin avait été parcouru, la jeune femme s'adressa à l'officier russe sans le regarder, les yeux rivés sur la nuque du chauffeur.

— J'ai une proposition à vous faire.

— Je vous écoute, répondit joyeusement Plotov.

— Nous changeons de direction pour aller dans une banque. Dans un coffre, il y a un million de dollars. Il est pour vous.

— Pourquoi une offre si généreuse?

— Parce que vous ne me laisserez pas partir si je me contente de reconnaître un certain nombre de faits.

— Le problème, c'est que j'ai une femme et des enfants.

— Vous m'aurez, moi, le temps que je les fasse venir. Si vous êtes d'accord, ils seront là demain matin. Les autorités seront tellement occupées à nous rechercher qu'elles ne les verront pas partir.

— Nous avons un problème bien plus sérieux.

— Lequel?

— C'est que je ne suis pas corruptible. J'aime mon confort, mais pas au point de renoncer au pouvoir en sa faveur. Et puis je n'ai pas la mentalité d'un transfuge, je ne sais pas dire merci.

— Mais, avant quelques mois, il n'y aura plus de mur, vous le savez très bien.

— Il y en aura un autre, moins visible, celui de notre conscience nationale. Quels que soient les changements à venir, nous ne réintégrerons jamais, nous les Russes, le concert des nations occidentales. Nous sommes trop différents et je suis très attaché à cette différence. Nous avons une vocation à proposer aux nations qui nous entourent un modèle original, vous verrez...

— Je ne crois pas que je verrai grand-chose, répliqua la jeune femme en s'efforçant de sourire.

— Que le monde évolue d'une façon ou d'une autre, il est vrai que les traîtres n'y ont pas leur place. Mais ce n'est pas à moi de décider.

— Et ce serait vous ?

Plotov tourna vers la jeune femme un regard creux.

— Je vous tuerais, sans aucun doute.

Comme la jeune femme se mettait à pleurer, il regarda par la fenêtre. Dans ce quartier, les immeubles étaient identiques à ceux de l'Est, des blocs de béton alignés au cordeau, la saleté et une population basanée en plus.

La zone de hangars désaffectés était déserte. La voiture s'immobilisa. Dans un allemand approximatif, le chauffeur leur demanda s'ils étaient certains de vouloir s'arrêter dans ce bout du monde. À l'expression de l'officier, il comprit qu'il n'était pas utile d'insister. Il prit l'argent, pressé de quitter les lieux. L'officier du KGB descendit le premier et ouvrit la porte de l'Allemande qui s'efforçait de faire bonne figure. Ils marchèrent ensuite le long d'un dépôt aveugle. Plotov trouva une porte et la poussa.

La jeune femme fit une dernière tentative pour l'acheter en poussant son offre d'un million à un million et demi de dollars, suggérant qu'ils pourraient lui ouvrir un compte le jour même et qu'il ne serait pas obligé de fuir tout de suite. Cette offre ultime ne changea rien.

Il sortit un pistolet de la poche de son imperméable et avant de l'armer il lui dit :

— C'est la première fois que je vais abattre quelqu'un de sang-froid. C'est une tâche qui, je le sais, ne va me procurer aucun plaisir. Mais je n'ai pas le choix. Et tuer une femme ne change rien à l'affaire. Le socialisme a beaucoup œuvré pour hisser les femmes au niveau des hommes. Vous allez connaître le mauvais côté de l'égalité des sexes. Vous serez certainement une des toutes dernières victimes de la guerre froide. Mais il en faut bien.

À cet instant, l'officier entendit un bruit derrière lui. Il reconnut la silhouette du colonel et fut un peu soulagé de ne pas avoir à accomplir seul la sinistre besogne. Il se faisait une joie de pouvoir lui annoncer qu'elle avait avoué.

Le colonel n'avait pas du tout la mine d'un homme qui s'apprête à assister à une exécution. Il était détendu et souriant. Par intuition, l'officier se retourna vers la jeune femme. Elle souriait aussi.

— C'est la fin du dernier acte, Plotov, lança-t-il en se rapprochant. Toute cette mise en scène n'avait qu'un objet, tester votre loyauté et vous vous en sortez avec panache. Ni les chiffres ni les promesses voluptueuses n'ont eu raison de votre intégrité. Vous n'avez pas non plus tergiversé quand il s'agissait d'éliminer un ennemi. L'imminence de changements radicaux a été sans effet sur votre détermination. C'est très bien. Si vous aviez été un artiste, j'aurais applaudi.

Plotov se sentit pris de nausée. Le vertige d'une humiliation semblable à celle de l'enfant plus petit et moins fort que les autres à qui des camarades d'école malintentionnés baissent le pantalon dans une cour de récréation en l'exposant aux quolibets des filles hilares. Sa main se crispa sur la crosse de son pistolet toujours enfoui dans la poche de son imperméable. S'il s'était écouté, il les aurait tués là, tous les deux, dans cet entrepôt poussiéreux témoin de son humiliation. Mais, à la différence d'un psychopathe ordinaire, même submergé par l'émotion, il était incapable d'aller contre son intérêt. Alors, en prenant sur lui, il esquissa un sourire complice.

— Maintenant, nous savons à qui nous avons affaire, lança le colonel en montrant le chemin de la sortie. Avec un peu plus d'expérience, vous auriez su que nos relations avec la Stasi n'auraient jamais pu vous mettre dans une situation pareille. C'est un peu dur pour vous, mais il fallait à un moment ou à un autre dans votre carrière que nous vous mettions en danger. L'examen est un succès. Enfin, si vous parvenez à surmonter votre colère. Essayez de faire du sang-froid un trait de caractère. Vous verrez, c'est utile dans les grandes périodes de changement.

*

Du sang-froid, Vladimir Vladimirovitch Plotov faillit encore en manquer lorsque, quelques mois plus tard, des opposants au régime, dont le nombre gonflait comme un torrent de montagne à la fonte des neiges, envahirent son bureau. Depuis le début des troubles, il n'avait pas dormi, acharné qu'il était à détruire et brûler tous les documents confidentiels qui auraient pu tomber entre leurs mains. Quand il fut clair que la meute ne faiblirait pas et qu'il risquait d'être maltraité comme les agents de la Stasi l'étaient par les insurgés, il attendit les ordres de Moscou. Ils ne vinrent jamais. La seule satisfaction dans ce moment d'apocalypse, auquel il avait échappé en se faisant passer pour un interprète, lui vint de l'image de la belle Allemande aux prises avec la vindicte populaire. Elle avait perdu de sa superbe et il n'eut pour elle pas la moindre compassion. Quelques jours plus tard, il fuyait sur les routes pour regagner l'URSS, accompagné de sa petite famille dont l'espace dans la voiture était restreint par la machine à laver le linge qu'ils emportaient avec eux. S'il n'était endormi de fatigue au volant et aurait percuté un poids lourd venant en sens inverse, sa vie se serait arrêtée à un moment où elle ne méritait pas le moindre regard.

ANTEROGRAD

C'est en haut de notre escalier que j'ai croisé Alexandra Alexandrovna ce jour-là. Son front était barré d'une ride discrète, comme l'amorce d'un reproche qu'elle n'avait pas le courage de me faire.

J'étais pour tout dire assez nauséeux d'avoir fumé à jeun. Au petit matin j'étais parti chercher une bouteille de gaz au centre commercial le plus proche, inquiet de la lueur mourante de notre cuisinière. Je m'attendais à trouver une grosse couche de givre sur le pare-brise de ma voiture, mais il n'en fut rien. La nuit avait été sèche ou alors le vent avait tourné. Sans cette lourde bouteille à porter, je ne me serais certainement pas attardé devant ma porte pour faire une pause, reprendre mon souffle et respirer un peu. C'est à ce moment-là qu'Alexandra Alexandrovna est sortie de son appartement. Le blanc de sa chapka en fourrure contrastait avec le rouge de ses joues et le bleu lointain de ses yeux étirés, comme si un ancêtre d'Asie centrale s'était invité sur son visage de blonde. Elle avait un grand panier tressé à la main.

Alexandra n'était pas une simple voisine. Nous avions cohabité pendant trois ans dans l'appartement que j'occupe maintenant seul avec les miens. À l'époque — je parle d'années qui ont précédé la chute du communisme —, nous logions à trois

133

familles, pour autant qu'un vieux couple et une femme seule constituent chacun une famille. L'homme est mort de cirrhose et elle de chagrin, à quelques semaines d'intervalle. Peu de temps après, Alexandra nous a quittés à son tour, pour prendre le petit appartement d'en face sur le palier. Il est situé au-dessus d'un ancien magasin d'État, reconverti en restaurant au nom italien, où l'on mange de la cuisine russe qui n'existe pas en propre puisqu'elle résulte d'un mélange de plats polonais et juifs n'ayant pas grand-chose à voir avec la cuisine juive polonaise aujourd'hui disparue dans son pays d'origine pour la raison que l'on sait.

La révolution a duré un peu plus de soixante-dix ans, si l'on accepte l'idée que la révolution est bien le trajet que parcourt une planète pour revenir à son point de départ, en tournant sur elle-même. Ainsi, Alexandra a rejoint l'appartement communautaire trois ans avant la fin de la révolution, à la fin des années quatre-vingt. Nous n'étions pas particulièrement à l'étroit, même après son arrivée. Elle était discrète, parlait peu, écoutait beaucoup de musique et usait de son sourire pour tenir les autres à distance. Ma femme s'était plainte à l'administration, sans me le dire, de nous avoir imposé une femme célibataire comme colocataire. Elle jugeait « que ce n'était pas moral ». L'administration lui avait répondu qu'elle ne la considérait pas comme une femme célibataire puisqu'elle était veuve. Ma femme ne nourrissait à son égard, j'en suis convaincu, aucun sentiment de jalousie et elle n'avait rien à lui reprocher, mais elle ne supportait pas de la voir là, partageant contre son gré notre intimité. Elle ne la trouvait pas assez ordonnée pour son goût. L'obsession pour l'ordre et la propreté est souvent une manière d'échapper à son propre désordre intérieur. La cuisine et la salle de bains étaient les seules pièces communes. Les toilettes étaient sur le palier. Nous les partagions avec les voisins d'en face et elles servaient de prétexte à bon nombre de disputes. On ne s'en plaignait pas, car le temps s'écoulait plus lentement qu'aujourd'hui et les sujets d'intérêt n'étaient pas si fréquents.

Après la chute de l'empire soviétique et le départ des voisins pour une ville du Sud, Alexandra Alexandrovna a pu s'installer en face. Les autorités lui ont même proposé d'acheter l'appartement pour une somme dérisoire qu'elle a empruntée en s'endettant sur quinze ans. Nous ne devons pas être loin de cette échéance aujourd'hui.

L'administration s'est assez vite décidée à privatiser les appartements communautaires après la chute de l'empire (je ne dis pas chute au sens d'une reddition militaire mais plutôt de l'effondrement d'un char à bras sous le poids d'un âne mort), mais elle n'a jamais réglé le problème des parties communes. Un vide juridique subsiste quant à savoir qui prend en charge les toilettes, les escaliers et l'ascenseur. Sans parler du chauffage dont l'État pourrait bientôt se désintéresser, un vrai problème dans une contrée où les grands froids se prolongent souvent au-delà de six mois. L'administration paye pour le moment, c'est une certitude, d'ailleurs la preuve en est, nous sommes surchauffés.

Il y a une quinzaine d'années, deux ou trois jours avant le nouvel an, il neigeait abondamment dehors. De gros flocons peinaient à descendre le long des fenêtres pour se poser comme des plumes d'oie sur un sol scintillant. La neige, si familière à notre peuple, grossissait son enveloppe protectrice, comme si elle voulait étouffer un peu plus la rumeur discrète de notre ennui. Minuit approchait. Je faisais salon dans la petite pièce que nous réservions à cet effet, un couloir assez large meublé de quatre sièges rudimentaires, de quelques bibelots remarquables pour n'avoir pas plus de valeur vénale qu'affective et d'une cinquantaine de livres dont trois étaient interdits, posés sur des étagères de hêtre. Ma femme et les deux enfants dormaient. Le vieux couple sommeillait probablement de son côté, à cette heure-là la bouteille y était passée. J'avais l'habitude de me rendre chaque soir à la salle d'eau juste avant de me coucher. J'ai ouvert la porte, pensant qu'il n'y avait personne à l'intérieur. J'avais bien remarqué un filet de lumière mais il n'était pas rare que quelqu'un quitte les lieux sans éteindre. Alexandra était face à la glace. Des années de solitude apaisée s'offraient de dos dans une nudité à peine altérée par la chute de ses cheveux sur son cou. Me voyant, elle n'a pas bougé. Je me suis approché, fuyant son regard qui se reflétait dans le miroir, et j'ai rassemblé ses cheveux dans une seule main pour les relever sur sa tête. Je l'ai ensuite embrassée sur cette peau que je venais de libérer, de la racine de ses cheveux jusqu'à sa nuque finissante. Je ne les ai lâchés que lorsque notre étreinte a pris fin, peu après avoir commencé, tempes brûlantes et jambes flageolantes, surpris l'un et l'autre sans rien se dire de n'avoir même pas pris la précaution de pousser le verrou. Et je m'en suis allé, à reculons, pour ne pas tourner le dos à cette femme qui à aucun moment ne m'avait fait face. Je me suis ensuite glissé dans le lit conjugal, comme le plus ordinaire des traîtres. Par la suite, nous n'avons jamais recommencé. Nous savions l'un comme l'autre que nous ne pourrions le faire sans bouleverser nos vies. Nous avons continué à cohabiter, sans gêne ni complicité. Pourtant il ne se passait pas un jour sans que revienne à ma mémoire ce dos d'un blanc crayeux posé sur des hanches solides, ce corps oublié par le deuil qui réclamait son dû. J'ai appris son départ pour l'appartement d'en face avec un soulagement mêlé de la crainte que cet infime éloignement ne soit prétexte à nous rapprocher. Elle s'est installée dans la solitude en toute quiétude et la bonne colocataire s'est transformée en bonne voisine. Nos rencontres fortuites se déroulaient avec naturel, sans équivoque, et c'est pour cette raison que je m'étonnais ce jour-là de voir la contrariété assombrir son visage. Elle a posé son panier tressé pour m'entretenir du problème des toilettes qui ne fonctionnaient pas bien.

— Nous avons un vrai problème, a-t-elle commencé, gênée d'aborder cette question triviale. Je sais que ce sont des parties communes, mais je n'ai pas les moyens d'agir.

D'un air compatissant et sincère, elle a poursuivi :

— Je sais beaucoup de choses, Pavel, et je suis de tout cœur avec vous, vous le savez. Mais ils ont aussi annoncé partout sur les ondes que vous alliez recevoir une grosse somme d'argent que vous méritez amplement.

— Il ne s'agit que d'une annonce, Alexandra, et vous savez ce que valent les annonces, ai-je répondu.

— Oh oui, je sais. Ma pension de veuve ne m'est pas parvenue depuis quatre mois et demi. Je fais le siège de l'administration du matin au soir et...

— Mais si vous avez besoin de quoi que ce soit, Alexandra, sachez que...

— Je sais que vous n'êtes pas riche, mais vraisemblablement vous allez le devenir. Je ne demande rien, sauf que le mauvais fonctionnement des parties communes ne rende pas ma vie plus difficile, comprenez-vous ?

— Je comprends très bien, mais je ne suis pas en mesure de faire venir quelqu'un et de lui payer son travail, et ce sera certainement long avant que j'en aie les moyens...

— Non, je crois que cette fois ça ira vite, j'en ai l'intime conviction. Ils ne peuvent pas se permettre de faire traîner, trop de gens parlent autour de cette histoire et, si je peux me permettre, c'est votre chance.

— Je vais essayer de régler le problème moi-même. Ce matin c'est impossible, j'attends un représentant de l'administration présidentielle dans un peu moins d'une heure, mais dès cet après-midi je démonterai cette fosse à misère et je la remettrai en usage.

— Très bien, mais, au fait, comment va votre femme ?

— Aussi bien que possible, merci. Je lui trouve plutôt bonne mine ces derniers temps.

Elle m'a souri avant de baisser les yeux, ne sachant comment terminer cette conversation. J'en ai profité pour reprendre :

— Je regrette que nous ne parlions pas plus souvent l'un et l'autre, en dehors de ces problèmes d'intendance, pas vous ?

Elle a répondu comme si ses lèvres s'animaient d'elles-mêmes sans en avoir reçu l'ordre :

— Je ne vois rien qui s'y oppose, Pavel, mais vous semblez tellement occupé.

— Je vais m'arranger pour me libérer dans les semaines qui viennent.

— Profitez-en, ce ne sont pas des hommes à passer deux fois. Déjà une, c'est une sorte de miracle.

— Je suis de votre avis, d'ailleurs je vais me presser de changer cette bouteille de gaz avant l'arrivée du représentant de la présidence. Mais tout ce que nous nous sommes dit reste valable. Je frapperai à votre porte bientôt si vous m'y autorisez.

— C'est dit, frappez quand il vous plaira.

— Un dernier mot, Alexandra Alexandrovna, je ne vois rien d'équivoque dans le fait que nous bavardions un peu ensemble, mais j'apprécierais que notre rencontre soit d'autant plus discrète qu'elle est sans ambiguïté. Ma belle-mère est là du soir au matin pour tenir compagnie à ma femme et je ne voudrais pas éveiller chez elle des pensées qui viendraient égayer sa routine, voyez-vous.

— Je comprends très bien, Pavel.

Elle a souri de ces sourires qui sont la charpente d'un visage et nous nous sommes quittés satisfaits, je présume.

L'homme assis sur le canapé années soixante de notre salon a l'air offensé. Pas désolé ni contrarié, non, offensé comme cette tenancière de kiosque dans *Le Maître et Marguerite* parce qu'elle n'a plus de bouteille d'eau de Narzan à offrir à ses clients. Même si les circonstances ne se prêtaient pas à une analyse un peu fine de son état, il me sembla qu'au plus profond de lui-même, s'il avait conscience dans un petit coin de son esprit du tragique de sa mission, ce n'est pas ce qu'il en laissait paraître. Il était là sur ordre, dans une situation où l'administration n'était pas à son avantage mais où elle essayait de le reprendre. Et cette mission devait être inhabituelle pour cet homme qui, en ce début de XXIᵉ siècle, approchait de la soixantaine, dont une bonne quarantaine à surveiller les autres sans avoir jamais réfléchi sur le sens de son travail.

Le détail, de tout temps, a été le moyen pour les petits hommes de piéger les grandes âmes. Notre ancien régime avait fait du détail un dieu et j'avais en face de moi un de ses prêtres.

Il était engoncé dans un costume court de manches d'où sortaient de grosses mains velues et un ventre rond qui semblait se précipiter hors de son corps pour y échapper. Ses yeux de Mongol dans un visage de moujik facétieux n'arrêtaient pas de tourner en rond comme s'ils ne voulaient s'arrêter sur rien ni sur personne. Il était arrivé avec un léger retard dont il s'était excusé sans conviction. Malgré ce retard, il avait été obligé de suivre son programme et de faire en particulier une halte au FSB, pour des raisons totalement étrangères à mon dossier, s'était-il empressé de préciser. Une fois le café servi, il s'est redressé dans son siège pour se donner une contenance.

— Je représente ici le Président de la Fédération de Russie, et je veux vous dire que nous sommes très peinés par cette affaire.

Comme je ne répondais rien, il a posé pour la première fois son regard sur mon visage en esquissant un sourire plein de réserve.

— J'ai vu deux autres familles avant vous, et vous êtes celui qui montre apparemment le plus de courage et même de dignité, si le mot n'est pas un peu fort.

Il semblait moins rustique que ses apparences ne pouvaient le laisser penser. Il reprit :

— Je suis là pour vous faire part de l'offre, en tout cas orale, de notre gouvernement.

Il ouvrit toutefois un porte-document qu'il avait posé à ses pieds et en sortit une feuille qu'il lut pour lui-même, avant d'en résumer les principaux termes.

— Nous vous proposons dix ans de solde d'un jeune lieutenant de vaisseau à titre d'indemnité, soit 600 000 roubles qui vous seront versés en une seule fois.

Je suis resté impassible pour la simple raison que la somme offerte était proche de celle colportée par les rumeurs. Mais comme il n'était pas question de satisfaction et encore moins de la montrer, j'ai renchéri à ma façon :

— Cette somme n'inclut pas les arriérés de solde, j'imagine. Il me semble qu'ils étaient de quatre ou cinq mois.

— C'est tout à fait possible, mais cela ne me concerne pas, c'est du ressort de la marine. Le montant dont je vous parle a été recueilli auprès du gouvernement et de généreux donateurs, des oligarques. Je ne sais pas très bien au juste quelles sont les contributions respectives de chacun et, d'ailleurs, j'imagine que ça n'a aucune importance, un rouble est un rouble. Voilà pour la première partie de l'offre.

Il s'essuya le front du revers de la main, porta sa tasse de café à sa bouche en prenant soin de ne pas y tremper sa cravate qui balançait devant son gros ventre comme un pendule d'horloge mais d'avant en arrière. Il se plongea à nouveau dans ses papiers avant de poursuivre en fonctionnaire consciencieux :

— Voilà pour la première partie de l'offre, maintenant la seconde consiste à vous proposer un logement à Saint-Pétersbourg. Un grand logement avec toutes les commodités, rien à voir avec ce que vous avez ici qui semble d'ailleurs confortable et assez spacieux si j'en juge d'après le salon.

Je ne m'attendais pas à cette proposition, elle n'avait pas filtré de la rumeur et je me suis un peu trouvé pris au dépourvu. Il m'était impossible d'y répondre favorablement.

— Je crains de ne pas pouvoir accepter, ai-je lâché sèchement.

Il me fixa hébété.

— Mais comment pouvez-vous refuser, personne ne l'a fait, Pavel Sergueïevitch ?

Revenu de sa surprise, il m'a demandé, dubitatif :

— Et pourquoi n'accepteriez-vous pas cet appartement à Saint-Pétersbourg ?

— Parce qu'il ne nous est pas possible d'y vivre.

Il a semblé complètement désemparé. Puis il m'est venu une idée.

— Si nous ne prenons pas le bel appartement de Saint-Pétersbourg, peut-être vos généreux donateurs peuvent-ils nous en donner la contre-valeur en argent ?

Il ne réfléchit même pas.

— Il ne peut pas en être question une seule seconde, Pavel Sergueïevitch, l'offre est sans conditions. Il n'est même pas envisageable que l'appartement vous soit alloué si vous ne l'habitez pas, c'est une condition expresse à cette proposition.

— En quoi cela dérange-t-il vos donateurs, si nous occupons ou pas cet appartement?

— La question n'est pas pour les généreux donateurs privés, c'est le gouvernement qui impose cette condition.

— Et pourquoi, peut-on savoir?

— Pourquoi? Je n'en sais rien, moi, je ne suis pas dans le secret des grandes décisions, une seule chose est certaine, j'ai pour mission de vous proposer une somme d'argent et un appartement à Saint-Pétersbourg à condition que vous acceptiez de quitter la région et de vous installer là-bas. C'est une condition capitale, à laquelle s'ajoute une obligation de ne plus jamais communiquer avec la presse, qu'elle soit russe ou étrangère, et sous aucun prétexte.

J'ai considéré un moment sa réponse.

— Je n'ai aucune intention de m'entretenir avec la presse, d'ailleurs je ne l'ai pas fait jusqu'ici. Mais je ne peux pas m'installer à Saint-Pétersbourg, et cet empêchement est indépendant de toute volonté. Il en est ainsi. Mais ce n'est pas une raison pour renoncer à la valeur de cet appartement à Saint-Pétersbourg.

— Je ne vois pas comment il pourrait en être autrement, la proposition est globalement généreuse, mais elle ne souffre pas de cas particulier...

— Dans un pays qui n'en souffre généralement pas, l'ai-je interrompu en m'échauffant un peu maladroitement comme nous savons le faire dans notre pays pour mieux capituler ensuite, attachés que nous sommes à la théâtralité de notre abnégation.

— Je ne crois pas qu'il y ait de précédent d'une indemnisation pareille dans l'histoire de notre pays, a-t-il rétorqué.

À cet instant précis ma femme est entrée dans le salon. On aurait dit un fantôme. Elle s'est avancée vers le fonctionnaire pour le saluer et comme si, soudain, elle avait perdu le sens de ce

143

qu'elle faisait, elle a rebroussé chemin, lui tournant le dos, alors qu'il venait de se lever pour lui serrer la main. Elle a quitté la pièce sous le regard de l'émissaire sidéré. Il s'est alors rassis et m'a regardé en coin, soucieux.

— Je comprends que vous ayez des contraintes particulières, a-t-il murmuré en concluant par un long soupir. C'est comme ça depuis les événements ?

Les événements... Il aurait été plus juste de parler de tragédie, mais j'avais compris que son rôle n'était pas de qualifier les faits. Je sentais aussi, curiosité bien ordinaire, qu'il aurait aimé en savoir plus. Je n'ai pas trouvé décent de lui en dire davantage, les confidences requièrent un minimum de considération réciproque et nous en étions loin. Nous négociions, certes, mais la pitié n'est pas une arme, sauf à vouloir la retourner contre soi. J'ai pris l'air évasif de celui qui n'a tellement rien à cacher qu'il ne prend même pas la peine d'aligner les mots pour le dire et puis, sur le ton de la fausse confidence, je lui ai glissé :

— C'était bien avant. Enfin, cela ne remonte pas à si loin que ça, mais, si vous voulez le savoir, son état et les événements qui vous amènent ne sont pas liés. J'ajouterai que je remercie la Providence que ce mal soit antérieur à la date fatidique, cela lui a évité bien des souffrances.

Après cela, j'ai senti un flottement, une angoisse diffuse qui m'aurait presque poussé à capituler. Mais je me suis rappelé que le genre d'organisation qu'il représentait, héritage d'un temps immémorial, n'était certes pas disposé par nature aux concessions et cela par un manque de considération culturel pour la particularité. Mais en ces circonstances ils ne pouvaient laisser de côté une seule des cent dix-huit familles, je le savais, et j'avais décidé d'en profiter. L'idée de trouver un accord faisait son chemin dans son esprit et il se plut à me donner de nouvelles précisions.

— J'ai oublié de mentionner un aspect qui a son importance dans notre proposition, Pavel Sergueïevitch. Vous êtes bien professeur d'histoire ?

J'ai éclaté de rire, ce qui ne m'était pas arrivé depuis des mois.

— Mais pourquoi riez-vous comme cela, Pavel Sergueïevitch ?

Je suis soudain parti dans des considérations qui l'ont beaucoup intrigué. Pendant que je parlais, il me regardait en tournant la tête comme un chien qui cherche à comprendre son maître.

— Je ris parce que le rire en dit plus sur la tragédie que la tragédie elle-même. Le rire de comédie n'est pas un rire, c'est un rictus, une posture. Le rire de tragédie est une superstructure des larmes. Pardonnez-moi, monsieur l'émissaire, je ris parce que vous me demandiez si je suis professeur d'histoire. C'est bien vrai et pourtant, après vingt-six ans de carrière, je ne peux toujours pas vous dire ce qu'est l'histoire. Pourquoi cette question ?

— Parce qu'il est prévu que vous soyez reclassé dans un grand lycée de Saint-Pétersbourg ou, si vous le souhaitez, dans une école pour les cadets de la marine, ou encore dans une université. Écoutez-moi, Pavel Sergueïevitch, j'ai bien compris que vous avez des contraintes lourdes, mais ne me dites pas que vous ne voulez pas quitter le cercle polaire ?

— On n'y vit pas si mal, et la population y est intéressante. Aucun endroit au monde ne concentre de filles aussi éblouissantes, les gens y sont à la fois très vivants et sereins comme des morts, un jour et une nuit font une année, croyez-moi, ce n'est pas un lieu que l'on quitte sans nostalgie.

— Donc, vous ne voulez pas transiger.

— Ne me parlez pas de vouloir, je ne peux tout simplement pas, je ne sacrifierai pas les repères d'une personne qui m'est proche contre un appartement, si luxueux soit-il, dans la ville de Pierre le Grand.

J'avais à peine prononcé ces mots que je me ravisais déjà en silence, pendant que mon interlocuteur semblait en proie à une forte activité cérébrale afin de trouver une solution à un problème qui n'en souffrait aucune autre que d'accepter sans conditions les largesses de notre gouvernement et de ses alliés privés. Je m'apprêtais à accepter tout en bloc, convaincu par un réalisme soudain, fruit de siècles de soumission au collectif, que je ne pouvais pas être une exception. Alors je vis ses yeux de Mongol s'étirer un peu plus pour que leur iris disparaisse presque complètement et il ne les rouvrit que pour me dire, triomphant :

— Nous avons un moyen de contenter tout le monde, Pavel Sergueïevitch. Mais, avant tout, juste une petite question, vous êtes juif, n'est-ce pas, Altman c'est juif ?

Je ne voyais évidemment pas très bien où il voulait en venir, mais je décidai tout de même de répondre en lui montrant que sa question me déplaisait :

— C'est un nom juif. Mais qu'est-ce qui peut bien vous intéresser dans le fait que je sois juif ou non ? Pourquoi cette question ?

— Ce n'est pas pour vous offenser, Pavel Sergueïevitch, mais, au contraire, vous savez que les juifs ont des aptitudes aux affaires que n'ont pas les autres. C'est dans leurs gènes. Même enfouis dans l'ex-Union soviétique, ces gènes à peine engourdis n'ont pas tardé à ressurgir, et lorsqu'il s'est agi de privatiser nos richesses, les juifs ont été les plus prompts à se transformer en oligarques, n'y voyez aucune critique, juste une certaine admiration. D'ailleurs, d'une certaine façon, ce sont eux, en partie, qui m'envoient à votre rencontre.

— Je comprends bien, mais je ne vois pas le rapport.

— Non, je disais cela parce que vos contraintes sont légitimes, et deux hommes d'affaires avisés peuvent trouver une solution. Renoncer à un appartement à Saint-Pétersbourg, c'est une folie, je vous le dis. Les prix montent, les étrangers s'y pressent. Avec un peu de réalisme, nous pourrions régler ce problème. Nous vous attribuons l'appartement et vous restez ici, vous et votre famille. C'est contraire à la lettre de l'accord, mais si vous êtes discret, il ne devrait pas y avoir de vagues et je serai là pour vous protéger en cas d'incident.

— C'est très généreux de votre part.

— Ne me remerciez pas, je suis là pour vous rendre au moins la quiétude matérielle et nous savons l'un comme l'autre que, dans notre pays, ce n'est pas la moindre des choses. Nous sommes tous dans la misère et il faut s'entraider. Voilà ce que je vous propose moyennant une petite rémunération pour ma protection, une prime d'assurance, en quelque sorte.

— Et cette prime d'« assurance », comme vous dites, s'élèverait à combien ?

— À la moitié de l'argent en liquide qui va vous être versé, je pense que c'est raisonnable.

J'ai pris un petit moment pour réfléchir en évitant de croiser son regard. Je me suis éclairci la voix avant de lui répondre fermement :

— Tout bien pensé, je me range à vos vues. Malgré toutes les difficultés qui sont les nôtres, je vais accepter les conditions de l'offre. Nous allons déménager à Saint-Pétersbourg, mais je n'y travaillerai pas. En contrepartie de ne pas demander de poste à Saint-Pétersbourg, je vous demande d'intercéder pour qu'on me mette en retraite de l'Éducation. Je n'ai que quarante-quatre ans, mais je dois bien avoir droit à quelque chose, d'autant que ma femme est invalide, comprenez-vous ?

L'homme d'affaires a disparu aussi vite qu'il était apparu à tel point qu'à le voir comme ça, redevenu en un clin d'œil un bon fonctionnaire zélé, on se demandait si son incursion dans le monde de la finance n'avait pas été un songe.

— Un prof d'histoire en plus ou en moins, cela ne devrait pas faire de différence. Et n'oubliez pas qu'en aucun cas vous ne devrez communiquer avec la presse russe ou étrangère, monnayer vos confidences ou même vous confier gratuitement ou encore mentionner cette clause.

Quand il se leva pour partir, je remarquai pour la première fois à quel point le sang affluait à son visage. Son regard s'était éteint, sa mission accomplie. Il prononça quelques mots de réconfort et me serra la main en me regardant droit dans les yeux pour m'assurer de sa sincérité. Je refermai la porte derrière lui, pris d'un étrange vertige. Cet entretien sur des contingences matérielles avait quelque chose de rassurant : il me ramenait à des préoccupations ordinaires et partagées par des millions d'individus. Curieusement, à cet instant, je me sentais appartenir à la vaste communauté humaine. Elle donne l'apparence de se déchirer pour que chacun prenne sa part de ce qu'il pense lui revenir, mais, au fond, cette lutte n'est qu'apparente, elle n'est là que pour combler des vides bien plus considérables. J'ai regardé par la fenêtre. Plusieurs voitures garées dans la petite rue déroulée devant notre immeuble étaient recouvertes d'un manteau neigeux qui datait des premières chutes, et je me demandai qui pouvait se permettre de ne pas les utiliser pendant plusieurs semaines.

Puis une information que m'avait donnée l'émissaire me revint à l'esprit. Le président venait de décider la construction d'un aquaparc dans la ville interdite, au bord de l'embouchure, à une trentaine de kilomètres de là. Pour distraire les familles, pas celles qui allaient quitter la région, non, les autres, celles qui restaient dans ce périmètre artificiel où l'on ne trouvait que des barres d'immeubles vétustes, des rues tirées au cordeau convergeant vers les appontements, quelques magasins occidentalisés depuis peu, deux ou trois cinémas, une salle de sport et bientôt un aquaparc.

À voir notre président, on se demandait d'où lui venait cette idée de recréer les conditions de la douce chaleur du flottement amniotique pour une population traumatisée par des événements dont elle se sentait rescapée ou du moins pour un temps. Nul doute qu'un de ses conseillers, psychologue émérite, avait dû lui souffler que l'homme regrette d'avoir été un jour éjecté du ventre de sa mère dans des conditions brutales et que la thérapie de l'aquaparc est assurément la plus appropriée pour redonner de l'espoir à des populations brisées. Nous avons appris, il y a peu, que le même président venait de donner l'ordre de construire un autre aquaparc en Tchétchénie, dans un quartier atomisé par notre artillerie.

*

J'ai finalement reçu l'argent d'une banque internationale de Moscou. L'attente n'a duré que quelques semaines, un exploit dans un pays où l'unité de temps peut aussi bien être le siècle. Tout y était, les dix ans de traitement comme les arriérés de solde. Dans une lettre jointe, figurait le titre de propriété de l'appartement de Saint-Pétersbourg, situé dans un quartier très convenable avec un descriptif assez précis des surfaces et commodités ainsi qu'une courte lettre qui me rappelait l'injonction d'y emménager dans les plus brefs délais. Ils n'avaient pas oublié la copie de l'engagement que j'avais signé de ne pas communiquer avec des journalistes.

Cette nouvelle au petit matin d'un jour glacial représentait un profond changement dans notre existence. Je ne savais pas comment m'en saisir et la faire mienne. J'étais aussi empêtré que quelqu'un qui s'avise de saisir un crabe royal pour la première fois, effrayé par ses petits yeux de prédateur et ses auxiliaires redoutables, d'énormes pinces qui semblent capables de couper n'importe quel filin d'acier. Il s'agissait certes d'un profond changement dans notre vie matérielle, comme si s'effaçaient subitement des années de contraintes et de travail inutiles pour un maigre salaire. Il m'évitait désormais de chercher ma place entre le monde d'hier et celui d'aujourd'hui, cet activisme qui demandait autant de compromission que de travail.

On ne fête pas cette sorte de compensation. Je ne pouvais rien dire à ma femme Ekaterina qu'elle ne puisse retenir. Quant à Anna, notre fille, il faudrait bien lui avouer que notre gouvernement et ses amis oligarques avaient fait de nous des gens riches, toutes proportions gardées. Je n'avais pas le cœur de l'appeler pour lui en parler, car elle, plus que tout autre, allait percevoir qu'en nous déchargeant des soucis matériels quotidiens qui avaient régenté notre vie jusqu'ici, sa mère et moi, cet arrangement nous laissait seuls dans l'immensité, froide et vide.

J'ai pensé un moment frapper à côté pour prendre le café chez Alexandra Alexandrovna, mais je trouvais indécent de m'ouvrir auprès d'elle de l'issue financière de cette affaire. La télévision comme les chaînes de radio vantaient la générosité du gouvernement, notre sort alimentait toutes les conversations dans l'estuaire, de notre port jusqu'à la mer de Barents, et me vanter de ce dénouement devant elle me semblait particulièrement cruel au regard de ce qu'elle avait vécu de son côté.

Dans l'appartement, ma belle-mère comme chaque jour était venue rendre visite à sa fille, et les deux femmes se tenaient discrètement dans notre chambre dont elles ne sortaient que pour le déjeuner préparé le plus souvent par la Babouchka. Elle dînait parfois avec nous, mais elle rentrait dormir chez elle. Elle avait évoqué une fois l'idée de s'installer dans l'appartement, mais, outre que je ne voulais pas qu'elle occupe la chambre vide, je refusais cette promiscuité, même familiale, qui me rappelait les années du collectivisme, quand personne n'était censé s'appartenir et que chacun errait dans le champ des autres. La Babouchka avait été une maîtresse d'école à son époque et elle prodiguait à sa fille malade la patience dont elle avait usé pour les jeunes enfants. Je me demandais bien ce qu'elles pouvaient se dire des journées entières assises l'une à côté de l'autre, ne sortant que pour faire des achats au supermarché de l'avenue principale. Anna avait promis de passer pour le dîner et je m'en réjouissais. Elle remplissait la maison de quelque chose qui nous avait toujours fait défaut à sa mère et à moi, une sorte de foi dans l'existence, un ascendant qu'elle prenait sur le temps, une façon de refuser cette contrevie qui avait été la nôtre depuis toujours, asservie à un rythme de rongeur dans une campagne désolée.

La matinée commençait seulement, il faisait nuit noire, j'ai pris ma voiture et je suis descendu au port qui n'est qu'à cinq minutes, dans l'idée d'y voir Boris.

La neige tombait en feuilles mortes collantes. Cette neige donnait un peu de lumière naturelle à cette ville qui en était privée de l'automne au printemps. En hiver, nous ne sortions des ténèbres que pour une pénombre crépusculaire qui ne durait jamais plus de cinq heures.

Dostoïevski a écrit qu'il existe deux sortes de villes, celles qui sont spontanées ou celles qui sont préméditées. La nôtre l'a été. Un village devait bien la préfigurer. Des êtres humains avaient bien dû s'y perdre un jour, mais, de ces peuplements, il ne reste aucune trace. Quand un visiteur étranger nous demande où se trouve la vieille ville, nous lui indiquons les premières barres d'immeubles élevées sous Staline. L'idée de faire un port à la latitude du cercle polaire s'explique par le fait que la mer n'y gèle jamais, réchauffée par le Gulf Stream, un de ces rares étrangers à avoir été autorisé à circuler librement sur nos côtes tout au long de notre histoire sans être un agent double.

En conduisant sur la large avenue qui mène au port, attentif à ne pas déraper, je me sentais soulagé d'une chose, d'une seule : qu'on m'ait mis à la retraite de l'éducation. Je n'aurais plus jamais à enseigner l'histoire. J'ai cru un moment, du temps d'Eltsine, que l'on viendrait à parler du passé autrement que sous la forme d'une fiction. Le nouveau président a décidé, lui, qu'être fier de sa patrie, c'est de ne rien regretter de son histoire. Toutes ces années d'enseignement n'avaient été qu'une longue abdication et je ne voyais pas ce qui pouvait m'attacher à leur souvenir. Il reste toutefois celui des conseils de classe, en fin d'année, à l'époque soviétique, quand le chef d'établissement nous demandait de majorer les notes, pour que le maximum de nos élèves passent dans la classe supérieure et que le lycée remplisse les objectifs assignés par le plan.

À son approche, le port peinait à se détacher dans l'obscurité. La silhouette gigantesque et inerte des brise-glaces nucléaires construits pour déchirer l'Arctique trônait au fond. Plus près, le givre tissait sa toile sur les mâts de bateaux de pêche trop grands pour leurs prises. L'activité des uns et des autres dans les baraquements construits sur les quais restait imperceptible. Seules des taches d'huile, en se déformant sous la lumière blafarde des lampadaires, donnaient un mouvement à la mer. Chacun était là, à sa place, et pourtant le port semblait désert. On aurait pu croire à un décor de cinéma des années trente, quand la brume artificielle se charge de masquer le manque de moyens.

Boris ne m'attendait pas, mais n'a pas semblé surpris de me voir, car il est de ces êtres qui ne voient jamais partir leurs amis. Il ressemble à un chêne à l'envers, la souche posée sur le tronc. La grêle a martelé son visage, large comme une main. La vodka qu'il boit dès l'aube rend ses yeux humides. Une habitude prise lorsqu'il enseignait à l'institut technologique de la pêche. C'était l'époque où l'on scandait : « Alcool le matin, liberté pour la journée. » Il était assis derrière son bureau métallique, de petites lunettes posées sur son nez. Son sourire à ma vue ne dissimulait qu'en partie son agacement d'entrepreneur entravé par la lourdeur administrative. Il a anticipé ma question :

— Ils ne nous ont toujours pas communiqué les quotas. Pendant ce temps-là les Norvégiens ratissent les fonds et, si ces abrutis du ministère ne se décident pas, nous n'aurons bientôt plus que les putains de débris de notre marine nucléaire dans nos filets, et on pourra mettre la clé sous la porte. Enfin, il y a des choses plus importantes dans la vie et tu es bien placé pour le savoir. Comment va Ekaterina?

J'ai pris le fauteuil en faux cuir en face de lui et je me suis assis sans défaire ma veste ni enlever ma chapka. Le poêle anémique au milieu de la pièce brûlait sans dégager de chaleur et l'humidité des fonds tout proches entrait par rafales, profitant des allées et venues des employés.

— Elle va bien, ai-je répondu sans conviction, son état est stationnaire, j'ai l'impression qu'elle éprouve de nouveau des émotions qu'elle contrôle.

— Eh bien, tant mieux, mon vieux.

Il balayait des papiers devant lui comme s'il avait l'espoir que celui qui allait débloquer la situation s'était glissé sous une pile.

— Il y a quelqu'un là-bas à Moscou qui attend une enveloppe pleine de dollars pour nous autoriser à ouvrir la pêche au crabe. Peut-être l'a-t-il déjà sur sa table, mais il trouve que ce n'est pas assez, que le partage n'est pas équitable. Ou alors quelqu'un lui a promis de lui verser de l'argent quelque part sur un compte à l'étranger, mais cet idiot a perdu son numéro de compte et il n'ose pas prendre la ligne internationale du ministère pour appeler sa banque afin de savoir si l'argent est arrivé, car il a peur qu'un de ses collègues ne se soit branché sur cette ligne et ne lui demande de partager. Et pendant ce temps-là, je paye, mal certes, mais je paye mes gars à trépigner sur la terre ferme.

Il a hoché la tête avant de poursuivre :

— Et toi, mon vieux Pavel, toujours en attente de ton argent? Je pense que tu l'auras quand ils auront sorti Nicolas II de sa boîte et qu'ils auront trouvé un moyen de lui redonner vie.

— J'ai reçu l'argent ce matin, Boris.

Il a écarquillé les yeux.

— Eh ben, dis donc, ils doivent avoir une sacrée mélasse à cacher pour ne pas renier leur parole une fois de plus. Tu m'étonnes. D'autant plus qu'il paraît qu'il n'y a plus un foutu kopeck dans les caisses de l'État. Ce qu'ils avaient annoncé ?

— Au rouble près.

— Te voilà riche, enfin... comparé à d'autres.

— Et ils m'ont mis à la retraite.

Il a eu un étrange regard comme si tout le contraignait à baisser les yeux en même temps qu'il s'efforçait de me regarder et il m'a demandé en baissant la voix :

— Et des nouvelles de lui ?

— Rien pour le moment. Mais je n'en attends pas vraiment, ai-je répondu, sombre.

— Tu as tort. Le fait qu'ils aient viré l'argent en temps et en heure, je me répète, est un signe de la gravité de l'affaire. Et je serais étonné que le FSB ne soit pas en train de sillonner la planète. Bon, c'est des bonnes nouvelles, tout ça. Je vais appeler Evguenia pour savoir si elle a bien tout reçu elle aussi.

— J'ai pensé à le faire, mais c'est tellement difficile pour moi d'en parler avec elle, surtout qu'elle n'a pas le moindre espoir.

— Je sais, Pavel, c'est difficile pour moi aussi, mais il faut continuer à lui parler, Anton était notre ami, nous lui devons bien ça, pas vrai ?

— Tu as raison, Boris, mais je préfère que ce soit toi qui t'occupes d'elle.

— Comme tu voudras. Qu'est-ce que tu fais maintenant ?

— Rien de particulier, je digère l'actualité.

— Alors viens avec moi, je dois faire des essais sur un bateau, on va remonter jusqu'à la haute mer. C'est calme aujourd'hui, on va déjeuner à bord. On sera de retour vers cinq heures, il faut que je te parle de plusieurs choses.

Les amarres larguées, le pilote s'est frayé un chemin parmi d'énormes navires statufiés, tankers, brise-glaces, porte-containers, défis insolents au principe d'Archimède alors que le jour soulevait une paupière. À cette saison où la nuit ne cède à la pénombre que quelques heures souvent gâchées par le mauvais temps, le ciel, la terre et la mer ne font qu'un pour imposer aux hommes qui vivent là une étrange gravité, donnant aux actes et aux pensées une pesanteur particulière qui se lit sur le visage des marins. Nous avons fait cap vers le nord en direction de la haute mer, en longeant les rives du chenal qui borde la péninsule de K. J'ai regretté de ne pas m'être mieux préparé, car l'humidité portée par une brise maritime traversait les vêtements aussi bien que la chair pour atteindre les os. Boris ne se préoccupait pas du froid, cigarette allumée contre le vent, veste ouverte sur un ventre conquérant. Il surveillait la manœuvre, plus soucieux des petites embarcations que des gros navires au mouillage, éclairés comme des sapins de Noël, qui donnaient l'impression de ne jamais pouvoir se remettre en mouvement.

À la chute de l'empire, il y a maintenant une quinzaine d'années, Boris ne s'était pas tout de suite dégagé de son enseignement à l'Institut technique de la pêche, mais il s'était activé aussitôt pour lever des fonds et monter une flottille de bateaux. Deux ans plus tard, il avait démissionné de l'enseignement avant de devenir une des plus grosses fortunes de la région, c'est-à-dire de notre ville, puisque la région n'est rien d'autre que notre ville et plusieurs cités interdites, bases de la marine de guerre.

Avant la guerre froide, aucun crabe royal ne vivait dans la mer de Barents. Le monstrueux prédateur qui tranche les oursins avec la facilité d'une paire de ciseaux pour couper un fil se prélassait dans la mer d'Okhotsk dans l'Extrême-Orient soviétique. Il était à l'époque un des rares produits que nous exportions, les autres étaient démodés d'un bon siècle. On aimait ce crabe, c'était le Staline des mers. Prévoyante comme l'était l'administration, elle a senti que le gisement s'épuisait et un bon ingénieur maison a été chargé d'introduire l'espèce dans la mer de Barents qui présentait beaucoup de similitudes avec son environnement d'origine. Traité avec autant d'égards qu'un premier secrétaire du parti, le crabe royal prit, dans un aquarium spécialement conçu pour l'occasion, le Transsibérien avec femmes et enfants en direction du cercle polaire. On l'y oublia jusqu'au jour où les Norvégiens et les nôtres constatèrent que le monstre s'était reproduit comme un lapin dans une réserve de chasse. Les retombées financières de cet eldorado ont échappé à Youri Orlov, l'ingénieur qui organisa une des rares déportations de l'époque soviétique dans le sens est-ouest. Le vieil homme vit aujourd'hui misérablement dans la banlieue de Moscou.

Une fois lancés dans le milieu du chenal, nous sommes rentrés dans la cabine. Un des marins a dégagé une grande table pliante pour y poser des assiettes, des petits verres à vodka et une variété de poissons fumés. Il faisait dans cette cabine une chaleur presque excessive, rendue nauséabonde par l'odeur de mazout qui remontait par je ne sais quel conduit, se mélangeant à celle plus âcre de l'iode marin. Le bateau ne bougeait pas, ni roulis ni tangage, une mer plate comme un lac de montagne. Nous nous sommes servis et Boris m'a emmené un peu plus à l'arrière pour que nous puissions discuter sans être entendus par ses deux marins. Les quatre hublots de bonne taille du carré donnaient une vue sur chaque rive. À l'extérieur, dans l'ombre, se dessinait la silhouette effrayante des navires de guerre de la flotte du Nord, alignés les uns contre les autres dans des rades où tout était façonné pour eux, la nature pliée à leurs nécessités. Les morts, eux, n'étaient pas complètement immergés. Abandonnés sans considération, des sous-marins diesels traînaient dans l'eau d'une anse à la vue de tous, dans des positions obscènes, le kiosque et l'arrière soulevés vers le ciel, l'avant enfoncé dans la vase. Boris m'a parlé un long moment de ses soucis d'entrepreneur en ponctuant sa narration de larges sourires qui en relativisaient la gravité, par respect pour ce que je vivais. Il était philosophe, bon vivant et ne différait jamais ses plaisirs. Il était veuf depuis une quinzaine d'années à la suite d'une opération sans importance qui avait tourné au drame à l'hôpital local. Il n'avait pas d'enfant. Les femmes occupaient ses soirées. Il les trouvait au bar de l'hôtel principal de la ville, le Méridian, où tous les soirs des étudiantes plutôt distinguées proposent leur compagnie à des hommes d'affaires. Elles améliorent ainsi leur condition qui tarde à s'élever par la faute des prédateurs qui ponctionnent l'économie, lesquels sont souvent leurs propres clients.

— Malgré toutes les entraves, je crois que la pêche au crabe royal est un secteur qui mérite l'investissement, a-t-il conclu. Tu devrais y penser maintenant que tu as un peu d'argent devant toi. Si tu le laisses à la banque, il fondra comme les neiges d'été.

— Mais je n'y connais rien, Boris.

— J'en connais assez pour toi. La ressource n'est pas inépuisable, mais nous avons un bon moment devant nous. Et ceux qui voudraient vivre sur notre dos, je sais les calmer.

Il s'est jeté un petit verre de vodka d'une traite, puis il m'a emmené sur le pont arrière un peu à l'abri du vent comme s'il voulait pour seuls témoins cette brise et la mer, toujours aussi noire et mate.

— Tu m'as donné une grande preuve d'amitié en me faisant partager, et à moi seul, un vrai secret. Je t'en suis vraiment reconnaissant. Je n'ai jamais eu de meilleur ami que toi et notre regretté Anton, et sache que si tu investis dans la pêche, tu ne crains rien, je veille, personne ne viendra te rançonner.

Il s'est interrompu une seconde pour renifler, signe qu'il changeait de sujet.

— Je ne crois pas à la rancœur, Pavel. La rancœur, c'est quelqu'un qui t'habite, que tu autorises à vivre avec toi, à coucher avec ta femme en même temps que toi, c'est beaucoup d'honneur que tu fais à un homme sous prétexte que tu lui en veux. Je me suis toujours débarrassé de la rancune comme d'un sous-vêtement qui colle à une peau trempée de sueur. Mais, il y a quelque temps, un type est arrivé de Moscou pour prendre un poste au FSB. Il n'était pas là depuis une semaine qu'il m'a demandé un rendez-vous en tête à tête après s'être renseigné sur moi et ma soi-disant petite fortune. Il est venu comme un représentant de commerce qui se promène avec des échantillons de tissu et il a été franc. « La privatisation des richesses ne s'est pas faite dans des conditions équitables, Boris Vladimirovitch, m'a-t-il dit. Cela fait des années que vous vous êtes servis, vous les entrepreneurs, et nous qui avons servi l'État durant plus de soixante-dix ans, nous sommes réduits à la misère. Alors c'est terminé, vous allez prendre un nouvel actionnaire à long terme. Je vais prélever 10 % de votre chiffre d'affaires. Si vous ne coopérez pas, vos ennuis iront croissant : de petits tracas concernant la navigabilité de vos bateaux à des accusations d'espionnage en passant par des contrôles fiscaux qui ne vous laisseront pas un rouble, et à la fin nous reprendrons la société à la casse. De tous les armateurs de la région, on parle de vous comme le moins coopérant. La Russie d'aujourd'hui, voyez-vous, c'est l'Amérique de la fin du XIXe siècle, le souci des Indiens en moins, et une vieille catégorie de serviteurs de la nation en plus, qui ont compris que, s'ils ne défendaient pas leurs intérêts eux-mêmes, il ne fallait pas compter sur les nouveaux riches pour le faire. » Jusque-là, tu vois, cette conversation ne me faisait ni chaud ni froid, une discussion d'affaires ordinaire avec un type de la police politique sorti d'une longue apnée par notre nouveau président qui leur a promis que les choses allaient changer. Donc, vois-tu, je me préparais à étudier très calmement la question. 10 % du chiffre d'affaires, c'est évidemment beaucoup trop, mais je me disais qu'il partait de haut pour finalement arriver à quelque chose de raisonnable, où il était déjà, si tu veux, parce qu'un pourcentage du chiffre d'affaires, c'est déjà prendre un risque alors qu'il aurait pu se contenter d'exiger une somme fixe incompressible quelles que soient les circonstances économiques.

Bref, je vais t'étonner, j'étais presque bien disposé, soulagé qu'on établisse des règles claires et que d'une certaine façon il devienne un centralisateur du racket, alors que jusqu'ici il fallait donner aux uns et aux autres, et tout cela n'est pas très bien coordonné. Et puis quand il en est venu au chapitre de la panoplie répressive, alors que j'étais déjà convaincu de coopérer, il a souhaité tout de même s'étendre sur les détails de la peine que j'encourais en cas de refus : six à sept ans dans un goulag à l'extrême est de la Sibérie, mais un goulag un peu particulier près d'une mine d'uranium qui garantit un cancer généralisé sous cinq ans. Quand j'ai entendu parler de goulag, il s'est passé un phénomène que je n'avais jamais connu, Pavel, les deux hémisphères de mon cerveau se sont dissociés. Je lui ai fait un grand sourire, j'ai sorti des cigares et de la Russki standard de sous mon bureau. Il n'avait pas une tête à socialiser, plutôt un lémurien sorti des chambres froides du FSB où l'on conserve le sperme congelé de ses meilleurs cadres depuis la Tcheka, le Guépéou et le KGB. Pendant ce temps-là, mon autre moitié de cerveau se souvenait que je n'avais jamais montré le moindre courage sous l'ancien régime, que je ne m'étais jamais dressé contre lui, que j'avais vécu comme nous tous, sans faire de bruit, courbé sans fierté, sauvant le peu qu'il y avait à sauver. Et cette autre moitié de cerveau, sans vraiment m'envoyer un message clair, s'est dit : « Tiens, ça recommence ! » Nous avons fini la vodka, du moins j'ai fini la mienne, car il a à peine trempé ses lèvres dans la sienne, et je lui ai dit en le regardant bien dans les yeux : « Monsieur S., je crois que nous sommes d'accord sur tout, et comme nous allons être associés désormais, je pense que vous devez a minima connaître le métier. Je vous emmène demain matin pour une séance de pêche et je vous remettrai une première somme d'argent pour vous prouver ma bonne volonté. » Il a paru hésitant, je me suis demandé s'il n'avait pas le mal de mer, mais je crois que c'était plutôt par manque d'intérêt pour la pêche. Ce type débordait d'aigreur et d'un besoin de revanche qui accaparait visiblement toutes ses capacités mentales, et j'ai bien senti que ce petit voyage en mer ne l'emballait pas. J'en ai rajouté en lui faisant remarquer que la somme qu'il réclamait représentait un sacré pourcentage et, puisque nous avions trouvé un terrain d'entente, il devait se comporter en véritable associé, au moins pour des raisons d'éthique. De mon point de vue, nous étions dans un partenariat et son rôle était de m'amener un peu de quiétude dans mes relations avec toutes les administrations locales et nationales. Cette tâche ne pouvait s'accomplir sans connaître l'entreprise dont il faisait partie, maintenant. Il est resté méfiant envers cette façon que j'avais d'apprêter notre relation, de lui donner de l'allure, d'en gommer ce qu'elle pouvait avoir de sordide, et puis j'ai senti que lentement il se laissait séduire par le costume d'homme d'affaires que je lui offrais sur mesure. Mais je crois qu'au fond de son cerveau de bureaucrate calcifié par vingt-cinq ans de services secrets, il n'avait qu'une seule idée en m'accompagnant au large : évaluer les moyens qu'il aurait de contrôler les chiffres sur les quantités de crabe pêchées, se faire une vraie idée des tonnages et optimiser son racket. Il est venu s'embarquer le lendemain discrètement, dans une tenue décontractée qui aurait pu être celle d'un touriste norvégien. J'ai parié que ce type venait d'arriver chez nous sans famille. S'il en avait une, elle n'était pas encore prête à le suivre au cercle polaire. Mais, à sa tête, je me suis dit qu'il devait aussi avoir une drôle de famille qui ne demandait certainement pas mieux que d'être débarrassée d'un homme autoritaire qui devait les frapper sans raison. J'en avais comme un pressentiment, mais je ne suis pas dupe, dans ces moments-là, il se crée inconsciemment des arrangements avec soi-même. Le voyage que nous faisions jusqu'à la haute mer se passait bien, nous n'avons presque pas parlé, car nous n'avions déjà plus rien à nous dire depuis la veille. Arrivé dans la mer de Barents, le bateau s'est mis à tanguer et à rouler un peu. Il a pâli, la chaux lui montait aux joues et il me donnait l'impression de rétrécir. Je l'ai invité à passer à l'arrière pour assister au largage du filet et je lui ai demandé de rester sur le côté pour ne pas gêner la manœuvre, et là...

Et là Boris s'est mis à rire d'un rire de baryton-basse dans une représentation de *Boris Godounov*. Il riait aux larmes et chaque muscle de son visage participait à cette expulsion de joie. Il a fini par contrôler son impressionnante mécanique pour reprendre :

— Il a été pris d'un mal de mer impressionnant, sa couleur a viré à celle du salpêtre sur un bas de mur rongé par l'humidité, vert bouteille. Il n'a pas voulu vomir par-dessus le bastingage devant mes deux hommes et il est parti dans les toilettes qui sont dans la cabine. Je l'ai suivi de loin avec une gâche qui sert à remonter les filets emmêlés, une gaule en acier avec un crochet au bout.

Boris s'arrêta pour contrôler ce rire de gorge qui le reprenait. Il hoqueta deux fois avant de finir :

— Alors, j'ai pensé à notre président et à sa fameuse phrase : « Les terroristes, nous les buterons jusque dans les chiottes. » Et je me suis dit : « Je suis un homme du président. » Quand il a relevé sa tête de la cuvette pour reprendre son souffle, je lui ai mis un coup sans effort, juste à l'arrière du crâne. Très honnêtement, je ne me suis même pas demandé s'il était mort. Je l'ai tiré par les pieds joints comme je l'aurais fait d'un requin. Il ne pesait pas lourd. Je l'ai levé alors que mes deux hommes faisaient semblant de ne pas regarder et je l'ai balancé à la mer au milieu des crabes royaux qui n'ont même pas dû lui laisser, ne serait-ce qu'un ongle incarné. Ce type était un homme de l'ombre et je crois qu'il travaillait pour son propre compte, car jamais personne n'est venu me demander quoi que ce soit. J'avais pris la précaution de passer le prendre le matin de notre départ pour qu'on ne retrouve pas sa voiture garée sur le port. À bien y réfléchir, je me suis demandé si ses collègues, qui pratiquent des tarifs plus raisonnables à des échelles plus modestes, ne se sont pas tout simplement félicités de le voir disparaître sans laisser d'indice.

Boris s'est interrompu quelques secondes, satisfait, pour remplir ses poumons.

— Voilà pourquoi, si tu veux investir avec moi, la place est libre, Pavel Sergueïevitch. Il en viendra d'autres, mais... je saurai m'en occuper, en espérant que, les mois, les années passant, leur espèce finira par s'éteindre, victime de la fin d'un cycle. Réfléchis, rien ne presse, je suis vraiment convaincu qu'une partie de ton argent sera mieux dans des bateaux qu'à la banque. Et puis rappelle-toi que ce sont des étrangers qui m'achètent les crabes, alors il existe toujours un moyen avec eux de mettre un peu d'argent ailleurs pour nos vieux jours, si nous devions quitter ce pays et ne pas y revenir.

Avant la fin de l'empire, ma femme Ekaterina enseignait les langues étrangères dans l'institut technologique d'État qui formait aux métiers de la pêche, construction navale, techniques de conservation, congélation, saumure... L'administration y formait un contingent d'étudiants des pays sous-développés qui venaient principalement d'Afrique et d'Asie. Une formation technique et politique avec l'espoir que les nouveaux convertis allaient prêcher la bonne parole marxiste dans leurs contrées et un jour peut-être nous commander des bateaux de pêche. Ekaterina formait alors les futurs « commerciaux » russes à ces deux langues internationales qu'étaient l'anglais et le français, surtout en Afrique de l'Ouest. C'est ainsi que du jour au lendemain les habitants de notre ville, qui n'avaient jamais croisé de leur vie un homme mat de peau, ont vu déambuler de jeunes Africains aux yeux exorbités par les températures négatives dans des vêtements de fin de série de magasins d'État, inadaptés au froid polaire.

Ekaterina m'avait progressivement appris le français et l'anglais, assez pour rêver de passer un jour à l'Ouest et de maintenir ce rêve actif pendant les onze années où nous avons vécu ensemble avant que les frontières ne cèdent en théorie. Cette connaissance de deux langues étrangères nous permettait de lire quelques livres diffusés sous le manteau. Les détenir contre la volonté des autorités nous donnait l'impression de résister à un système sorti du cabinet noir de quelques aliénés qui nous avaient pliés à leur folie. *Lettres de Russie* de Custine était l'un des plus précieux. Il n'avait pas la violence ni même la complaisance de ces pamphlets contemporains tellement prévisibles, même s'ils nous faisaient du bien. C'était le journal de voyage d'un aristocrate français acquis aux idées des Lumières, qui, je l'ai appris bien plus tard, pour avoir vu sa famille décimée par les révolutionnaires jacobins et s'être trouvé par la suite discrédité dans son monde pour sa préférence homosexuelle, savait ce que souffrir du totalitarisme signifiait. Il s'était aventuré en Russie à la fin de la première moitié du XIXe siècle, sous Nicolas Ier, voyage qu'il avait consigné dans un journal. Et, de ce livre qui croyait décrire la Russie des tsars, Custine sans le savoir avait fait le texte le plus prémonitoire sur l'Union soviétique où je naquis, trois ans après la mort de Staline. Alors, quand Boris me parla de placer de l'argent à l'étranger, il me revint cette phrase que cite Custine, entendue d'un voyageur allemand qui vient de quitter la Russie alors que l'auteur s'apprête lui-même à y entrer : « Un pays que l'on quitte avec tant de joie et où l'on retourne avec tant de regret est un mauvais pays. » Ce livre de Custine était le livre de toutes les Russies. Son interdiction ne datait pas de la révolution, elle était bien antérieure. Ses censeurs y avaient décelé la description féroce d'un caractère national intangible où l'autre est toujours considéré comme une menace.

Ce n'est pas à l'Institut technique de la pêche que j'avais rencontré Boris, on se connaissait depuis la petite enfance. Mais c'est lui qui m'avait présenté Ekaterina, la seule de ses jeunes collègues enseignantes qu'il n'avait pas essayé de séduire. Nous n'en avons jamais parlé mais j'ai cru comprendre qu'il redoutait son caractère.

Je me suis demandé si Boris avait réellement quelque chose à essayer sur son bateau, ou s'il avait seulement utilisé ce prétexte pour nous conduire au large et m'avouer son crime dont il voulait partager la charge. Je n'ai rien su lui dire. Cette nouvelle ne provoqua en moi aucune émotion. À l'approche du large, la mer s'est mise à gonfler et je l'ai trouvée effrayante, l'espace d'un instant. Il m'est alors revenu cette phrase de Cioran : « Avez-vous regardé la mer à ses moments d'ennuis ? Il semble qu'elle agite ses vagues, comme dégoûtée d'elle-même. Elle les chasse pour qu'elles ne reviennent plus. »

Boris avait respecté mon mutisme, pensant certainement que je réfléchissais à son acte et que je pesais lourdement mon commentaire. Mais il n'en était rien. Pour ne pas le décevoir tout de même, j'ai fini par lui dire en souriant : « Rien n'est plus sacré que la vie humaine, tu as bien fait de le tuer. »

Au retour, Boris m'a parlé d'un deuxième sujet qui lui tenait à cœur. Il concernait son isba, une petite maison en rondins de bois qui trônait toute seule au centre imaginaire de milliers d'hectares déserts dans la péninsule de K., une presqu'île de plusieurs centaines de kilomètres, arrondie au nord par la mer de Barents où la seule trace de civilisation est une casse de sous-marins nucléaires de la flotte du Nord où l'on remise les réacteurs, une fois la coque découpée. L'isba de Boris en était loin, mais il lui devait la route qui lui permettait d'accéder toute l'année à cette étendue sauvage jonchée de lacs par centaines. C'est là que nous venions, Boris, Anton et moi, les trois amis, pêcher et chasser, au cœur de cette nature qui tournait le dos à la civilisation, confiante dans sa puissance hostile : un froid d'enfer en hiver, des températures négatives qui gèlent les larmes autant que les rires. L'été, le jour ne veut pas s'y éclipser, il s'insinue dans

164

toutes les ouvertures pour transformer la vie en une longue insomnie. Boris avait acheté cette cabane à un homme qui vit toujours là. Quatre murs, quatre couchettes, un gros poêle à bois qui réchauffait la pièce en une demi-heure et qui permettait de faire griller n'importe quelle viande ou n'importe quel poisson, pourvu qu'on accepte d'en garder l'odeur sur la peau le reste de la semaine. Le vendeur était, à l'époque soviétique, une sorte de garde forestier, garde-chasse, agent du KGB préposé à la surveillance politique du saumon cendré, du lièvre blanc ou des caribous qui déambulent dans un mouvement de liberté suspecte. Ensuite, Eugène, car c'est ainsi qu'il s'appelait, s'était vu proposer de racheter son logement, ce qu'il avait fait pour le prix d'une bouteille de vodka éventée. Il s'était retrouvé avec deux cabanes à entretenir et avait pensé raisonnable d'en vendre une. Nous venions déjà souvent chasser ou pêcher dans cet endroit reculé où bien peu s'aventuraient. Après l'accession d'Eltsine au Kremlin, nos traitements qui ne nous parvenaient déjà que sporadiquement se sont brutalement interrompus pour une période indéterminée. Nous venions d'échanger la liberté contre nos salaires. Devant la pénurie, nous avons converti une bonne partie de nos économies en fil, hameçon et cartouches et, par deux ou tous les trois quand nous le pouvions, nous venions pêcher ou chasser le grand gibier. La cabane que Boris acheta par la suite servit pendant toute cette période de chambre froide surveillée par son propriétaire, Eugène, qui était rétribué au pourcentage pour ce service. On lui rapportait aussi de l'alcool de la ville. Il râlait quand on lui rapportait de la vodka, il préférait le Spirit, faute d'eau de Cologne, trop cher. Quand on lui faisait remarquer qu'il exagérait un peu, il nous défiait de vivre aussi longtemps qu'il allait le faire, « l'extérieur du corps conservé par le froid, l'intérieur par l'alcool ». Après qu'il eut créé sa société de pêche, Boris décida d'acquérir l'isba avec ses premiers bénéfices et avec l'idée que le lieu nous profite à tous les trois. En plus de la maison, Boris racheta aux domaines pour une poignée

de roubles deux cents hectares et ramena deux chevaux rustiques, abrités dans une grange attenante pendant l'hiver polaire. Eugène prenait soin d'eux. « Le cheval fuit l'homme, le cavalier fuit l'homme aussi. Son problème, c'est de convaincre le cheval de fuir dans la même direction que lui. » Quand il avait de la compagnie, Eugène parlait beaucoup. L'ivresse et la grande étendue de bouleaux faméliques l'inspiraient : « L'homme qui boit fuit aussi, mais il n'a personne à convaincre de fuir dans la même direction que lui. » Il m'arrivait de rester un moment en tête à tête avec lui quand je venais seul. Il avait vécu en Sibérie pendant ses jeunes années et il avait longuement fréquenté les peuples du Nord auxquels il essayait de ressembler. « Chez ces gens-là, l'homme est modeste et ne fait qu'un avec Dieu et la nature au point de se confondre. Avec la Bible, on les a remis chacun à leur place, c'est comme ça qu'on a perdu notre spiritualité. » Comme il me disait cela, mon regard s'est posé sur une bouteille vide à côté de lui. Alors il a ajouté : « La spiritualité, quand elle perdue, c'est pour toujours, on n'a pas de deuxième chance. » Il parlait souvent de Tchekhov. Ils avaient en commun selon lui de ne pouvoir coucher qu'avec des professionnelles. Il ajoutait que le grand dramaturge faisait chambre à part avec les femmes qu'il aimait. « Vous aussi ? lui ai-je demandé un jour.
— Non, je n'ai jamais aimé aucune femme. Et puis je n'en ai pas les moyens », m'a-t-il répondu. Puis il en est venu à me faire des confidences : « J'ai un arrangement avec une femme qui ne vit pas très loin d'ici. Enfin, elle n'est pas toujours facile en affaires, mais en ce moment elle n'est pas en position de négocier. Elle est à une demi-journée de traîneau. »

Puis, comme si nous pouvions être entendus, il a baissé le ton. « C'est la gardienne de la casse de sous-marins nucléaires. Elle fait des extras. Je ne sais pas si ce sont les radiations, Pavel Sergueïevitch, mais cette femme est plus vivante que Lénine est mort. Elle a une maison de gardien bien chauffée, mais là ils ne la payent plus. L'argent n'arrive plus. Un an et demi d'arriérés.

Mais c'est une femme sacrément honnête. Rendez-vous compte, avec tout le matériel qu'elle a sous sa surveillance, elle pourrait être millionnaire. Gardez-le pour vous, à plusieurs reprises des hommes sont venus pour la convaincre. Je ne vous raconte pas d'histoires. Une fois j'étais là et trois types sont venus pour la menacer parce qu'elle ne voulait pas coopérer. Heureusement, je ne voyage jamais sans mon fusil sur mon traîneau et, quand je lui rends visite, je le rentre parce qu'un fusil gelé, vous vous en doutez, ça ne sert à rien. Aussi, quand j'ai entendu ces types hurler alors que nous étions en pleine action, j'ai ouvert la fenêtre, j'ai pointé le canon dehors et j'ai tiré dans la nuit sans viser personne. Je n'ai pas un fusil de chasse à cartouches, c'est un fusil de guerre. Je crois que le bruit les a convaincus de partir et, jusqu'à présent, ils ne sont pas revenus. Et vous croyez qu'elle m'aurait fait un prix pour le service rendu ? Même pas, Pavel Sergueïevitch. Tout ce qu'elle a trouvé à me dire c'est : "Moi, je fais commerce de mon corps pour vivre alors que je pourrais faire commerce de pièces détachées, alors tu ne crois quand même pas que je vais te faire une ristourne." On ne discute pas avec une femme honnête. Mais maintenant je suis en situation de force. Il y a quelque temps encore, certains travailleurs de l'usine étaient ses clients, mais comme ils ne sont plus payés non plus, j'ai pris un ascendant. Je suis devenu le seul client capable de lui donner quelque chose d'autre qu'un écusson des jeunesses communistes pour collectionneur occidental. Non seulement je lui apporte de la viande boucanée et même fraîche parfois, mais en plus je la lui cuisine. »

En retournant vers le port, Boris me fit part de son idée de me donner l'isba. Il ne voulait pas parler d'argent, la seule chose qu'il me demandait, maintenant que j'en avais les moyens, c'était d'entretenir les chevaux qu'il ne voulait pas revendre. Puis nous avons parlé de notre association.

Le 4 mai 1999, Ekaterina est tombée dans notre escalier. Il semble qu'elle se soit tordu le pied avec de nouvelles chaussures à talons qu'elle venait d'acheter sur l'avenue Lénine. Il semble que ce soit un acte manqué. Nous avions décidé la veille de nous séparer après vingt-quatre ans de mariage, de l'annoncer à nos enfants et à nos proches, puis d'entamer la procédure de divorce. L'idée n'était pas neuve. Elle avait fait son chemin sans violences. L'effritement de notre couple avait pourtant commencé, peu après notre mariage.

Notre avenir commun a pris fin le soir qui a suivi l'enterrement de ma mère. Un chauffard ivre mort, conduisant une voiture sans freins aux pneus lisses sur un sol verglacé, l'avait fauchée sur un trottoir de l'avenue principale avant de finir sa course dans un lampadaire. Il avait accompli ce que Staline ne s'était pas décidé à faire, rayer sa modeste vie. J'ai eu beaucoup de peine, beaucoup plus que je ne me l'étais imaginé. Le soir même, nous avons vidé ses affaires dans l'appartement communautaire qu'elle partageait depuis que je l'avais quittée avec une famille de fonctionnaires au sol de la base de V. Elle n'avait jamais voulu nous rejoindre dans notre appartement. La promiscuité avec des étrangers lui pesait moins que celle de sa propre famille, disait-elle. L'essentiel de ses objets personnels tenait à des photos de mon père. Elle me laissait pour tout héritage un nom qu'elle avait repris, celui de son père avant qu'il ne le change, et la possibilité de le faire mien.

Ekaterina ne fut pas longue à en mesurer la valeur. En reprenant Altman comme nom de famille à mon tour, je nous ouvrais les portes d'Israël, bien que n'étant juif que pour un quart et par mon grand-père. Après avoir enfoui ma mère dans la terre gelée, nous sommes rentrés à l'appartement à pied sous un vent de décembre qui nous fouettait par petites gifles, comme celles qu'on donne à quelqu'un pour le vexer plus que pour le blesser.

— Maintenant que ta mère est morte, nous pourrions émigrer, a maugréé Ekaterina d'une voix assourdie par l'écharpe qui lui protégeait le visage.

— Avec quels visas de sortie?

— Il suffit d'en faire la demande. Ils laissent partir les juifs pour Israël.

— Nous ne sommes pas juifs.

— Si tu reprends le nom de ta mère, nous serons juifs pour tout le monde.

— Et ensuite?

— On fait une demande de sortie.

— Et tu sais ce qui se passe dans ce cas-là?

— Non.

— Avec les demandes d'émigration, ils font deux tas. Le premier, c'est celles qu'ils autorisent, les secondes celles qu'ils refusent.

— Et alors?

— Alors, le refus ne veut pas dire qu'ils nous oublient. Ce n'est pas comme s'ils se contentaient de nous signifier : « Désolés, nous avons refusé, merci de renouveler votre demande ultérieurement. » Il arrive qu'on arrête le demandeur, qu'on l'interroge et qu'on le déporte en Sibérie.

— On m'a dit qu'ils ne refusent que les demandes d'émigration des juifs qui présentent un intérêt stratégique pour la nation et qui pourraient livrer des secrets à l'étranger. Mais toi, un prof d'histoire, en quoi constitues-tu une menace ?

— Je n'en sais rien. En revanche, ce que je sais, c'est que le système n'est pas fondé sur des règles. On imagine des règles du genre : « Les juifs scientifiques restent, les autres, bon voyage. » C'est faux et contraire à l'essence même du système. Et pour peu qu'ils s'aperçoivent que nous ne sommes pas complètement juifs ou, je n'en sais rien moi, que les Israéliens leur en fassent la remarque par maladresse, ils m'enverront directement en camp, pour trahison.

— Donc, tu ne veux pas faire de demande.

— Je n'en ferai pas.

Ekaterina a continué à lutter contre le vent en plissant les yeux jusqu'à les fermer. D'un ton neutre, elle a poursuivi :

— Je suis certaine que tu te prends pour quelqu'un d'important, pour un véritable intellectuel que le régime n'a pas intérêt à laisser sortir. Tu crois que tu es une menace, c'est ça, une menace, alors que tu n'es rien, même pas le début de quelque chose, un nul. Si au moins tu étais un grand scientifique, j'aurais une consolation à rester ici. Cela fait des siècles que les juifs font tache dans la Russie. Mais pour une fois que le judaïsme est une qualité, tu n'es même pas capable de l'avoir complètement. Tu n'es qu'un raté, Pavel, doublé d'un lâche.

Quelques heures plus tard, j'avais presque oublié que ma mère était morte. La conversation en resta là. Je ne voulus plus y penser. De ce jour, notre couple ne connut qu'un long déclin. D'aucuns vous diront que l'amour comme l'amitié sont longs à bâtir mais qu'il suffit d'une seconde pour les anéantir. J'ai aimé Ekaterina dès le premier jour, et mes sentiments ont tout de même mis des années à se déliter.

Un voisin l'a retrouvée sans connaissance au bas des escaliers, sans plaie ni hématome. L'après-midi tirait à sa fin et, de retour après mon cours d'histoire, je cherchai dans ma petite bibliothèque *Le Château* de Kafka. Au moment précis où l'on a frappé à la porte de l'appartement, je pensais à cette période que j'ai déjà évoquée, quand l'enseignement entrait dans les objectifs du plan et qu'il fallait volontairement augmenter les notes des élèves pour contribuer aux statistiques de succès de l'école. Cette époque du paradis des cancres m'est revenue en mémoire à ce moment précis, et je me disais qu'au fond, il était préférable de gratifier de bonnes notes des élèves qui ne retenaient rien de l'histoire officielle plutôt que de les obliger à redoubler pour retenir une fiction.

En la découvrant à terre, je craignis qu'elle ne se soit rompu le cou et n'osai la bouger moi-même. L'ambulance mit une heure à venir alors que l'hôpital se trouve à dix minutes. Un véritable attroupement s'était formé autour d'elle, des voisins et quelques personnes de l'extérieur attirées par l'agitation. Nous nous sommes contentés de la couvrir d'une grosse couverture de laine et j'ai élargi le cercle des badauds pour qu'elle puisse respirer. La conscience lorsqu'elle quitte un corps se soucie peu du ridicule de la posture dans laquelle elle l'abandonne. Sa position était celle d'un fœtus, ce qui pour une femme qui approchait de la cinquantaine surprenait. Elle aurait aussi bien pu être morte. Les deux ambulanciers arrivés sur les lieux avaient des têtes d'infirmiers d'hôpital psychiatrique. Ils ont soulevé Ekaterina pour la déposer sur une civière, sans ménagement. Ils ne m'ont pas permis de monter dans l'ambulance et, une fois arrivés à l'hôpital, ils l'ont allongée sur un lit de couloir. Après un bon quart d'heure, une blouse blanche trop étroite pour son propriétaire s'est approchée d'elle, les mains dans les poches. Celui qui la portait en a sorti une pour lui soulever la paupière en maugréant : « Alcool ? » Comme je hochais la tête, la blouse blanche m'a lancé un regard qui laissait penser qu'il pouvait en apprendre plus sur elle à travers moi qu'en l'auscultant, ce qu'il ne fit d'ailleurs pas. Ensuite, il remit la main dans sa poche avant de repartir d'une démarche nonchalante.

Bien plus tard, deux infirmières sont venues la chercher. Elles ont poussé le lit à roulettes en me jetant un regard mauvais comme si j'avais battu ma femme, et m'ont fait signe de ne pas bouger. L'une d'entre elles est revenue pour me conduire dans une salle commune d'une dizaine de lits dont certains étaient isolés par des paravents en toile grise. Elle m'a montré où était ma femme avant de s'éclipser. Après une heure, un médecin s'est approché et m'a annoncé qu'elle avait un gros traumatisme crânien sans lésion vertébrale, qu'elle était dans un coma profond qui n'indiquait rien sur la façon dont elle allait se réveiller et encore moins quand. Des consignes récentes du ministère de la Santé à Moscou invitant les hôpitaux à ne pas garder les malades plus de quatre jours, ils ne pourraient s'en occuper au-delà du délai et me la confieraient dès le moment où j'amènerais son carnet de santé. J'ai demandé au médecin ce qui pourrait advenir si je ne le faisais pas. Il m'a semblé pour le moins circonspect :

— Je ne pourrai pas la laisser sortir, mais comme nous ne sommes pas autorisés à la garder plus longtemps, vous devez revenir avec ce document. Vous n'avez pas le droit de nous faire commettre l'infraction de l'hospitaliser plus de quatre jours. J'ai lu le texte, je n'y ai pas vu de sanction prévue, mais je ne doute pas qu'il y en ait une, sinon pourquoi faire un texte contraignant ?

J'acquiesçai bien volontiers.

Je suis ensuite sorti pour appeler mon plus vieil ami d'enfance, Mikhaïl Petrovitch Vlatine. Mikhaïl n'est pas n'importe qui. C'est le médecin chef adjoint de la médecine légale de toutes les Russies. Mikhaïl est un ami fidèle et pour le moins un sacré complice. Nous avons fait les petites classes ensemble pour ne nous quitter qu'au moment où il est parti étudier la médecine à Moscou. Nous n'avons jamais perdu le contact et, dans certaines circonstances récentes que je ne souhaite pas développer pour l'instant, il m'a été d'une aide précieuse. Quand je l'ai appelé, un de ses jeunes assistants m'a répondu qu'il était en train de pratiquer une autopsie et qu'il allait lui faire part de mon appel. Ce fut fait sans tarder car, cinq minutes plus tard, Mikhaïl était au bout de la ligne. Comme je m'excusais de l'interrompre en plein travail, il me rappela que ses patients ne se plaignaient jamais. Ne pouvant pas être plus morts qu'ils ne l'étaient, rien ne pressait, sauf la pression des hommes de pouvoir qui espèrent toujours faire dire aux morts ce que les vivants ne veulent pas entendre. Il existe dans notre pays un grand respect de la parole des morts, car ils ne contredisent jamais la version officielle. Je lui fis part du délai de quatre jours qu'on nous imposait et, sans me prononcer sur l'iniquité du dispositif, je lui fis remarquer que je serais bien embarrassé de récupérer Ekaterina, n'ayant pas les compétences pour m'en occuper. Il me rassura en me promettant d'appeler lui-même le directeur de l'hôpital et de l'engager vivement à bien prendre soin de ma femme. Elle se réveilla finalement le quatrième jour comme si elle avait eu vent dans son sommeil profond de la nouvelle réglementation. Ils la gardèrent jusqu'à ce qu'elle puisse se lever, constatèrent qu'elle se souvenait parfaitement de son passé, mais qu'en plus d'un équilibre précaire, elle était sujette à d'étranges troubles émotionnels. De retour à l'appartement où l'attendaient notre fille Anna et sa mère, sa maladie dévoila sa vraie nature, confirmée ensuite par un neurochirurgien de Saint-Pétersbourg qui était de passage dans notre hôpital. Ekaterina n'était effectivement pas amnésique. Sa mémoire de tous les événements précédant sa chute était intacte. Mais cette mémoire ne se rechargeait plus. La durée moyenne d'un souvenir nouveau ne dépassait pas le quart d'heure. Passé ce délai, il s'évaporait comme une brume d'automne chassée par le soleil. On prétend parfois qu'en dehors de la contrainte d'apprendre, la mémoire ne retient que les événements qui lui sont portés par les émotions. Ekaterina n'exprimait aucune émotion, si ce n'est parfois la douleur de son état qui se manifestait par des larmes sans chagrin. Seul le souvenir de notre décision de nous séparer refusait de faire surface. Mikhaïl m'appela régulièrement pendant toute cette période pour s'enquérir de son état et m'aider à comprendre son mal. L'hippocampe, le lieu du cerveau qui consolide la mémoire, était lésé. Mais mon ami pensait que son état s'améliorerait les mois passant. En attendant, Ekaterina errait dans sa propre existence. Elle perdait la trace de ses petits projets quotidiens avant même d'avoir pu les mettre en œuvre. Si elle se trouvait dans un endroit qu'elle n'avait pas fréquenté avant son traumatisme, elle était incapable d'en sortir. Les nouveaux espaces en faisaient une somnambule qui tâtonne dans le noir pour trouver la lumière.

Quelques semaines plus tard, lors de sa première tentative de sortie en solitaire, je l'ai retrouvée assise au pied des marches. Elle pleurait. Elle savait où elle était, mais n'avait plus l'idée de ce qu'elle voulait faire. Elle avait oublié la cause de son déplacement, qui s'était évaporé pendant sa descente de l'escalier. Ce sentiment d'impuissance absolue devant la volatilité de ses objectifs la désespérait, et dans ces moments-là on la trouvait agitée de sanglots d'enfant. Après cette malheureuse tentative, elle ne sortit plus jamais seule, et resta confinée dans l'appartement à regarder la télévision. Parfois elle relisait les livres qu'elle avait aimés. En découvrir de nouveaux ne servait à rien. Aussitôt lus, leurs mots s'effaçaient. Dans l'appartement, sa mère lui tenait compagnie, se joignant à elle pour de longues journées dépourvues de sens. Le présent perdait toute saveur car, du plaisir des choses, elle ne gardait pas la mémoire. Ce qui frappait le visiteur, c'était son regard. Un regard d'aveugle inquiet.

En nous offrant son isba et ses deux chevaux, Boris pensait rompre l'isolement d'Ekaterina et lui permettre d'accéder seule aux grandes étendues. Il se souvenait qu'Ekaterina parlait souvent de cheval et de son désir d'en posséder un, un jour, et de le monter. Un besoin de liberté, sans aucun doute, mais surtout de hauteur. Avec les chevaux, Boris faisait plus aujourd'hui que réaliser un rêve, il lui offrait une mémoire auxiliaire. Aux beaux jours, et même en hiver si elle le souhaitait, elle pourrait désormais chevaucher seule, se promener dans les grandes vallées sauvages de la péninsule de K., suivre n'importe quelle direction sans jamais craindre de se perdre. Un cheval retrouve toujours le chemin de l'écurie.

À la descente du bateau dans une nuit carbonifère, j'avais envie de me précipiter pour lui annoncer cette nouvelle, mais à quoi bon, elle aurait aussitôt fait de l'oublier. Il me faudrait attendre de la conduire là-bas, lorsque la neige aurait assez fondu pour que les chevaux ne soient pas à la peine, alors que le jour reprendrait sa veille. Elle pourrait ainsi viser l'horizon et se laisser aller à oublier qu'elle oublie tout.

La mère d'Ekaterina était une femme constante. Veuve depuis des lustres d'un instituteur comme elle, sa vie était un mystère. Elle ne manifestait ni ennui ni désir et cultivait la résignation comme un jardin anglais. Sa dévotion à sa fille unique était inconditionnelle malgré de longues années de différends, et elle ne remettait jamais en question la tâche qu'elle s'imposait de venir passer ses journées avec elle. Sa présence était légère, car elle n'avait pas l'humeur changeante, et malgré les circonstances elle ne dramatisait rien, sans agacer non plus par un optimisme militant. Nous n'avons jamais réellement parlé ensemble. Elle n'était pas bavarde. Dans la musique des mots, elle préférait le silence aux notes. Elle ne hiérarchisait pas les événements, comme si tous les moments de notre vie étaient égaux, uniformité rassurante propre à la tenir éloignée du chaos et surtout de l'imprévisible. Elle avait été membre du parti communiste, mais ne commentait jamais les bouleversements de ces dix dernières années. Elle s'était seulement appliquée à ne changer en rien et trouvait dans les soucis matériels du quotidien, dont heureusement pour elle le nouveau régime ne nous avait pas privés, une source d'équilibre enviable. Je crois qu'au fond d'elle-même, elle pensait que la période que nous vivions n'était qu'une transition avant un retour au communisme de sa jeunesse, celui des années cinquante et soixante. Jeune militante, elle avait connu la fin des années Staline. De l'arbitraire de cette période, elle n'avait retenu, semblait-il, aucune leçon politique. Certes, on tuait en masse. Certes, on avait tué pour de mauvaises raisons et ensuite sans la moindre raison. Mais cela ne prouvait rien. Nos conversations ne duraient pas plus qu'un feu follet. Aucune parole blessante n'était prononcée. On ne pouvait la convaincre de rien qui soit nouveau pour son esprit fossilisé. Dans quelques millions d'années, si l'humanité parvient jusque-là, on étudiera les restes de cette « homo soveticus » pour en connaître le secret. Je me demandais si le handicap de sa fille ne contribuait pas à sa quiétude. L'horloge du temps s'était certes arrêtée dix ans trop tard, mais je sentais chez elle une délectation devant cette péremption de l'avenir qui rendait toutes les journées semblables et sans perspectives.

Elle observait sans intérêt ni réprobation le comportement occidental de sa petite-fille qui était tout son contraire. Anna était volcanique, enjouée, parfois brouillonne, mouvementée, aimait les vérités éphémères sans s'y tenir et avait pour le passé la prévention de sa génération qui, autant que possible, ne voulait plus en entendre parler. Elle était journaliste pour une chaîne de télévision appartenant à un oligarque de Moscou qui n'en faisait pas sa priorité. Il payait les salaires à temps, et ne donnait aucune consigne politique. On disait que le nouveau président de la Russie l'avait à l'œil comme tous les hommes qui avaient bâti de grandes fortunes en quelques années. Les rumeurs allaient bon train sur la fermeture de la chaîne ou sa reconversion en chaîne commerciale où l'information serait limitée à son strict minimum. Mais la rédactrice en chef, une femme courageuse qui n'avait pas la quarantaine, démentait. Elle ne pouvait pas croire à une régression des libertés dans le pays, avait-elle affirmé à Anna. Elle lui avait confié depuis un mois une émission, un magazine hebdomadaire sur les loisirs dans la région. Anna en était à son troisième numéro qui lui assurait une petite notoriété dans la ville, ce dont elle jouissait sainement. On la voyait se promener sur le lieu de ses sujets, pétillante avec ses cheveux rouges et son jean taille basse qui lui découvrait le nombril. Cette émission marchait bien et permettait de vendre des placards publicitaires. Elle partageait un appartement dans la rue principale près du port avec trois autres journalistes de son âge, dont un était peut-être plus que cela pour elle, mais elle ne voulait pas me le présenter, sans doute par peur de mon jugement.

Anna passait plusieurs soirs par semaine nous rendre visite. Elle semblait toujours partagée entre son devoir filial et une envie pressante de retrouver le milieu où elle évoluait, un monde neuf où la futilité permettait de conjurer le mauvais sort.

Elle souffrait de voir sa mère sombrer dans une régression qui la jetait inconsciemment sous la coupe de sa grand-mère. On ne distinguait pas les sentiments d'Anna autrement que par sa respiration. Courte, presque haletante, pour dissimuler sa colère, elle s'étirait d'ennui. Elle franchissait le seuil de l'appartement avec une mine contrite. J'en étais arrivé devant son mal-être à lui proposer d'espacer ses venues. Je comprenais ce qu'elle endurait à nous voir ainsi dérouillés par le sort. Elle n'avait pas l'âge auquel on regarde le malheur en face, et je m'en voulais d'entraver sa fuite. Il n'y avait même pas entre sa mère et moi l'amour qui rend ces drames supportables. Mon devoir d'assistance me rivait à elle pour un temps indéfini. Cette condamnation devait se voir sur mon visage, même si j'usais de la dérision pour l'alléger. Anna savait que nous voulions nous séparer avant l'accident. Le spectacle de notre cohabitation forcée l'affligeait.

Nous savions tous les deux que l'état de sa mère la protégeait d'un drame bien plus terrible. Ekaterina, sans le savoir, labourait chaque jour un champ de mines en nous demandant des nouvelles de Vania, notre fils. Nous lui répondions qu'il était à Saint-Pétersbourg et qu'il serait là sans doute dans un mois pour les vacances. Elle oubliait la réponse et reposait la question une dizaine de fois dans la même journée.

Anna et moi avions tout en commun, sauf un sens compulsif

de l'action qu'elle tenait de sa mère. J'étais plus mélancolique et plus introverti, et je ne retrouvais que dans les grandes étendues naturelles une énergie primitive qui se libérait dès que je m'éloignais des concentrations humaines. Je n'avais pas vécu sous le règne du cannibale rouge, mais j'avais intériorisé, comme un deuil lointain, la terreur de mes parents pendant cette période qui s'était achevée seulement quatre ans avant ma naissance.

En dehors des moments passés avec Boris et Anton, je me sentais plutôt mieux seul. À n'être qu'avec soi-même, surtout en pleine nature, on finit par s'oublier, tolérer son inconsistance qui devient supportable devant l'immensité. Les jours s'égrènent ainsi plus légèrement que quand la proximité des autres vous renvoie votre image. On existe dans leur regard, alors que le seul miroir de la nature ne restitue rien de ce que nous sommes vraiment, par excès d'indulgence. La nature est clémente pour les hommes comme moi, elle leur permet de s'éparpiller au vent, de se résoudre à leur vraie dimension. J'appartiens à ces gens qui se lèvent le matin sans envie de vivre mais encore moins de mourir. Même malmené par la vie, je tiens le cap sans enthousiasme ni amertume.

Je me demandai si, en m'offrant son isba, Boris n'avait pas pensé faire encore plus pour moi que pour Ekaterina. Elle était un prétexte à sa générosité, mais, derrière cet acte fraternel, il me donnait la possibilité de me retirer du monde comme un vieux starets, un de ces moines orthodoxes qui trouvent dans la réclusion le sens de leur foi.

Ce soir-là, Anna semblait enjouée. Elle s'est précipitée dans la chambre de sa mère, où celle-ci et la Babouchka la regardaient à la télévision dans son émission quotidienne. Fascinées par son image à l'écran, les deux femmes ne se sont pas éternisées en salutations. Anna est alors revenue vers moi. Elle s'est laissé tomber dans un fauteuil en velours râpé et a soupiré d'aise.

Avant de lui laisser m'exposer la nouvelle qui la réjouissait, j'ai pris les devants pour lui faire part de celle qui avait bouleversé ma journée.

— Nous avons reçu l'argent ce matin, le titre de propriété et ma mise à la retraite de l'enseignement.

Elle s'est assombrie.

— Voilà qui met un point final. Ils exigent quoi, en échange ?

— Ils nous interdisent de communiquer avec quiconque et nous demandent de déménager dans un appartement qu'ils nous payent à Saint-Pétersbourg.

— Et tu as l'intention d'y emménager ?

— Non.

— Et alors ?

— Alors rien, nous allons continuer à vivre ici et je garderai cet appartement vide tant que nous ne pourrons pas faire autrement.

Je la vis s'assombrir tout à fait.

— Qu'est-ce qui te contrarie, Anna ?

— Tu parles d'une interdiction de communiquer avec l'extérieur sur ce sujet, c'est un problème pour moi.

— Mais, que je sache, ces obligations ne te concernent pas. Elles ne valent que pour ta mère et moi, nous sommes les seuls bénéficiaires de leurs « largesses ».

— Tu en es certain ?

— Certain. Je sais que tout est possible dans ce pays, mais tu n'es pas visée par leurs restrictions. Alors, maintenant, qu'est-ce qui te réjouissait tout à l'heure, lorsque tu es entrée ?

— Un événement en relation avec tout ça. Un journaliste français a appelé la rédaction de la chaîne. Il cherche une correspondante parlant le français ou l'anglais capable de le diriger et de l'accompagner pendant une enquête de trois jours...

— Et il paye bien ?

— Cent cinquante dollars par jour.

— C'est énorme. Mais tu veux vraiment le faire ?

— Oui, professionnellement et financièrement. Cent cinquante dollars, tu te rends compte, et il paye tous les frais en plus. Mais, personnellement, j'ai peur de remuer tout ça.

— Tu as tort, dans cette société, on peut faire de l'argent avec tout, même avec son propre malheur. Mais que cherche vraiment ce journaliste et pour en faire quoi?

— Qu'est-ce que tu veux qu'il recherche, à part la vérité?

— La vérité? Il pense qu'en venant trois jours ici, il va découvrir la vérité alors que des milliers de personnes ont conjugué leurs efforts pour nous la soustraire? Tu ne comptes pas lui dire ce que nous sommes les seuls à savoir, j'espère?

— Non, je ne lui en parlerai pas, jamais. À lui d'enquêter. Je n'aurai pas d'obligation de résultat. Je lui faciliterai tous les contacts, c'est tout.

— Alors, accepte, c'est de l'argent solide et tu ne vends pas tes principes. Quand vient-il?

— Dans trois jours. Tu pourras m'aider si j'ai besoin de toi pour des traductions?

— Bien sûr, ta mère serait certainement plus efficace et en plus elle est idéale pour la confidentialité, tout échange sera oublié dans le quart d'heure.

— Ce n'est pas drôle.

— C'est vrai, je suis désolé. Je veux bien t'aider, je n'ai plus rien à faire. Je dois aussi te dire que Boris m'a offert son isba et ses deux chevaux. Je vais essayer de faire monter ta mère au printemps pour qu'elle puisse s'évader de cette prison et faire au moins quelque chose par elle-même de temps en temps. Je vais aussi investir de l'argent dans la société de Boris.

Anna est restée pour le dîner, ce qui n'était pas arrivé depuis des semaines, et je suis même allé acheter une bouteille de vin de Moldavie. Alors que la soirée prenait fin, du moins la nôtre, elle nous a quittés pour aller retrouver des amis de son âge. J'ai senti comme de l'envie et je m'en suis défait avant que la tristesse ne s'invite à sa place.

Le lendemain, j'ai d'abord bu mon café avec Ekaterina. Elle prétendit que nous avions dans notre petite bibliothèque, elle en avait l'exact souvenir, un livre de l'écrivain français Julien Gracq qu'un traducteur lui avait rapporté, une dizaine d'années auparavant. Son titre était *Un balcon en forêt*. Elle voulait le relire pour la musique de ses mots. Je n'avais jamais vu ce livre. Nous n'en avions pas assez pour ne pas tous les connaître, mais celui-là ne me disait rien. Je m'en inquiétais, craignant que ses souvenirs ne commencent aussi à se dégrader. Je promis de remuer l'appartement de fond en comble. Quand la grand-mère est arrivée comme une servante qui ne s'autorise pas une minute de retard, les deux femmes se sont repliées vers la chambre, et je suis resté là, profitant pleinement de mon oisiveté. L'idée de faire une visite à Alexandra Alexandrovna m'est venue spontanément, mais il était encore un peu tôt pour me présenter à la porte d'une femme. Je me suis mis à la fenêtre avec la curiosité d'une vieille personne, scrutant les alentours à la recherche d'un frémissement inhabituel. Rien de particulier, la nuit ne concédait toujours rien au jour. Je me suis donné le temps d'écouter un peu de musique et j'ai frappé à la porte d'Alexandra Alexandrovna.

Elle était en robe de chambre, gênée d'être surprise dans cet état. Par pudeur elle a ajusté sa ceinture, rehaussant malgré elle sa poitrine. Ses cheveux en désordre lui donnaient un air plus jeune.

— Je crois que je vous dérange, Alexandra Alexandrovna, je peux repasser, si vous voulez.

— Oh non! s'est-elle défendue et, avec un grand sourire, elle m'a fait signe d'entrer.

J'ai pénétré dans son appartement comme dans une église la première fois, poussé par un mélange de curiosité et de crainte. Elle m'a fait asseoir dans le salon qui n'était pas très grand, pendant qu'elle est allée réchauffer du café. La décoration était de l'ancienne époque. Le temps semblait s'être arrêté. Les meubles étaient de style Brejnev en copeaux compressés. Sur l'un d'eux, des portraits de son mari étaient alignés. On le voyait toujours avec une casquette d'officier de la marine. Détail troublant, elle avait désormais l'âge d'être sa mère. Elle est revenue de sa cuisine avec du café et un air joyeux.

— Vous êtes venu me dire que vous avez une solution pour le problème des toilettes ou pour me faire la conversation?

— Si c'est pour les deux, ça ne fera pas trop pour un premier jour?

— Je ne crois pas, a-t-elle lâché en s'asseyant avec un sourire enfantin.

Puis nous sommes restés sans rien dire un moment, comme si nous attendions pour parler que le café ait refroidi.

— Je vais faire venir quelqu'un dès aujourd'hui pour le problème de plomberie et je le prendrai complètement à ma charge.

— Alors, ça y est, vous êtes riche, Pavel Serguéïevitch.

Son regard s'est égaré un moment.

— Les choses changent-elles vraiment ou s'agit-il d'une exception?

— Je penche plutôt pour l'exception, Alexandra.

Elle a eu un petit sourire en coin.

— Je crois aussi, rien ne change jamais dans ce pays. Je ne dis pas ça pour vous embarrasser, mais je n'ai toujours pas reçu ma pension de veuve, et ça fait trois mois que j'attends. Rien, pas un rouble. Je vis avec les cours de musique que je donne à des enfants de nouveaux riches. Mais il n'y a pas assez de nouveaux riches ou alors ils n'en ont rien à faire d'apprendre la musique à leurs enfants, et cela me suffit à peine pour vivre. Je n'en suis même plus à économiser, j'en viens à m'économiser moi-même. Je ne fais rien qui puisse constituer une dépense, je relis toujours les mêmes livres, j'écoute les mêmes disques. Je me mets entre parenthèses. Mais je ne me plains même plus, d'ailleurs je n'ai personne à qui me plaindre. J'attends des jours meilleurs. Je ne vois pas d'où ils peuvent venir, mais je ne veux pas perdre mes rêves. Et sincèrement, Pavel, je suis du fond du cœur heureuse pour vous. Je ne suis ni envieuse ni jalouse. Ces sentiments-là n'ont pas leur place dans de telles circonstances. Bien sûr, moi aussi j'aurais aimé qu'on me soulage de soucis matériels, qu'on me permette de quitter ce bout du monde, cette Sibérie de l'Ouest, car vous savez, je ne suis pas d'ici. Je ne vous l'ai peut-être jamais dit à l'époque où nous partagions l'appartement. Il faut dire que c'était une époque tellement particulière, on ne se livrait pas beaucoup, on ne savait pas à qui on avait affaire. J'ai connu mon mari à Saint-Pétersbourg et nous sommes venus ici pour sa première affectation. Et quand il est mort, ils ne m'ont pas demandé d'y retourner. Ils m'ont demandé de quitter mon appartement à S. sous prétexte que c'était une ville interdite, que je n'avais plus rien à y faire, et ensuite ils m'ont installée ici, comme un paquet de vieux linge avec une pension de veuvage ridicule qu'ils ne sont même pas capables de me payer.

— Si je vous demande comment votre mari est mort, Alexandra, vous le prendrez mal?

Elle s'est figée un court instant, le regard fixé sur un portrait de son homme en pied devant le kiosque de son sous-marin, et comme si elle se réveillait brusquement :

— Oh non! Mais je ne sais rien de plus que la version officielle. Ils n'étaient pas très loin d'ici en mer de Barents. Ils revenaient d'une mission de trois mois. Ils étaient encore en immersion lorsqu'une explosion s'est produite dans le réacteur nucléaire. Le feu s'est déclaré, mais ils ont eu le temps de faire surface. Une dizaine de marins sont morts dans l'explosion et encore six plus tard à cause des radiations. Ceux qui étaient encore vivants après l'explosion ont été hélitreuillés. Mais il y avait beaucoup de vent et, comme c'était l'hiver, on n'y voyait pas grand-chose. La mer était agitée. Quand ils ont hélitreuillé mon mari, la nacelle a été secouée par une rafale. Il a fait une chute de vingt-trois mètres selon le rapport que je n'ai pas lu mais dont on m'a parlé. Il est tombé sur la coque du sous-marin. Comme elle était arrondie, il a glissé sur elle pour retomber en mer. Ils n'ont pas pu le récupérer. À l'enterrement, un type du ministère ou de je ne sais quoi, qui ne s'est jamais mouillé ailleurs que sous la pluie, m'a dit textuellement : « Il n'y a rien à regretter, madame, il était mort après sa chute, il ne s'est pas noyé et donc il ne s'est pas vu mourir. Et d'ailleurs, même si la nacelle avait pu le remonter, il était tellement irradié qu'il serait mort quelques mois plus tard dans d'horribles souffrances. » Malgré ma peine, il m'a mise tellement en colère que j'ai hurlé : « Vous ne savez pas construire de sous-marins, tout ce que vous savez construire ce sont des cercueils en plomb. » Je n'en sais pas plus, ensuite, comme je vous l'ai dit, ils ont « libéré » le logement que nous avions pour une famille d'officier et ils m'ont logée dans votre appartement communautaire.

Pendant qu'elle parlait, je détaillais son visage pour la première fois et je la trouvais vraiment belle. Raconter son histoire l'avait un peu fatiguée. Toutefois elle reprit :

— Je vous ai raconté tout cela bien volontiers, mais ne vous sentez pas obligé de vous livrer à votre tour. Nous ne sommes pas tenus à l'équilibre. Et puis les choses sont différentes. Voilà si longtemps que tout cela a eu lieu. J'ai fait mon deuil, ce temps nécessaire pour oublier ceux qu'on a aimés et se convaincre que ce n'est pas vrai. Il faut s'accrocher à de petites joies quotidiennes, dit-on, mais où les trouver quand on n'a pas cent roubles devant soi ? Je n'ai même pas une voiture pour aller à la campagne et je suis confinée dans cette architecture de garnison à voir passer les nuits sans jour une grosse moitié de l'année et les jours sans nuit le reste du temps. Parfois j'en veux presque à mon défunt mari de m'avoir conduite jusque-là, de ne pas avoir su me faire d'enfants et de m'avoir abandonnée pour disparaître en « perte militaire ». Si c'était à refaire, je ne le referais pas, je dirais : « Vassili, trouve-t'en une autre pour rêver de ton uniforme et passer sept mois par an seule pendant que les bas-fonds te donnent le teint gris. Si j'avais des enfants, je pourrais au moins me battre pour quelque chose, mais se battre pour sa pauvre vie, je me demande vraiment... Je me demande comment font ces gens qui s'aiment tant eux-mêmes. Est-ce votre cas, Pavel ?

— Il m'est arrivé de me poser la question et, comme je n'ai jamais pu y apporter une réponse positive, j'évite de me la poser à nouveau.

— Nous avons au moins un point commun. Mais voilà que je parle comme ces adolescents qui comptabilisent leurs affinités.

— Après tout, sous l'enveloppe jaunie, nous n'avons peut-être pas changé.

— Sauf que je me demande quel genre d'adolescents nous avons pu être, à marcher au pas de l'oie, à ne jamais regimber, à apprendre à se méfier des autres, à se plier à la loi millénaire des vieux de ce pays.

— Vous savez, Alexandra, j'ai souvent réfléchi au peuple russe et ce qui fait qu'il est unique au monde. J'en suis arrivé à la conclusion que personne n'a notre capacité à nous imaginer tels que nous ne sommes pas. Ce que nous sommes, c'est un peuple suspicieux, haineux, dominateur, bureaucratique, qui se complaît dans l'adversité, son plus grand adversaire étant lui-même. Et de tout cela il résulte une capacité exceptionnelle à endurer le pire sur des périodes qui dépassent l'imagination.

Voyez l'exemple de la dernière guerre. Pendant que des millions de Russes se faisaient tuer sur le front, l'anthropophage vénéré du Kremlin était occupé à tuer les siens comme s'il craignait que la guerre ne lui fasse de l'ombre.

— Nous sommes immuables, a-t-elle ajouté en souriant.

Puis, comme si elle prenait conscience de notre impuissance, elle a changé de sujet :

— Comment va Ekaterina Ivanovna? Je suis vraiment confuse, j'aurais dû vous le demander...

— Elle va aussi bien que possible. Mais je ne vois pas beaucoup de progrès. Un de mes grands amis médecins me dit que ce genre de troubles ne devrait pas persister éternellement.

— Elle est amnésique, n'est-ce pas?

— Oui, une forme d'amnésie partielle qui épargne les souvenirs existants, mais ne permet pas de fixer un événement nouveau dans sa mémoire.

— Je n'ai jamais osé aller lui rendre visite. Nous avions des relations tendues lorsque j'habitais l'appartement communautaire. Elle m'en voulait d'être le témoin de certaines scènes entre vous. Je ne veux pas dire que j'ai assisté à des cris ou des choses comme ça, mais vous aviez parfois des échanges très vifs, même si le ton était maîtrisé. Très sincèrement, je ne m'y suis jamais intéressée, je n'ai jamais tendu l'oreille pour vous écouter, mais j'aurais pu le faire, et il me semble que cela a suffi à créer chez elle un sentiment de suspicion à mon égard. Un peu avant son accident, j'ai pensé aller la voir et essayer de parler un peu, lui faire comprendre, même s'il est très délicat d'aborder ce genre de sujet, que je n'avais pas non plus choisi cette promiscuité qui me rendait témoin des orages de votre intimité. D'après ce que vous me dites sur son mal, il ne servira à rien de lui rendre visite maintenant, car elle n'en conservera pas le souvenir et restera sur d'anciens préjugés.

— J'ai bien peur que vous n'ayez raison.

— Souffre-t-elle?

— Je le crois. Le pire, ce sont ces vertiges qui la prennent quand elle s'aperçoit qu'elle a oublié ce qu'elle avait décidé de faire. Elle a perdu toute autonomie et tout avenir.

Alexandra s'est enfoncée dans son fauteuil de velours doré en tirant une nouvelle fois sur sa ceinture. Ainsi ajustée, elle reprit :

— Je suis vraiment désolée, Pavel, et je vous trouve bien courageux de rester debout devant tant de tragédies.

— Avons-nous le choix ?

Puis nous avons parlé de choses et d'autres. J'ai évoqué l'isba et les deux chevaux que mon ami venait de m'offrir. Elle m'a écouté, émerveillée. Je lui ai demandé si cela lui ferait plaisir que nous nous y rendions un jour avec ma voiture. Elle a tout de suite accepté avant de se rétracter par la peur du « qu'en-dira-t-on ».

— Cela supposerait, si on nous voit ensemble, que les gens communiquent entre eux, ai-je rétorqué. Dans cet immeuble, les occupants ne se parlent jamais, ils s'évitent comme au temps de l'ancien régime, quand chaque mot était pesé avant d'être prononcé. Et puis quel est le risque ? Que des ragots viennent aux oreilles d'Ekaterina ? Elle ne s'en souviendra pas, de toute façon. Ce ne serait pas abuser de son état, nous avions décidé de nous séparer avant ce malheureux accident.

— Même si les choses étaient claires, vous n'auriez pas l'impression de tromper sa confiance, maintenant qu'elle est diminuée ?

— Elle n'est pas assez diminuée pour avoir oublié ses rancunes. Sa considération pour moi ne s'est pas améliorée, quant à la mienne pour elle, peu importe.

— Cela ne me regarde pas, et vous êtes libre de ne pas me répondre, mais que pouvait-elle bien vous reprocher ?

J'ai rassemblé mes esprits un petit moment avant de poursuivre :

— Nous sommes toujours tentés de justifier nos actes et les situations dans lesquelles nous nous trouvons. Mais parfois les choses ne sont qu'un long processus de délitement, une érosion de l'intérêt que nous portons à l'autre et nous n'y pouvons rien. Alors, s'il ne fallait trouver qu'une raison, l'origine de cette déliquescence de notre couple, aussi minuscule que la bactérie peut l'être par rapport au mammouth de Sibérie qui en résultera plus tard, je dirai que tout est parti d'une chose, infime en apparence : mon manque de courage pour émigrer lorsqu'il était encore temps. Mais ce serait une erreur d'y voir la seule cause.

Alexandra, circonspecte, redonna un tour de vis à sa ceinture, ce qui eut pour effet de découvrir un peu plus ses seins et de réveiller en moi un désir assoupi depuis des années.

— Et émigrer où ?

— En Israël.

— Pourquoi, Ekaterina est juive ?

— Oh non, elle ne l'est pas, elle serait plutôt grand-russe si on l'écoutait. C'est une assez longue histoire. Je vous la raconterai quand nous nous reverrons, car nous nous reverrons, n'est-ce pas ?

Nous nous sommes quittés satisfaits l'un et l'autre de cette première rencontre qui ne préjugeait de rien, sauf d'un peu moins de solitude pour chacun. Mais déjà, je ne la voyais plus avec les mêmes yeux. On ne regarde pas de la même façon une voisine résignée engoncée dans des vêtements d'hiver et une femme aux regards complices dans une robe de chambre dont les ajustements inondaient ma vie d'une lumière nouvelle.

Le jour suivant, une vague de froid s'est abattue sur le cercle polaire et toutes les bontés du Gulf Stream n'ont rien pu contre elle. Le thermomètre a frôlé les 45 degrés en dessous de zéro. De ma fenêtre, la ville dormait du sommeil des noyés en eaux froides. Peu de voitures parvenaient à démarrer. Je suis tout de même allé au supermarché qui est à une centaine de mètres de l'immeuble. J'en suis revenu avec des provisions pour notre famille, mais aussi pour Alexandra. J'imaginais qu'elle ne pouvait pas sortir pour donner ses cours de musique et que, privée de cette source de revenus, cette période s'annonçait difficile pour elle, car l'administration ne paye pas mieux les pensions quand il fait froid qu'aux beaux jours. J'avais peur de la blesser en lui donnant des vivres comme si je lui faisais la charité, alors je me suis présenté comme quelqu'un qui s'invite à déjeuner en apportant la nourriture et se propose de cuisiner. Elle n'a pas vraiment semblé étonnée de me voir frapper à sa porte si peu de temps après notre dernière entrevue. Elle semblait joyeuse de me revoir. J'avais prévu une bouteille de Russki standard, de la vodka sans additifs pétroliers. Pendant que je cuisinais les joues de bœuf, nous en avons siroté de petites gorgées. Elle a mis de la musique, Björk, une chanteuse islandaise dont la voix s'accorde à notre climat. Nous avons bu plus que nous n'en avions l'habitude l'un et l'autre. À la différence d'Anna, grisée par l'aventure qui se préparait, je me sentais coupable. Tout en réglant le feu sous les casseroles, je cherchais silencieusement à me convaincre que j'avais raison de me laisser aller. Mais l'acte manqué, la chute d'Ekaterina, me revenait sans cesse à l'esprit comme si elle avait voulu me dire une chose que je ne parvenais pas à déchiffrer. Le plus dur, c'est qu'avant même de commencer, je voyais déjà les limites de ma relation avec Alexandra, rivé à cette femme sans futur, la mienne, qui sans vraiment m'aimer avait trouvé un moyen de m'asservir indéfiniment. Mais Alexandra ne demandait aucune garantie. Le repas terminé, nous sommes restés dans son petit salon où elle s'est contentée de rabattre discrètement les portraits de son lieutenant de vaisseau de mari, face contre le bois du meuble. Puis les choses se sont précipitées comme s'il fallait éteindre un incendie. Je n'avais pas le souvenir de m'être immergé dans un corps de femme de la sorte. Il s'agissait pour l'un et l'autre de la même violente pulsion vitale. Nous avons roulé du canapé à la moquette qui m'a usé les jointures comme du papier de verre, autant que ma barbe naissante sur sa peau de blonde. Nous n'en revenions pas de vivre. Lorsque l'animalité se libère à ce point, c'est pour contenter les amours les plus civilisées. Alors que l'après-midi tirait à sa fin, j'ai craint la vacuité du plaisir assouvi et ses vertiges, mais si mes jambes flageolantes ne parvenaient plus à me porter, aucun désespoir n'est venu m'attirer dans ses filets. Nous nous sommes rappelé un court instant que nous avions déjà fait l'amour ensemble, et nos rires ont traversé l'immeuble. Notre vie venait de prendre une soudaine densité.

La semaine suivante, les températures sont remontées d'une trentaine de degrés. Le ciel en a profité pour se libérer et la neige est revenue, nonchalante. Éclaircie par cette nouvelle couche de blanc immaculé, la ville cotonneuse paraissait plus enjouée dans la nuit. Anna est arrivée un soir avec sa tête des mauvais jours, quand sa conception des choses bute sur la réalité du monde. Elle était très inquiète car la télévision nationale faisait grand cas d'une perquisition dans les bureaux de son grand patron à Moscou, l'oligarque Alexandre Davidovitch. Une descente de police musclée, médiatisée pour montrer qu'un nouvel homme fort installé depuis peu au Kremlin avait décidé de redistribuer les cartes. Anna terrorisée voyait le monde d'hier, le mien, revenir à grands pas pour gommer dix ans d'anarchie créative.

— Le président veut juste montrer aux oligarques que le pouvoir d'aujourd'hui n'est pas celui d'hier et qu'il ne se contentera pas d'assister, débonnaire, au transfert des richesses pour une aumône aux cadres de l'ancien régime, comme l'a fait Eltsine. Les hommes du KGB viennent de passer dix ans à voir les oligarques s'enrichir comme un orignal couché dans les hautes herbes regarde médusé le passage du Transsibérien. Après avoir appris cette nouvelle, je me suis dit : « Ils veulent leur part du gâteau. » Mais le partage n'est pas dans notre culture. Ils vont tout prendre, les chasser ou les tuer un par un. Ils vont certainement gagner, non seulement parce qu'ils ont la force pour eux, mais parce que les autres, tous les oligarques qui ont privatisé l'économie russe à leur profit depuis la « perestroïka », sont tellement habitués à vaincre sans combat, juste par la corruption, qu'ils ne tiendront pas une seconde devant le nouveau maître de l'empire. Non seulement il a la force pour lui, mais il va se rallier les bonnes âmes, celles qui sont prêtes à croire n'importe quoi, en particulier à une renationalisation de l'économie au profit du peuple russe, alors qu'on verra un jour que, derrière les apparences, la réalité est tout autre, qu'une nouvelle race de prédateurs s'est contentée de succéder à la présente. Ton Davidovitch et sa bande de copains ont fait l'erreur de croire que le président allait leur être reconnaissant de l'avoir aidé à le mettre là où il est. Et comment ont-ils pu penser que les tentacules de la pieuvre formée à soixante-dix ans de services secrets allaient laisser durablement filer l'argent ? Au début, ils n'avaient pas le choix. Que peut faire un homme du KGB d'une entreprise nationale, à part la brader pour un dixième de sa valeur ? Maintenant que les oligarques ont structuré l'économie, il suffit de la leur ôter des mains, au nom d'un intérêt général qui résonne dans la bouche des nouveaux locataires du Kremlin comme le mot « clémence » dans celle d'un tueur à gages.

— Et tu crois qu'ils peuvent fermer notre télévision ?

— Les affaires n'ont pas besoin de publicité, Anna. Le président n'a aucun intérêt à voir prospérer des chaînes de télévision indépendantes au fin fond de l'empire. Si vous vous contentiez de réaliser des émissions avec des chanteurs qui se dandinent, il laisserait faire, mais si vous touchez à l'information, c'est autre chose.

Ses mains ne ressemblaient plus à rien, tant elle se rongeait les ongles. Résolue pour un court moment à ne plus y toucher, elle les plaqua sous ses aisselles en croisant les bras avant de m'annoncer que le journaliste français arrivait par le vol de Moscou le lendemain matin. Anna était contrariée par un détail

193

matériel. Elle n'avait pas de voiture. Elle en avait bien trouvé une, une Volga des années soixante-dix, mais personne pour la conduire, son propriétaire était alité. Anna m'a expliqué tout cela et, avant qu'elle ne me le demande, j'ai accepté l'office en plus de la traduction simultanée des entretiens qu'elle avait planifiés. Par principe, j'ai fait celui qui accepte à contrecœur alors qu'au fond, j'étais ému de travailler avec Anna, ne serait-ce que quelques jours. En rompant mon engagement de ne pas communiquer sur ce sujet avec des journalistes russes ou étrangers, j'allais pour la première fois de ma vie braver les autorités. Un risque bien mince, en vérité, l'interdiction faite aux familles de communiquer sur le sujet était de pur principe. Comment l'État peut-il craindre les révélations de gens qui ne savent rien?

Le journaliste est arrivé par le vol de l'après-midi. Je pensais qu'il allait débarquer un peu contrarié par deux heures sur les lignes d'Aeroflot dans un Tupolev aux sièges défoncés. Il y a peu de temps encore, la compagnie aurait pu prendre le nom d'Aérosol parce qu'il fallait désosser deux avions sur le tarmac pour en faire voler un. Je m'attendais à du retard, mais il est arrivé à l'heure. Je suis resté dans la voiture à faire tourner le moteur au cas où il lui viendrait l'idée de ne pas redémarrer, pendant qu'Anna guettait le journaliste devant le contrôle de sortie, celui où un planton rassis s'assure que les bagages avec lesquels vous sortez sont bien les vôtres. Elle avait préparé une petite pancarte au cas où elle ne le reconnaîtrait pas. Il était trop bien équipé pour ne pas se distinguer des Russes. C'était un homme assez grand au visage à la fois doux et marqué. Comme Anna montait à l'arrière pour lui laisser le siège avant, il s'est spontanément assis à côté d'elle. Alors que nous quittions l'aéroport, Anna lui a expliqué que j'étais son père, et il s'est dit gêné de m'avoir pris pour un chauffeur. Pendant le trajet, je le regardais dans le rétroviseur observer ma fille. C'était la première fois que je la voyais dans le regard d'un autre. Comme je lui demandais s'il n'avait pas trouvé ce tronçon de son voyage trop difficile, il m'a répondu qu'il en avait vu d'autres, particulièrement en Afrique, ce que je ne trouvais pas flatteur pour notre aviation intérieure.

195

Il essayait de regarder par la vitre pour se faire une idée du lieu où il était, mais il faisait nuit noire. Il nous demanda à quelle heure le soleil se levait.

— À 9 heures du matin, mais pas avant quatre mois, ai-je répondu.

Il a semblé un peu préoccupé.

— Je ne vais pas pouvoir filmer en extérieur !

— Sauf si vous avez un projecteur avec vous, mais ça ne serait pas très discret. Vous voulez faire un documentaire ? Je pensais que vous veniez enquêter pour un journal.

— C'est vrai. Mais si en plus je peux faire un documentaire avec ma petite caméra vidéo, c'est aussi bien.

— Sauf que les personnes que vous allez voir ne vous parleront pas de la même façon devant une caméra, par timidité ou par un cabotinage qui pousse à en faire un peu plus que nécessaire. Ou encore par peur de laisser des traces. Les périodes où nous avons pu nous exprimer en toute liberté dans notre histoire se comptent en semaines.

Anna en a profité pour ajouter :

— Mon père, Pavel Sergueïevitch, est professeur d'histoire. Enfin... était, car il est la retraite depuis quelques jours.

— Vous semblez jeune, pour être à la retraite.

— On n'est jamais assez jeune pour échanger un traitement de misère contre une retraite de misère. Surtout que je n'ai jamais vraiment enseigné l'histoire.

— Pourquoi ?

— Il n'y a pas d'histoire dans ce pays au sens des sciences humaines, tout juste des contes pour enfants, parfois immoraux.

— Par exemple ?

J'ai réfléchi un peu avant de lâcher en souriant :

— Staline. C'était l'ogre qui a piétiné les jeunes pousses du jardin d'Éden. Le jardin d'Éden, c'est le communisme. Il ne vient à l'idée de personne que c'est Staline, le communisme, vous comprenez ?

— Je comprends très bien, c'est la même chose pour certains en Occident.

Anna, très professionnelle, lui a détaillé le programme de sa visite qui ne lui laissait que les nuits pour respirer. Sans m'en avoir parlé avant, elle a évoqué la possibilité d'approcher l'épave avec un bateau de pêche fourni par un ami de son père. J'ai compris de quel ami il s'agissait. Le journaliste se montra très étonné de cette possibilité qu'il n'avait même pas envisagée.

— Et nous n'aurons pas de problème avec les autorités?

— Tout est une question de prix. Les « autorités » sont une notion assez vague. Certains de ses éléments se sont assez bien adaptés à la notion de marché.

— Et vous pensez que je pourrai rencontrer des familles?

Anna a détourné la tête et j'ai répondu :

— Je ne crois pas. Toutes les familles ont quitté la région ou sont sur le point de le faire. Et elles ne sont pas autorisées à communiquer avec des journalistes, qu'ils soient russes ou étrangers.

Comme je le voyais déçu, j'ai ajouté :

— De toute façon, les familles ne savent rien. Tout ce que vous pourriez récolter, ce sont des pleurs, mais pas d'éléments précis. Si vous voulez faire une véritable enquête, vous n'aurez pas besoin de rencontrer les familles, leur peine ne vous aidera pas.

— Les médias pour qui je travaille cherchent à informer plutôt qu'à émouvoir.

— Alors, je crois que nous sommes d'accord.

Je les ai déposés à son hôtel dans le centre, près de la gare qui dessert Saint-Pétersbourg. C'est un de ces anciens hôtels qui servaient aux cadres du parti en déplacement, devenu plus humain et plus confortable depuis que des étrangers y séjournent. C'est là que se font toutes les affaires de cette région. Sorti de la voiture, il a levé la tête, agréablement surpris d'être logé dans une grande bâtisse animée. Je l'ai aidé à porter son chargement jusqu'à l'ascenseur pendant qu'Anna s'occupait des formalités. Nous nous sommes quittés sans chaleur. Il semblait un peu las de son voyage, dépaysé par la nuit polaire, et encore un peu méfiant à notre égard. Je crois bien qu'il se demandait si ce voyage lui permettrait d'obtenir des informations proportionnelles à l'argent qu'il engageait. Avant qu'il ne monte dans ce modèle purement soviétique d'ascenseur qui ne daigne pas ralentir avant de s'arrêter, il m'a demandé si nous avions vu un ou plusieurs autres journalistes français ou occidentaux venus faire une enquête. Je l'ai rassuré, personne n'était venu avant lui pour faire un travail sérieux, nous l'aurions su. Nous lui avons expliqué que, bien sûr, au moment des faits, des foules de journalistes s'étaient précipitées pour couvrir l'événement, mais de véritables enquêteurs sur place, certainement pas. Et quant aux documentaires projetés sur les chaînes occidentales, ils étaient fabriqués avec des images achetées aux télévisions russes. Je lui ai raconté qu'Anna avait ramassé assez d'argent pour faire vivre son service pendant deux mois, rien qu'avec la vente d'images à des télévisions japonaises, des vues de la mer de Barents, vert sombre comme le cul d'une bouteille, sans navire dessus, ni constructions dans le lointain. « Pourquoi ne pas prendre des photos du Pacifique par mauvais temps ? » leur avait demandé Anna avant de savoir combien ils proposaient. Non, ils voulaient des photos authentiques de cette mer gloutonne. Mais pas au point de sortir de leur hôtel et de monter dans un bateau pour aller en prendre eux-mêmes. Dans mon élan, je lui ai raconté la fièvre de la presse internationale, prête à acheter n'importe quelle photo ou image qui puisse restituer l'ambiance de cette affaire. Des clichés minables et poussiéreux ont pris en quelques jours des valeurs marchandes inespérées pour peu qu'ils donnent de notre décrépitude l'image attendue.

— Montrer l'affaire sous cet angle, c'est déjà un point de vue, ai-je souligné, un a priori qui obscurcit d'entrée la réalité. Et puis, quand tout a été terminé, ils ont fui comme une volée de moineaux après la première détonation, laissant une partie de la population à son malheur, l'autre à ses bénéfices hôteliers.

Avant de nous quitter, malicieusement, je lui ai conseillé de se méfier de ces filles qui traînent par deux au bar de l'hôtel, au faîte de l'élégance discrète, d'une beauté à couper le souffle et capables de soutenir une conversation sur les grands auteurs russes. Ensuite, je l'ai regretté, ce garçon avait assez voyagé dans sa vie pour développer des défenses contre ces femmes vénales qui ont compris que rayer la vulgarité de leur panoplie, c'est déjà faire la moitié du chemin qui les conduit à leurs clients.

Nous sommes ensuite rentrés à la maison, Anna et moi. Nous n'avons pas beaucoup parlé du journaliste. Il était trop éteint pour que nous nous fassions une opinion. Je lui ai recommandé de lui demander l'argent dès le lendemain pour lui éviter une conversation difficile le dernier jour, même si cet homme semblait honnête. Dans l'appartement, la grand-mère était toujours là. Elle nous attendait pour partir chez elle. Je la regardais comme le prix à payer pour mes moments de liberté. Je ne l'aimais pas, mais il me vint à l'esprit que la pire des choses que pouvait me faire cette vieille femme était de mourir. Elle était assez politique pour l'avoir compris, d'où cette façon de promener sa silhouette replète, la tête haute, avec sur les lèvres un air de délectation, et de nous quitter avec l'arrogance de la dame de compagnie qui se gorge des confidences de sa maîtresse.

Anna était un peu fébrile. Elle voulait aider le journaliste à réussir son enquête, tout en regrettant de ne pas pouvoir le conduire à toute la vérité. Certains intérêts lui sont parfois supérieurs et il faut s'en accommoder, c'est ce que je me suis évertué à lui répéter.

Nous sommes passés le prendre à son hôtel vers 10 heures du matin pour nous rendre au premier rendez-vous qu'Anna avait décroché avec l'aide de son rédacteur en chef. La rencontre devait se passer à la mairie, à trois cents mètres de l'hôtel à peine, et nous avons décidé de nous y rendre à pied malgré le vent du nord qui soufflait en rafales. Le bâtiment public était d'une architecture soviétique ordinaire, conçu sans souci d'économie pour se donner une majesté, signifier au commun des mortels sa petite taille comparée à la grandeur des idées en marche. Les Soviétiques pour cela n'ont jamais rien inventé, ils se sont inspirés des orthodoxes, le mauvais goût en plus. Le bâtiment était surchauffé, héritage aussi de l'ancienne époque. Une odeur de peinture fraîche agressait l'odorat. Un planton dont le développement musculaire s'était fait au détriment de la masse cérébrale, rasé de près jusqu'au sang, nous a désigné, à l'énoncé du nom de notre contact, un couloir qui n'en finissait pas, avec des numéros de portes qui commençaient à la dizaine de milliers, histoire de faire croire que la bâtisse logeait du monde. Nous avons fini par trouver le 11 171 *bis*. Quand nous sommes entrés, deux hommes se tenaient l'un devant l'autre, en grande discussion. Le plus imposant des deux a compris que nous étions ses visiteurs. Il nous a ouvert une porte sur le côté, nous a fait asseoir avant de ressortir achever sa conversation avec son collègue. Pendant qu'il en finissait avec son homologue, j'ai recommandé au Français de ne pas se comporter en journaliste, de ne pas poser de question directe sur l'affaire, de se présenter plutôt comme un homme de fiction. Notre interlocuteur est revenu alors que je promenais mon regard sur son bureau exigu où trônait une maquette de sous-marin miniature. Il était lui-même de taille moyenne. Une veste bleue ne parvenait pas à dissimuler son ventre proéminent de bon vivant à ses heures. Son visage ne disait rien de lui, ses plis adipeux formaient une défense naturelle contre le regard d'autrui, le sien se situant très en retrait, derrière des yeux allongés. Il s'est assis en face de nous trois, alignés. L'air qu'il a pris alors, il ne semblait pas en être coutumier. Sa pose figée était celle d'un bureaucrate un peu suffisant conscient de la supériorité de celui que l'on vient solliciter.

— Je vous écoute, a-t-il murmuré d'une voix grave sans lever les yeux, rivés sur la table devant lui.

J'ai encouragé Anna à faire les présentations.

— Ce monsieur est un écrivain français qui veut écrire un livre sur le drame que vous connaissez. Il est lui-même d'une famille d'officier de marine et il prépare, comment dire... un hommage. Il ne fait pas une enquête et...

Il l'a interrompue, dévoilant un sourire qui, bien que rafistolé par un dentiste militaire, ne manquait pas de générosité.

— J'ai gardé des contacts avec la marine française. Je fais partie d'une association internationale et nous avons l'occasion de nous voir. Le temps où nous étions ennemis est révolu maintenant, alors nous nous rencontrons de temps en temps et, sans trahir de secrets militaires, nous échangeons sur nos expériences respectives. Il existe une vraie fraternité entre sous-mariniers du monde entier, même si nous nous sommes épiés pendant un demi-siècle. Nous avons joué au chat et à la souris par plusieurs centaines de mètres de fond et nous partageons tous des drames plus ou moins proches.

— Ma rédactrice en chef m'a dit que vous connaissiez bien l'affaire et que vous étiez un homme de grande expérience, c'est pourquoi nous avons souhaité nous entretenir avec vous...

— Vous avez bien fait. Voilà bientôt cinq ans que j'ai pris ma retraite de la marine. On m'a proposé ce travail à la mairie, mais je vous assure, cela n'a rien à voir. Ici, les gens sont des politiques, ce sont des petits bonshommes qui ne savent pas raisonner droit. Ils louvoient en permanence. Dans les sous-marins, c'était autre chose, je vous le dis. J'ai commandé des sous-marins pendant quinze ans et je connais tout le monde. J'ai navigué avec le commandant de l'*Oskar*, j'ai même été son instructeur et son patron.

Comme il faisait une pause, le journaliste m'a demandé de lui traduire une longue question, que je lui ai restituée en l'état :

— Notre ami n'est pas venu pour faire la lumière sur le naufrage, mais il affirme qu'une thèse est assez répandue à l'Ouest, selon laquelle l'*Oskar* aurait été coulé par deux sous-marins américains. Il pense, bien sûr, que c'est une hypothèse complètement fantaisiste, mais il vous la soumet, sachant qu'il comprendrait très bien que vous ne vouliez pas répondre.

Notre homme, le regard toujours à l'horizontale, a tourné ses pouces boudinés.

— Je peux en parler, mais avant dites-moi en quoi consiste exactement cette théorie.

Trop content de l'aubaine, le journaliste a exposé la thèse en cours dans les médias de son pays.

— Cette thèse prétend qu'il y avait deux sous-marins américains espions dans la zone de manœuvre russe. C'est l'habitude, semble-t-il.

— Oui, nous faisons la même chose. Je peux vous dire qu'il y avait également un sous-marin anglais.

— On dit aussi que ces manœuvres étaient importantes, parce que l'*Oskar* y testait une nouvelle génération de torpilles Schkval, ces missiles à cavitation qui se déplacent à cinq cents kilomètres à l'heure, devant de hauts gradés chinois qui assistaient à l'exercice.

— C'est en effet ce qu on a dit.

— Les sous-marins américains se seraient approchés de l'*Oskar*. D'après nos informations, l'*Oskar* se mettait alors en position de lancer une torpille, immobile, en immersion périscopique. À cet instant précis, un des sous-marins américains l'aurait heurté de face en remontant le long de la coque. L'*Oskar* aurait immédiatement réagi en ouvrant sa porte avant et en mettant une torpille au tube. L'autre sous-marin américain, après avoir entendu dans son sonar le bruit caractéristique de l'ouverture de porte du lance-torpilles, craignant que l'*Oskar* ne cherche à couler celui qui l'avait heurté, aurait lancé un missile à l'uranium appauvri qui aurait pénétré dans le compartiment des torpilles en faisant exploser l'avant du bâtiment, ce qui aurait causé son naufrage. Je le répète, ça me paraît assez fantaisiste, mais j'aimerais avoir votre point de vue.

Le vieux sous-marinier s'est concentré un court moment avant de répondre :

— Pour ce qui s'est passé, j'ai une théorie qui n'engage que moi. Mais je peux vous dire qu'aucune autre théorie ne tient. Votre théorie française, c'est celle des autorités russes aux premiers moments de la catastrophe, c'est celle que le FSB — nos services secrets — a diffusée sur la planète entière, donc je la connais bien. Vous savez, jeune homme, moi, j'ai soixante ans passés, j'ai servi sur tous les grands sous-marins nucléaires de ce pays et je n'ai pas l'habitude de mâcher mes mots. Si je ne suis pas amiral aujourd'hui, c'est que je n'ai jamais laissé personne me marcher sur les pieds, que ce soient mes supérieurs directs, les rats d'état-major ou encore l'échelon au-dessus, les belettes des services secrets. Les choses ne se sont pas exactement passées de la sorte. Je suis d'accord sur une chose avec la première théorie officielle qui a été complètement démentie depuis, c'est qu'un sous-marin américain est bien à l'origine du naufrage.

Mais il n'a pas lancé de torpille. D'abord, jamais un commandant de sous-marin américain n'aurait lancé une torpille sans en référer à sa hiérarchie, et je n'imagine pas un instant que le commandement naval l'aurait autorisé à tirer sur l'*Oskar*. Ce serait une véritable déclaration de guerre. Ensuite, si la décision est prise, la consigne, dans le cas d'un sous-marin russe de ce type à double coque épaisse, c'est de lancer non pas une mais deux torpilles. Donc, je n'y crois pas. Nous avons passé notre temps à nous télescoper entre sous-marins russes et américains dans toutes les mers du globe et jamais personne n'a envoyé une torpille sous prétexte d'une collision, vous comprenez ? Et pourtant, je peux vous dire que, du temps de la guerre froide, nous étions tous très chatouilleux. Mais il ne m'appartient pas de commenter les raisons pour lesquelles, au tout début de la catastrophe, le FSB a inondé les médias avec cette théorie, ça ne me regarde pas. Maintenant, je vais vous expliquer comment les choses se sont passées.

Nous nous sommes regardés tous les trois, surpris qu'il ait aussi facilement mordu à l'hameçon, alors qu'il se levait pour se saisir de sa maquette de sous-marin et d'une règle d'écolier. Il est revenu s'asseoir en dépliant sa cravate prisonnière de son ventre dans la manœuvre. En l'observant, je me suis demandé un court instant si nous étions en train de lui offrir une seconde jeunesse qui le rendait insensible à tout risque de représailles ou s'il était tout simplement sur le point de nous manipuler. Alors que j'étudiais le moindre battement de ses cils, circonspect, il a commencé sa démonstration, tenant dans une main la miniature, dans l'autre la règle.

— C'est bien un sous-marin américain qui a coulé l'*Oskar*. Il était en observation dans la zone, ce qui est assez fréquent lors de manœuvres, nous l'avons dit. Le sous-marin américain, sans être aussi imposant que l'*Oskar*, était tout de même un très gros bâtiment, ce que nous appelons, dans notre jargon, un classe IV, un type *Los Angeles*, 24 000 tonnes. Donc, regardez bien ! Le *Los Angeles* se tenait derrière l'*Oskar* à courte distance. Je pense que son équipage était sur les dents, car à cet endroit, dans la mer de Barents, la profondeur est faible, cent mètres environ, et l'*Oskar* faisait à lui seul une quarantaine de mètres de haut, vous comprenez. De plus, vous devez savoir qu'à cette profondeur, les conditions d'écoute par sonar sont détériorées et qu'en plus de cela les bruits sont multipliés par les dizaines de bateaux qui manœuvrent en surface. Comme vous le savez, l'*Oskar* se préparait à faire un tir d'essai. Ce qui s'est passé, et je peux vous l'assurer, c'est que pour se mettre en position de tir il a tourné à droite, il est remonté à la hauteur de l'immersion périscopique, et là, il s'est immobilisé. Le *Los Angeles* n'a rien compris à la manœuvre et, lancé à bonne vitesse, il a heurté l'*Oskar*. Comme il était plus bas que l'*Oskar* qui venait de remonter à l'immersion périscopique, son kiosque a déchiré la coque à hauteur des batteries sous le poste de commandement. C'est la première explosion qu'ont entendue les sismographes norvégiens. Ensuite, l'eau est entrée dans les batteries et le feu a pris à plus de mille degrés. Deux minutes plus tard le compartiment des torpilles a explosé en coulant le navire. Alors, vous allez me dire que la collision aurait dû arracher le kiosque du *Los Angeles*. Mais il faut savoir que ces sous-marins sont équipés pour faire surface dans l'Arctique et l'Antarctique et que leurs kiosques sont dessinés et renforcés pour leur permettre de briser la glace qui est en surface, sans subir le moindre dommage. Pourtant j'ai la preuve que le sous-marin américain a été endommagé, car sa balise de détresse s'est déclenchée, et quelques minutes plus tard notre aviation a vu un sous-marin américain qui faisait route en direction de la Norvège, où il a réparé, c'est une certitude, nous avons des clichés.

Il s'est interrompu. Il semblait soulagé. Il a sorti un mouchoir de sa poche, s'est essuyé le front soigneusement de gauche à droite. Le journaliste m'a demandé de traduire une question.

— Le sous-marin s'est alors, à la suite de l'explosion qui lui a arraché l'avant, échoué sur le fond à cent mètres de profondeur, c'est cela ?

— C'est cela.

— Et vous pensez que des sous-mariniers ont survécu aux deux explosions?

— Nous avions cent dix-huit sous-mariniers à bord. Tous ceux qui se trouvaient dans les six premiers compartiments sont morts du fait de l'explosion. À l'arrière, en fermant les portes étanches, vingt-trois hommes d'équipage ont survécu. Mais à mon avis pas plus de huit ou neuf heures.

— Dans la presse internationale, on a parlé de deux ou trois jours.

— Je ne crois pas. On a retrouvé des lettres écrites par ces marins qui laissent penser qu'ils n'ont pas vécu plus de quelques heures.

— Et personne n'a essayé de les sauver.

— Si, bien sûr, on a fait tout ce qu'on a pu. Mais, lorsque notre appareil de sauvetage est arrivé sur les lieux, il n'a pas pu ouvrir la porte du sas de sécurité qui se trouve à l'arrière, près des survivants. Il était coincé car, du fait de l'explosion, toute la structure a vrillé, la coque s'est déformée et nos spécialistes n'ont rien pu faire. Je sais ce que vous pensez, c'est une mort horrible que celle de ces gars réfugiés à l'arrière, qui entendent les secours s'approcher, s'éloigner et puis plus rien. Personne, mieux que moi, ne peut savoir ce qu'ils ont ressenti. Des avaries, j'en ai connu, vous savez. J'ai même été sur le K-19, ce sous-marin victime d'une avarie nucléaire dont on a fait un film avec Harrison Ford. J'ai navigué sur ce bâtiment. Le pire, c'est le feu à bord. Une fois, nous avons eu une explosion en profondeur et plusieurs de mes hommes sont morts. Nous avons accosté sur une île, nous sommes sortis avec des barres métalliques, nous avons creusé leurs tombes. Une autre fois, nous avons fait des funérailles en pleine mer en jetant les corps dans un linceul blanc.

Il s'est interrompu, le regard vague et embué. Puis il a repris :

— Et pourtant, je n'échangerais ma vie pour rien au monde. Ici, j'ai l'impression d'être une pièce de musée. Les gens qui travaillent dans cette mairie, ce n'est rien dans l'échelle des valeurs humaines. Mon fils a essayé de me succéder, mais il a renoncé. Sa femme a divorcé alors qu'ils venaient juste d'avoir un enfant. À quoi ça rime de vivre comme un damné sous l'eau quand, sur terre, les conditions de vie s'améliorent au point que l'argent devient presque facile ? Ils nous ont abandonnés, tous, ils ne payaient plus la solde, il fallait se battre pour avoir de la nourriture décente, on a presque laissé crever de faim des équipages stationnés. Dans certaines bases, j'ai même vu des enfants de sous-mariniers qui souffraient de malnutrition. Un jour, j'ai sorti mon arme devant un officier de l'état-major qui nous affamait, j'ai bien cru que j'allais le tuer. J'ai été blâmé. Je crois que ça va mieux aujourd'hui, mais ça ne sera jamais plus pareil.

Le journaliste regardait intensément notre interlocuteur, impressionné par son humanité qui se dévoilait crescendo. Puis le barrage s'est fissuré avant de céder complètement dans un hymne à ses frères, à ces hommes qui ont bravé pendant tant d'années la claustrophobie. Il était intarissable sur son corps de métier qui, contrairement aux pilotes de chasse qui cherchent l'exploit individuel, est une véritable communauté d'hommes dépendant les uns des autres, où la hiérarchie n'est respectée que si elle est liée à une compétence reconnue, et que le supérieur a démontré, au moins une fois, le soin qu'il a de ses hommes. À aucun moment il n'a remis en question son rôle, ni celui de ses camarades, engagés dans une course morbide à l'anéantissement de notre planète. Peut-être pensait-il que, confiée à ses mains et à celles de ses semblables, jamais notre destinée n'avait été mieux protégée, s'identifiant à un rempart de chevaliers contre la barbarie des bureaucrates miteux de tout bord. Nous le sentions revivre à notre contact et nous redoutions pour lui l'instant de notre séparation. À aucun moment il n'a demandé vengeance pour les victimes du submersible éperonné. Il a mentionné que l'amiral commandant la flotte du Nord l'avait fait. Il le connaissait bien, et je n'ai pas voulu aborder la rumeur selon laquelle l'amiral devant le désastre de la disparition de ses hommes, dans des profondeurs si accessibles, avait tenté de mettre fin à ses jours. Je pensais qu'une telle question ne manquerait pas de le mettre dans l'embarras. Nous l'avons quitté alors que l'heure du déjeuner était derrière nous. Nous n'avons pas beaucoup commenté ce premier entretien sur le chemin du retour, il faisait trop froid, le vent nous giflait et nous ne savions plus comment nous en protéger.

En quelques minutes, nous avons rejoint le restaurant qui se trouvait au rez-de-chaussée de mon immeuble. Une fois sa double porte franchie, la chaleur nous a enveloppés, sensation accentuée par les lambris qui recouvraient les murs. Le lieu était bondé malgré l'heure un peu tardive, des jeunes surtout, attablés avec la même désinvolture et la même insouciance, j'imagine, que dans n'importe quelle ville occidentale. Ils me paraissaient étrangement loin de notre sujet. Pourtant, pas un de ceux qui s'agitaient un verre à la main, une cigarette aux lèvres, n'ignorait la catastrophe. La plupart d'entre eux connaissaient directement ou indirectement une victime ou un parent de victime, aucun n'avait pu rester complètement à l'écart. Et pourtant, combien tenteraient de savoir ce qui s'était réellement passé? Cette tragédie avait suscité des pleurs, une émotion sans lendemain et des questions qui subissent le cycle d'un produit de consommation. L'attrait pour cette tragédie avait décliné pour entrer dans l'histoire d'une vieille nation qui s'évertue à vieillir ses jeunes en les plombant de la pesanteur des drames.

La patronne était une femme brune, petite et ronde, à lunettes effilées cerclées d'écailles noires, qui avait donné à son restaurant un nom italien hérité sans doute de son premier voyage à l'Ouest, du temps de la « perestroïka ». Sans avoir besoin de s'approcher de notre table pour savoir qu'on y parlait le français, elle a interrompu la musique vaguement américaine diffusée dans le restaurant pour lui substituer une véritable anthologie de la variété française, de Dalida, Joe Dassin à Patricia Kaas. Notre Français l'a remerciée d'un signe de la tête qu'elle s'est empressée de lui rendre. Ma fille était songeuse. Il était difficile de discerner le sujet de ses pensées, mais je la sentais profondément retournée par cette situation à laquelle elle ne s'était pas préparée. Elle s'y était jetée comme s'il s'agissait d'une fiction, d'événements auxquels elle était extérieure. Je me suis senti coupable de l'avoir encouragée à aider ce Français.

— Je ne m'attendais pas à rencontrer quelqu'un d'aussi sincère, a lâché ce dernier en regardant la carte en anglais qu'une ravissante serveuse blonde lui avait donnée. Cet homme ne peut pas mentir.

— Mentir, je ne crois pas, ai-je répondu, mais de là à dire la vérité, il reste du chemin.

— Qu'est-ce que vous voulez dire?

— Je le crois convaincu de ce qu'il avance. Il y a quelques années à peine, sa véhémence contre les autorités l'aurait décrédibilisé. Seul un homme lié au KGB pouvait parler ainsi. Aujourd'hui, c'est différent, bien que la liberté d'expression soit apparente, surtout pour un officier qui donne son opinion sur une affaire d'État. Mais cet homme n'était assurément pas dans les dispositions d'esprit de quelqu'un qui tente de nous abuser, ou alors c'est un immense comédien. Mais il ne faut pas exclure qu'il se soit abusé lui-même.

— Et comment?

— Parce que son esprit n'est pas ouvert à toutes les hypothèses. Il y en a une qu'il s'interdit en particulier, par esprit de corps, c'est celle d'une faute de l'un de ses pairs, le commandant du sous-marin. Même si celui-ci venait d'être décoré pour des faits d'espionnage de première qualité, avec le même navire, en Méditerranée, où l'on prétend qu'il a pisté bon nombre de navires de l'Otan sans se faire repérer, rien n'exclut qu'il ait fait une erreur. Cela dit, sa thèse est plausible, au moins autant que toutes les autres. Les faits qu'il avance sont vraisemblables, sauf un qui est démenti par la réalité. Et que ce fait ne tienne pas, c'est tout l'édifice qui est menacé.

— Vous voulez parler de quoi, au juste?

— Du sas de sécurité. Il prétend que le petit sous-marin de secours qui a été dépêché sur les lieux n'a pas été en mesure d'ouvrir le sas de sécurité situé à l'arrière du bateau. C'est vrai, sauf qu'il justifie cette incapacité par le fait que le bateau était vrillé par l'explosion, ce qui bloquait cette issue de secours. Or, lorsque des étrangers, appelés plus tard à faire la même manœuvre, sont arrivés sur le site, ils ont trouvé un sas en parfait état de fonctionnement, et ils l'ont ouvert en quelques minutes. Il se trouve simplement, et cela il n'a pas souhaité en parler, que le bathyscaphe russe utilisé pour approcher l'épave était un vieux modèle des années soixante, mal entretenu et piloté par un équipage sans expérience. Ils ont été incapables d'ajuster leur ventouse sur le sas, au prétexte qu'il y avait une forte houle, alors qu'en réalité, ils étaient comme des enfants qui conduisent une voiture pour la première fois et qui n'ont pas les jambes assez longues pour toucher les pédales et voir la route en même temps. Cet officier nous a donc caché une partie de la vérité. Alors, comment le croire pour le reste?

— Et vous pensez que le reste ne tient pas?

— Je n'ai pas dit ça. Il est vrai que cet homme est un proche sinon un ami de l'amiral Popovitch, le patron de la flotte du Nord avec qui il a fait toute sa carrière et qui est une des rares personnes à savoir ce qui s'est vraiment passé. Sauf que cet amiral a été limogé, puis on l'a nommé sénateur, en échange de son silence. Popovitch a toujours dit qu'il savait tout, mais qu'il ne dirait rien avant des années. J'imagine qu'il n'a pas l'intention de perdre son nouvel emploi. Ainsi, si cet amiral qui sait exactement ce qui s'est passé ne dit rien, comment expliquer alors qu'un de ses amis nous dise tout aussi spontanément?

— C'est bien ce que je me demande.

Je me suis interrompu, surpris de réaliser que je me prenais au jeu de cette enquête comme si ce drame m'était étranger.

— Les choses vont bien au-delà de ça. Vous savez qu'il existe une théorie officielle, maintenant très différente de la thèse initiale du FSB que vous lui avez exposée, et qu'il connaît très bien. Cette théorie officielle nous dit qu'une torpille défectueuse est seule responsable de la catastrophe. C'est cette fameuse torpille qui était mise au tube au moment où le submersible aurait été éperonné, selon notre ami, par le sous-marin américain. Alors la vraie question est de savoir pourquoi il ne reprend pas la théorie officielle à son compte.

— Pourquoi?

— Parce que cet officier supérieur est à la retraite, qu'il n'a rien à perdre et qu'il a échafaudé la théorie la plus proche de l'idée qu'il se fait de la marine à laquelle il a consacré sa vie.

Anna avait prévu d'emmener Thomas, puisque c'est ainsi qu'il se prénommait, sur un bateau de pêche de la flotte de Boris pour prendre la mesure visuelle du théâtre des opérations. Mais la conversation avec l'officier en retraite avait trop duré, et la nuit reprenait déjà ses minces concessions à la lumière. Le brouillard de son côté déroulait sa nappe. J'en faisais part à Thomas, alors que nous sortions du restaurant, lui montrant les lampadaires étouffés par la ouate. J'ai fait avec eux le bout de chemin qui menait à l'hôtel où Anna avait prévu de travailler avec lui sur les dossiers qu'elle avait minutieusement préparés.

Alors que chacun se défendait maladroitement contre le froid en marchant, j'ai glissé au journaliste :

— La vérité doit bien exister quelque part. Mais on peut s'en priver de bonne foi, voyez l'exemple de cet officier. Vous ne saurez jamais le fin mot de l'histoire, mais vous pouvez décider de vous la raconter d'une façon ou d'une autre. C'est déjà un progrès par rapport à celle qu'on essaye de vous imposer.

Je me réjouissais d'avoir mon après-midi libre et j'espérais qu'Alexandra serait chez elle.

Je suis d'abord passé chez moi. Ekaterina et sa mère étaient devant la télévision. À toute heure, elles regardaient la télévision. Je me demande si elles ne la regardaient pas aussi quand elle était éteinte. La Babouchka brodait pendant que ma femme fixait l'écran, les mains jointes enserrées dans le pli de ses cuisses jointes. La grand-mère symbolisait la patience du peuple russe. Elle prenait du plaisir à cette nouvelle lenteur que nous imposaient les circonstances. Elle m'a fait un sourire qui mobilise le minimum de muscles alors qu'Ekaterina ne parvenait pas à décoller ses yeux du poste. Cette femme autrefois si cultivée se laissait porter contre son gré par des programmes affligeants faits de petites histoires à l'eau de rose, tirées d'une réalité embaumée. J'ai refermé discrètement la porte, je me suis rhabillé comme pour sortir et je suis allé frapper à la porte d'Alexandra, l'oreille tendue au moindre bruit de pas. Elle était pieds nus, car je ne l'ai pas entendue venir et je désespérais déjà de la voir lorsqu'elle est apparue. Je l'ai embrassée vigoureusement pendant que je fermais la porte derrière moi avec mon talon. C'est le genre d'étreinte qui donne raison à n'importe quelle relation entre deux êtres, car elle vous dépouille en un clin d'œil du sentiment de solitude contre lequel on passe notre vie à s'épuiser. La question ne s'est pas posée de ce que nous allions faire. Elle m'a entraîné dans sa petite chambre et nous nous sommes déshabillés sans moins de précipitation que si nos vêtements avaient été en flammes. J'ai piqué droit sur son intimité que ma bouche n'a quittée que pour me glisser en elle. Le lit aux ressorts fatigués s'est mis à couiner comme s'il était chargé par la cité entière de faire écho à nos ébats. Nous avons crié, probablement l'un et l'autre pour la première fois de notre existence. Puis nous sommes retombés comme deux fétus de paille, enlacés, essoufflés et plein d'espoir, car notre bonheur ne tenait qu'à ça et au fait que nous avions appris depuis toujours à considérer l'avenir comme un ennemi politique. Il devait être écrit que nous n'avions pas l'intention de donner au désir la moindre chance de survie, car nous avons recommencé jusqu'à ce que nos organes nous implorent de renoncer. Mais tout cet intermède, si intense fût-il, n'avait pas duré si longtemps et il nous restait du temps.

J'aurais voulu lui montrer l'isba, mais la route qui y menait était trop longue. Nous aurions aussi bien pu faire les magasins, ces boutiques de marques occidentales qui fleurissaient sur l'artère principale, proposant des vêtements qui font ressembler à de bons bourgeois scandinaves. Il était un peu tôt pour se montrer ensemble dans ces lieux fréquentés par des gens que nous connaissions l'un et l'autre. Et puis elle n'avait pas d'argent et je n'avais pas le cœur à dépenser celui que je venais de recevoir dans des futilités sans perspective. Jouer relevait d'un principe différent. On ne joue pas avec l'idée de perdre. Au pire, on imagine revenir avec la somme misée. Le casino faisait un angle dans une petite rue qui descendait, après avoir tourné à droite, à deux blocs d'immeubles, dans la rue principale. Emmitouflés comme nous l'étions, bras dessus bras dessous, personne ne risquait de nous reconnaître et, de toute façon, les rares promeneurs marchaient en regardant la pointe de leurs chaussures pour éviter la morsure du vent qui s'engouffrait entre les immeubles staliniens, excité comme un petit enfant qui se promène nu au milieu du grand monde. Le casino était sinistre. De l'extérieur, on aurait dit un lieu de passes un peu honteux qui s'obligeait tout de même à clignoter rouge pour attirer le chaland. De l'intérieur, il émanait comme une odeur d'espoir rance d'hommes et de femmes sans allure qui venaient chercher la fortune dans ce lieu de misère, dernière halte avant la déchéance absolue. Nous ne nous sommes pas laissé déprimer et, sans un regard pour cette humanité soldée, nous avons fait cap sur la roulette. Les vrais joueurs sont en général de bonne compagnie, car ils ne sont ni avares ni cupides. Ils cherchent dans le hasard à discerner un ordre qui ne se montre qu'avec les scrupules d'une vierge pour s'évanouir comme dans un songe. Ceux qui ne les aiment pas leur reprochent de ne pas partager leur idéal de petits-bourgeois, capables qu'ils sont d'un revers de manche d'envoyer voler des années de labeur. Nous étions seuls à la roulette, les autres préféraient les machines à sous qui ne laissent même pas au joueur l'illusion de bâtir une stratégie. Nous avons misé des petites sommes, et je m'étais fixé comme limite l'argent que me devait le Français pour mes deux premiers jours avec lui. Alexandra choisissait les chiffres et moi les couleurs. En une demi-heure, nous avons récupéré notre argent et gagné de quoi nous payer une bonne bouteille de vin avec un tas de petites friandises salées autour. Après avoir empoché nos gains, nous nous sommes précipités en dehors de la salle de jeux, et j'ai même pu acheter une bonne bouteille de vodka en plus de ce que nous avions prévu. Nous sommes rentrés à son appartement, poussés par le blizzard. Nous avons refait l'amour pendant que sa gazinière peinait à dorer les toasts. Mais j'avais un peu préjugé de ma capacité à conclure cette nouvelle étreinte, alors les toasts ont brûlé. Nous avons passé un petit moment à gratter le charbon qui les recouvrait, puis nous avons dignement fêté cette journée de gloire. Si nous avions moins bu, je ne sais pas si nous aurions eu exactement cette conversation :

— Penses-tu que nous allons vivre une passion, Pavel, m'a demandé Alexandra en glissant du canapé où elle était assise, repue et franchement grise.

— Certainement pas, ai-je répondu. J'ai lu — je crois que c'était dans Freud — que la passion est une forme d'onanisme. Nous ne sommes pas assez égoïstes pour nous aimer passionnément. Dans la passion, l'objet n'a aucune importance, seule compte l'illusion de vivre dans l'absolu. C'est un peu comme l'idéologie, alors ce n'est vraiment pas pour nous.

Elle s'est levée, elle m'a embrassé avec beaucoup de tendresse. Je l'ai regardée marcher, en culotte, les fesses lourdes et fières malgré quelques atteintes de cellulite en haut des cuisses. Elle s'est assise derrière un petit piano que je n'avais jamais remarqué jusque-là et elle a joué quelques morceaux assez alertes, tirés dans le désordre de l'œuvre de Janáček. Elle est ensuite revenue se blottir contre moi, comme si elle avait souffert de la séparation due à cet intermède musical. Et nous sommes restés l'un contre l'autre à dégriser, en tirant sur des cigarettes qui dégageaient une fumée bleue épaisse qui peinait à s'élever. Je pensais. Dans ces moments de bien-être, les pensées sont autonomes, elles nous mènent, et cette divagation est parfois salutaire. J'avais vécu sans elle pendant quarante-huit ans et je n'imaginais pas qu'il en fût ainsi pour les prochaines années. Je ne la connaissais pas encore bien, mais j'avais le sentiment que je ne la connaîtrais jamais beaucoup plus et que c'était bien suffisant. Elle offrait énormément d'elle-même en peu de temps, sans le moindre calcul ni la moindre exigence. Quand elle m'a demandé à quoi je pensais, j'ai menti.

— À Staline.

J'ai tout de même souri pour lui montrer que je parlais au second degré. Elle s'est prise au jeu :

— Et que pensais-tu à propos de Staline ?

En prenant le bout de ses doigts entre les miens je lui ai lancé :

— Sais-tu qu'on s'apprête en deux endroits de la Russie à ériger une statue de Staline ? Et personne ne dit rien. Les Allemands feraient la même chose avec Hitler, ce serait un tollé mondial. Mais, après tout, on nous dit que Staline n'était pas si mauvais, il a sauvé la nation des barbares, et si on doit le critiquer, c'est uniquement parce qu'il a dévié du communisme, une idéologie généreuse. Alors moi je dis que, si Staline n'est qu'une déviation du communisme, Hitler n'était qu'une déviation de l'antisémitisme.

— Mais, Pavel, pourquoi Dieu viens-tu me parler de Staline, là, maintenant, alors que nous sommes si bien?

— Simple digression d'ivrogne. Je pensais à toi, et à toi seulement, je te le jure, et puis j'en suis venu à penser à ma mère qui n'a jamais connu le moindre bonheur. J'étais en train de lui dédier le mien avec toi, et puis m'est venu le souvenir de celui qui lui a interdit le bonheur, le camarade Staline, car, tu ne le sais probablement pas, sa vie a été attachée à la sienne un temps assez long, malgré son jeune âge, pour que le reste de son existence ne soit que survie. Mais nous n'avons plus le temps de parler de tout ça.

Je me suis rhabillé, elle s'est accrochée à mon cou, ses deux mains se saisissant de l'arrière de ma tête comme on porte un enfant sur les fonts baptismaux, et elle m'a embrassé longuement. Nous étions devenus subitement sans âge, débarrassés du temps et de son diktat. C'était l'heure du dîner de l'autre côté du couloir, préparé sans doute, comme à l'ordinaire, par la camarade grand-mère, et dans mon accès d'allégresse, je me suis demandé si je n'allais pas la prier de le partager avec nous, pour une fois.

Je rajustais mes vêtements en fermant la porte de l'appartement d'Alexandra, lorsque Anna m'a surpris. Si je n'avais pas eu l'air gêné, elle n'aurait probablement rien remarqué, mais tout indiquait que je ne sortais pas d'une visite de pure courtoisie. Elle n'a pas dit un mot tant que nous n'avons pas été chez nous. Puis, à voix basse, comme si l'on risquait de nous entendre :

— Qu'est-ce que tu faisais à côté?

Elle m'aurait surpris quittant une maison close, je n'aurais pas été dans un pire embarras. J'ai répondu très platement :

— Je rendais visite à notre voisine.

— Une visite qui justifie que tu resserres ta ceinture en sortant?

— Qu'est-ce que tu sous-entends?

— Je ne sous-entends rien, tu as l'air ridicule d'un homme pris en flagrant délit de conspirer...

— De conspirer pour mon bonheur, l'ai-je interrompu.

— Comment peux-tu associer ton bonheur à une trahison?

— Qui parle de trahison?

— Tu ne crois pas que j'ai vu comment elle te regardait pendant toutes ces années où elle vivait dans l'appartement communautaire? Ainsi, elle est ta maîtresse depuis tout ce temps-là. Et moi qui essayais de faire la part des choses dans votre désaccord, je comprends seulement maintenant que ma mère réagissait en femme blessée, pour ne pas dire humiliée.

J'ai haussé la voix :

— Anna, garde-toi de porter des jugements simples sur des choses complexes.

— Tu trouves que notre famille n'est pas déjà assez atteinte, que tu doives encore la salir par ta duplicité. Tout le monde va finir par le savoir, c'est ça que tu veux?

— Parce que c'est la rumeur qui t'inquiète?

— Non, ce n'est pas la rumeur, mais tu crois que ce n'était déjà pas assez difficile de voir ma mère diminuée à ce point pour apprendre que, pendant qu'elle lutte contre le désespoir de son état, tu prends du bon temps avec cette femme.

J'ai ravalé une colère qui pointait pour me montrer rassurant.

— Je t'arrête tout de suite. Les choses ne sont pas telles que tu le crois. Le meilleur moyen de rendre détestables des situations, c'est de les simplifier à l'extrême par le biais moral. On ne peut pas juger d'un couple de l'extérieur, car chacun n'est pas tel qu'il veut apparaître, tu comprends? Je t'en prie, nous reprendrons cette conversation plus tard, mais, avant, il faudra que tu te prépares à tout entendre.

Soudainement, elle s'est mise à pleurer.

— Mais je ne veux rien entendre, rien, je ne veux rien savoir, je veux seulement que tu respectes ma mère.

Ce cri venait de telles profondeurs que je n'ai rien su répondre. Puis j'ai avancé timidement :

— Mais tu ne veux pas que je sois un peu heureux, de mon côté ?

Elle s'est soudainement rebiffée, ses larmes séchées comme si un vent de sable s'était levé sur son visage :

— Parce que tu peux être heureux après tout ce que nous avons subi, hein, c'est ça que tu es en train de me dire ? Pendant que le sort s'acharne sans répit depuis des mois sur notre famille, mon père s'emploie au bonheur, mais je rêve ou quoi ?

— Calme-toi, Anna, nous ne pouvons pas discuter sereinement, il faut remettre cette conversation à un peu plus tard.

Elle a éclaté de nouveau en sanglots.

— Et moi qui t'admirais pour le courage que tu montrais à gérer toute cette misère, toi qui étais mon seul réconfort, comment veux-tu que je puisse accepter de te voir déchoir avec la bassesse de quelqu'un qui mendie du bonheur ? Non, je ne le pourrai pas... jamais...

— Il faudra bien que tu abandonnes un jour tes idéaux de petite fille pour accepter le monde tel qu'il est, c'est ça devenir adulte, Anna, et tu refuses de te conduire en adulte.

Nous étions restés coincés dans le couloir, et la Babouchka, qui s'apprêtait à sortir, nous en a libérés avec son air poli. Anna a repris un peu de contenance et moi, de peur de me retrouver seul en face d'Anna pour le dîner, j'ai encouragé la vieille à partager le nôtre. Elle en est restée comme deux ronds de flanc, puis elle a enlevé son écharpe et son vieux manteau limé et, avec l'air emprunté d'une invitée, elle s'est dirigée vers le salon.

Ce dîner de famille s'annonçait mortel. J'étais profondément blessé d'avoir vu fondre en quelques minutes l'estime que me portait ma fille. Juste au moment où elle me l'avait avouée, elle me la reprenait. Je voulais me convaincre que l'intelligence d'Anna, pour peu que j'aie l'occasion de lui donner quelques clés, allait prendre le pas sur son émotivité. Elle se rongea les ongles de plus belle, alors que sous la table elle laissait sa jambe droite trembler nerveusement pour absorber sa contrariété. Ekaterina, prévenue du dîner, s'est attablée sans la moindre lueur dans le regard, et son état pitoyable, je le sentais, ne faisait que grandir la rancœur de ma fille pour ce père inconséquent qui trouvait moyen de se préoccuper de lui alors que tout s'effondrait alentour. Ekaterina a mangé sa soupe sans dire un mot, la Babouchka en a fait autant, son sourire politique en plus, et Anna s'est débarrassée de son dîner pour fuir au plus vite. Je n'avais pas de souvenir récent d'un tel accablement collectif. Anna s'est enfin levée pour rejoindre les siens, les jeunes de sa génération. Je craignais qu'elle ne me veuille plus auprès d'elle pour accompagner le journaliste mais, je l'ai perçu comme un bon signe, son professionnalisme a pris le dessus sur le besoin qu'elle avait de me fuir. Après son départ et celui de la Babouchka, je suis resté dans le canapé à ne rien faire, accablé. Anna avait été fulgurante de clairvoyance sur la base d'un indice minuscule, un cran de ceinture devant l'appartement d'une femme, et moi submergé au point de ne pas être capable de nier. Ekaterina est partie se coucher comme un fantôme qui rejoint sa base. J'ai mis de la musique doucement pour ne pas la déranger. J'ai longuement regardé le visage de Chostakovitch sur la pochette du disque en me demandant comment de telles mélodies pouvaient sortir de la tête d'un clerc de notaire. Je me suis souvenu de Jdanov demandant justement cette tête à Staline au prétexte qu'on ne pouvait pas fredonner sa musique, preuve qu'il était ennemi du peuple.

La sonnerie à la porte m'a sorti de ma torpeur. Je suis allé ouvrir, la peur au ventre, comme si Anna venait reprendre mon procès ou que le FSB débarquait pour m'emmener dans ses bureaux parce que je n'avais pas respecté mes engagements à l'égard de notre gouvernement. J'ai été tout autant rassuré que surpris de voir Evguenia apparaître dans le chambranle de la porte. Elle était plus sombre que la pénombre de la cage d'escalier, emmitouflée dans plusieurs couches de vêtements. Elle s'excusait déjà d'être venue et se tenait prête à repartir, et j'ai dû insister pour qu'elle se défasse un peu. Elle avait été jadis une très belle femme, mais la douleur autant que le temps avaient ravagé ce visage où seuls ses yeux mauves et son nez parfait témoignaient de sa splendeur passée.

— Je ne vais pas te déranger longtemps, Pavel.

— Tu ne me déranges pas, Evguenia, en tout cas tu ne me dérangeras jamais autant que le remords que j'ai de ne pas avoir pris plus soin de toi jusqu'ici. Je sais que Boris s'occupe de toi, un peu en notre nom à tous les deux, mais je dois t'avouer que je suis un peu lâche, Evguenia. Anton était notre meilleur ami, à Boris et à moi, et j'ai assez de grands souvenirs avec lui pour le garder chaleureusement au fond de ma mémoire jusqu'à la fin de mes jours, mais je voudrais que tu comprennes que ta douleur te renvoie tellement à la mienne, elle trouble tant mes efforts pour oublier que...

— Je comprends très bien, Pavel, et je ne te reproche rien. Mais je vais être franc avec toi, peut-être sais-tu que les choses n'allaient pas si bien entre Anton et moi, les derniers temps, et je me demande si tu ne me reproches pas de ne pas avoir donné à ton ami très cher tout le bonheur qu'il méritait.

— Oh non! Evguenia, enlève-toi cette idée de l'esprit, je n'en savais pas grand-chose, et même si j'avais été au courant de tout, je n'aurais jamais pris parti pour l'un ou pour l'autre. Les histoires de couple sont les plus compliquées et les moins faciles à analyser pour ceux qui leur sont extérieurs, il se crée parfois une alchimie qui échappe à l'entendement et à ce qu'on voudrait mettre de raison dans tout ça. Tiens! Fais-moi plaisir et assieds-toi, nous avons tout le temps, Ekaterina dort et moi, je suis bien loin d'en avoir envie.

Je me suis levé, pour aller prendre dans le buffet deux verres que j'ai remplis de vodka jusqu'au bord.

— J'en ai gros sur le cœur, Pavel, et je voulais te dire comment se sont passées les choses ce jour-là. Boris est très prévenant avec moi, mais je n'ai pas pu lui raconter, peut-être parce qu'il n'est pas autant impliqué. Lors de son avant-dernière mission, la dernière avant le drame, Anton est parti trois mois sans revenir. Le jour de son retour, son sous-marin était à quai, et je sais qu'il n'est pas rentré tout de suite à la maison. Je l'ai su parce que notre voisin dans la cité était officier sur le même bateau que lui. Ce jour-là j'ai entendu des pas dans le couloir, je me suis précipitée à la porte, j'ai ouvert et je suis tombé sur cet officier qui m'a dit qu'ils avaient accosté une demi-heure avant. Anton, lui, n'est rentré qu'une heure après. Et quand je lui ai demandé pourquoi, il n'a pas voulu me répondre, il s'est servi à boire, il a descendu la moitié d'une bouteille de vodka et il a allumé la télévision. Alors, moi qui avais attendu une heure et demie ajoutée à trois longs mois, j'ai explosé. J'ai cassé tout ce qu'il y avait à casser dans le salon pendant qu'il tenait sa bouteille et son verre serrés contre lui. J'ai fini par me calmer, nous ne sommes pas si riches pour anéantir le peu que nous possédons. Et puis les semaines ont passé sans que nous en reparlions. Et, la veille du jour où il a embarqué sur l'*Oskar*, je lui ai dit que j'allais le quitter. Je ne pouvais pas, n'est-ce pas, Pavel, je ne pouvais pas savoir que, le lendemain, il allait être appelé sur l'*Oskar*, car il y avait deux équipages de réserve. Et quand il s'est mis en tenue pour se rendre au quai, j'ai eu des regrets, je voulais lui dire que j'aurais simplement souhaité qu'il me parle, qu'il m'explique pourquoi la fois précédente il ne s'était pas précipité pour venir m'embrasser, après trois mois de mer, tu peux comprendre ça, n'est-ce pas, moi je n'existais plus. Comment peut-on demander à une femme d'exister quand son mari l'a laissée pour trois mois de mer et qu'à son retour il ne rentre pas directement à la maison? Comment peut-on endurer une chose pareille, quel degré de soumission faut-il accepter, tu comprends, Pavel ?

— Je comprends, Evguenia.

— Et alors, quand nous avons appris que l'*Oskar* était au fond de l'eau, je pensais que j'allais encore pouvoir m'expliquer avec lui, parce qu'on nous disait qu'on entendait frapper contre la coque et c'était vrai. Quand la rumeur s'est répandue qu'il y avait eu une explosion à l'avant du bateau, mais qu'il y avait probablement des survivants à l'arrière, je te jure devant Dieu que j'étais certaine qu'il faisait partie des survivants et qu'on allait pouvoir le remonter puisqu'il travaillait dans un des derniers compartiments, enfin, pardonne-moi, je ne devrais pas te dire ça parce que je sais enfin... je suis désolée, Pavel, ma souffrance n'est certainement pas plus grande que celle des autres, mais c'est tellement injuste qu'il soit parti avec la certitude que j'allais le quitter, car, quoi que je fasse désormais, nous serons séparés pour toujours, même s'il existe une vie après la mort, on ne me permettra jamais de le rejoindre, tu comprends, je suis damnée...

Et elle s'est mise à pleurer, les yeux déchirés par un flot de larmes, le visage dans les mains. J'ai tenté de la consoler, mais rien n'y faisait. Au bout d'un moment elle s'est reprise en s'essuyant les yeux, mais sa détresse était toujours profonde. Je me suis remis à parler pour faire diversion :

— Je sais qu'Anton était préoccupé. Tu sais comment il était, de nous trois, il était celui qui s'exprimait le moins. C'était un vrai marin, il ne montrait pas beaucoup ses sentiments et n'offrait à ses amis que le meilleur de lui-même, l'humour et les rires. Mais il était profondément humilié de devoir aller chasser et pêcher tous les jours où il n'était pas en mer, parce que la marine ne payait plus les soldes depuis des mois. Si tu veux que je te dise mon sentiment, il n'y croyait plus, tous ses idéaux s'effondraient l'un après l'autre. Il n'y avait pas que le manque d'argent. Je crois, même s'il n'en parlait jamais très ouvertement, surtout devant moi, qu'il avait découvert qu'il se passait de drôles de choses à la base.

— De drôles de choses?

— Oui, un trafic. Certains types de l'état-major se sont organisé un petit trafic de pièces détachées. Ils vendaient des pièces qui avaient une valeur technologique ou des composants précieux. Ils étaient comme ces clochards qui renversent une poubelle d'immeuble entière pour en retirer une bouteille consignée. Il me semble qu'Anton avait la preuve de ces vols et de tout le marché noir qui s'était organisé autour. Anton n'a jamais été un délateur, d'où les scrupules qu'il avait de s'en ouvrir à ses supérieurs, d'autant qu'il ne savait pas exactement qui était impliqué. Tout ce que je te dis, c'est Boris qui m'en a parlé, car Anton, pour ne pas m'inquiéter, n'a jamais voulu me faire part de la gravité de ses découvertes. Le pire à ses yeux, ce n'était pas tant que ces types s'enrichissaient sur le bien public, mais qu'ils le faisaient, eux des planqués de l'état-major, en faisant risquer leur vie aux navigants, parce que la maintenance des bâtiments en souffrait, on rafistolait vraiment les sous-marins au lieu de les réparer. Et quand il s'agit de propulsion nucléaire, ce qui était sa spécialité, on sait ce que ça veut dire. Il faisait une vraie dépression, ces derniers temps, une descente abyssale dont on ne se relève pas parce qu'on a perdu l'estime de soi. Anton prenait à son propre compte la honte d'une institution. Il était prêt à accepter beaucoup de choses, comme ces rations alimentaires mensuelles qui couvrent à peine trois ou quatre repas pour deux, comme des retards de six mois ou plus dans le versement de la solde. Mais il ne pouvait pas se résoudre à cette déchéance de la marine et accepter que derrière un uniforme d'officier un trafiquant puisse se cacher et s'enrichir en hypothéquant la vie de ses camarades. Anton ne savait pas faire la guerre à cet ennemi-là. Et tu sais comment ça se passe dans ce cas, on voit des tentacules de la pieuvre partout, on suspecte tout le monde, on sombre dans la paranoïa. Et si, lors de sa dernière mission avant le drame, il n'est pas rentré tout de suite à la maison, c'est parce qu'ils avaient dû essuyer quelques ennuis techniques qui confirmaient ses craintes. La honte pour la marine, la honte sur lui de ne pouvoir rien faire contre ce pourrissement, et la honte devant toi de n'avoir plus de considération pour lui-même. Vois-tu, Evguenia, je ne peux pas te parler de certaines choses parce que les divulguer mettrait des vies en danger, mais je peux te dire qu'Anton s'est comporté en brave dans cette catastrophe, en héros au sens de quelqu'un qui échange sa vie contre des principes universels.

— Comment le sais-tu?

— Un jour, je te le dirai.

Mes propos se voulaient rassurants, mais je crains d'avoir uniquement exacerbé son sentiment de culpabilité. Evguenia m'a ensuite parlé de l'argent de la souscription nationale et internationale qui avait été ouverte au profit des familles des marins de l'*Oskar*. Une rumeur persistante prétendait qu'une moitié de cet argent avait disparu. Elle voulait se battre pour en récupérer sa part et me demandait si je voulais l'aider. J'ai acquiescé sans conviction. C'était un combat de mortels contre l'éternité. Si, un jour, la moitié qui restait parvenait aux victimes, ce serait déjà une grande victoire sur la prévarication ordinaire. Nous avons bu un autre verre de vodka, sans beaucoup parler cette fois, et Evguenia est repartie alors qu'il n'était pas encore minuit.

J'ai continué à boire tout seul pour libérer ce trop-plein d'émotions dont j'avais été le réceptacle pendant toute la soirée, un peu traumatisé, comme si Anna et Evguenia s'étaient donné le mot pour m'accabler de leurs souffrances. Je me suis levé au petit matin, assailli d'effluves et de relents d'alcool. J'ai maudit ce corps affaibli par les excès, cette nausée qui faisait chalouper mon esprit diminué par la punition que je lui avais infligée en finissant cette bouteille à peine entamée au départ d'Evguenia. Anna m'attendait à l'heure devant l'entrée de son immeuble. Elle est montée dans la voiture sans me dire un mot, sans plus d'égards pour moi que si je sortais de prison après un crime sexuel. Elle s'est rehaussée sur son siège pour se donner une contenance, celle d'une professionnelle qui s'est juré de compartimenter sa vie comme le font les Américaines dans les séries télévisées, acharnées à afficher leur supériorité sur les hommes, ces animaux mal civilisés. La bête a donc pris l'initiative de rompre le silence :

— Et qui voyons-nous, ce matin ?
— Une journaliste.
— D'où ?
— De Moscou.
— Qui travaille pour qui ?
— Comme correspondante de journaux étrangers.

— Elle est venue spécialement pour lui ?

— Non, elle est là pour aider des Allemands à faire un documentaire sur les crabes royaux.

— De toute façon, il n'y a que trois sujets possibles ici. Les crabes royaux, le naufrage de l'*Oskar* et le cimetière nucléaire.

— C'est déjà pas mal.

— Je te l'accorde. Et quel rapport a-t-elle avec notre enquête ?

— Elle a quelques informations à nous donner. Elle connaît bien ma rédactrice en chef qui l'a convaincue de nous rencontrer.

Anna lui avait donné rendez-vous au bar de l'hôtel où séjournait Thomas. Un grand nombre d'hommes d'affaires y étaient attablés pour y prendre leur petit déjeuner, des Scandinaves, mais aussi des Russes et des Caucasiens. Je me demandai ce qui pouvait bien les conduire dans cette ville, car aucun n'avait une tête à s'intéresser aux crabes royaux, à l'*Oskar* ou au cimetière nucléaire. C'est une toute petite femme originaire d'Asie centrale qui est entrée derrière nous. Elle avait un visage ovale avec des yeux bridés et mobiles, la mise simple d'une femme habituée à se fondre au milieu des autres. Le journaliste est arrivé à l'heure prévue, visiblement fatigué — de quoi ? il était difficile d'en juger. Il avait pris cinq ans en une nuit. Nous avons commandé une cafetière pour nous extraire d'une torpeur partagée.

Il arrive parfois qu'on soit en un lieu et qu'on ait envie d'être ailleurs. J'aurais voulu qu'on soit au printemps, quand la nature est encore courbaturée de l'hiver, que les essences se volatilisent, que la fraîcheur succède au froid. Je m'imaginai pêcher la truite, chasser les oies, monter à cheval pour m'éloigner aussi loin que possible de tout ce qui me rappelait l'humanité, loin de cette civilisation de la fonte à laquelle j'aurais tout donné pour fuir avec Alexandra. Certains jours, on est d'humeur curieuse. On se demande à quoi l'on cède, pour se gâcher à ce point le plaisir d'être. D'autres jours, on voudrait bien rejoindre les rangs de tous ces animaux qui se contentent de suivre un instinct immuable. Nous sommes la seule espèce où un malade mental, qui convoite le bout du territoire de son voisin ou bien se trouve soudainement inspiré par une pensée globale, peut entraîner derrière lui des millions de gens ravis qu'on leur décolle le nez du fond de leur écuelle. Je ressentais le besoin de me fondre dans la nature, de confier mon existence à un arbitre neutre qui écrit des règles simples, de me soustraire à l'influence mortifère de tous ces charlatans qui prétendent savoir pour les autres. Ce matin-là, je n'avais envie de rien savoir de plus sur le naufrage de l'*Oskar*. J'aurais voulu même pouvoir oublier cette défaite humaine qui s'ajoutait à une liste forte de milliers d'exemples où les entreprises dont nous avons depuis longtemps perdu le sens nous entraînent dans des tragédies que nous commémorons comme autant de défaites qui ne changent rien.

Et le journaliste en face de moi, brisant son sucre en deux avant de le mettre dans la tasse, que venait-il chercher dans toute cette affaire? Ce type-là était un chasseur à sa façon et il ne pouvait pas se permettre de rentrer bredouille dans son pays. Il avait dû faire la promesse à quelqu'un de revenir avec la vérité. Cette vérité était devenue une petite entreprise. Il avait investi de l'argent dans ce voyage et, s'il revenait avec elle, il pourrait la vendre et en tirer quelques bénéfices. Je ne dis pas qu'il était dans cet état d'esprit, mais il obéissait à la logique d'un système auquel il appartenait, même si l'homme, je n'en doutais pas, avait de plus profonds desseins. Ceux qui allaient lui acheter sa vérité en feraient à leur tour un petit négoce. Ils la revendraient bientôt à des annonceurs publicitaires en leur disant : « Cette vérité sur l'*Oskar*, elle intéresse nos lecteurs, parce que mourir au fond des mers, asphyxié, c'est quelque chose qui leur fait vraiment peur mais qui en même temps ne risque pas vraiment de leur arriver. Avec un peu de compassion pour la perte d'un mari ou d'un fils, on ajoute de l'émotion à la peur et cela, notre public en raffole, d'autant plus qu'il est occidental, que sa vie n'est pas quotidiennement menacée, et que perdre la vie, c'est un préjudice dont il mesure vraiment l'importance. Alors nous aurons beaucoup de lecteurs ou de téléspectateurs qui se passionneront pour cette vérité sur l'*Oskar*, surtout si cette vérité met en lumière un véritable complot animé par des forces du mal, inconnues du citoyen ordinaire. Et si au milieu de cette enquête nous glissons une page de publicité pour votre téléphone portable, vous en tirerez profit à votre tour et tout le monde sera prospère et heureux... » Nous étions donc au début d'une chaîne de gens heureux qui avaient l'intention de le rester, à condition que nous sortions cette vérité du trou dans lequel elle s'était cachée. Mais je n'étais pas d'humeur à enfumer le trou pour faire sortir le renard.

La petite bonne femme en face de nous en imposait comme un soldat viêt-minh. Elle avait couvert les deux guerres de Tchétchénie. Sa lutte pour que la réalité l'emporte sur la fiction écrite par les hommes de pouvoir, elle semblait incapable d'en questionner le sens. Elle était apparemment entrée en vérité, comme d'autres entrent en religion, un sacerdoce qui n'exclut pas qu'on y laisse sa vie sur le bord d'un chemin. Ce risque ne semblait pas l'impressionner.

— Sur l'*Oskar*, j'en connais probablement moins que vous, a-t-elle commencé en s'adressant humblement au journaliste, mais je peux vous donner un éclairage qui tient à mon expérience de la Tchétchénie. Il y avait deux hommes du Daguestan et un Tchétchène dans l'*Oskar*, le jour du naufrage. Le Daguestan est une république du Caucase qui jouxte la Tchétchénie. Comme cette dernière, elle fait partie de la fédération de Russie. Il est établi qu'il y a au Daguestan des usines qui travaillent pour l'armement, qu'on y fait en particulier des torpilles pour les sous-marins. Je sais aussi que plusieurs de ces torpilles équipaient l'*Oskar*, récemment modifiées, m'a-t-on dit, raison pour laquelle, le jour des manœuvres, se trouvaient à bord deux ingénieurs de cette usine du Daguestan. Quant au Tchétchêne, vous vérifierez, mais c'était un marin ordinaire. Nous n'avons pas beaucoup de temps, car vous partez faire un tour en bateau ce matin, mais je voudrais juste vous donner quelques éléments qui fourniront un contexte à votre réflexion. Tout d'abord, il faut que vous sachiez que les Tchétchènes ne sont pas, au départ, des indépendantistes forcenés. Ce sont des Caucasiens, musulmans, bons vivants, avec de très anciennes traditions. Au moment où le communisme est tombé et où les affaires ont commencé à prospérer, beaucoup d'entre eux ont été employés par les oligarques, les nouveaux riches, comme gardes du corps ou hommes de main à Moscou, où ils ont aussi développé leurs propres intérêts mafieux, mais sans jamais faire d'ombre aux grandes affaires. Pendant que les oligarques avec la complicité des hommes du Kremlin mettaient la main en Russie sur le gaz, le pétrole, la sidérurgie, l'automobile, les Tchétchènes s'occupaient du business mafieux habituel comme les jeux, les filles, les restaurants. Et tout le monde s'accordait très bien dans cette cohabitation sur des territoires bien délimités. En Tchétchénie, les choses se passaient un peu différemment. Vous devez savoir qu'à cette époque, les affaires là-bas reposaient sur deux secteurs : le pétrole et le trafic d'armes. Les réserves de pétrole ne sont pas gigantesques mais facilement accessibles. Pour les armes, c'est de là que partaient en contrebande de grosses quantités souvent détournées de l'armée russe avec la complicité des officiers supérieurs pour être acheminées à des prix compétitifs dans des zones de guerre comme l'ex-Yougoslavie, par exemple. Et puis, en 94, les généraux russes ont contesté les règles de partage du trafic d'armes, ils trouvaient leur part insuffisante. Ils ont menacé les Tchétchènes qui ont réagi en proclamant leurs velléités d'indépendance. Mais, avant d'entrer dans un conflit ouvert, leur chef, qui était un général d'aviation de l'époque soviétique, a pensé qu'on pouvait facilement éviter la guerre. Il a demandé à voir Eltsine, mais les généraux se sont employés pour que cette rencontre n'ait pas lieu, car elle aurait conduit à un déballage de pratiques qu'ils n'avaient pas forcément envie de voir révéler au grand jour. Vous ne savez peut-être pas comment ça se passe dans notre pays. Je vais faire, si vous le permettez, une parenthèse qui illustre bien la situation. Récemment, les autorités financières d'un pays européen ont interrogé le ministère des Finances à Moscou à propos d'une ouverture de compte demandée par un haut fonctionnaire de ce ministère. Elles voulaient s'assurer que l'argent déposé sur ce compte n'était pas d'origine douteuse et ne correspondait pas à un blanchiment quelconque. Les fonctionnaires russes ont convoqué leur collègue en question et lui ont dit : « Dis donc, collègue, on nous dit que tu veux déposer un demi-million d'euros sur un compte à l'étranger ; pour un fonctionnaire comme toi, c'est beaucoup d'argent. Et si tu déposes un demi-million, c'est qu'il y a encore beaucoup d'argent à venir, parce que tu es un homme prudent et ce n'est pas ton genre de déposer plusieurs millions d'un coup, alors nous en concluons que tu n'as mis qu'une petite somme pour amorcer le processus. Nous en déduisons que tu vas enrichir ce compte dans les années qui viennent — de combien ? disons quatre millions d'euros. Seulement certains s'interrogent sur l'origine de ces sommes, et ils pourraient les bloquer, tu comprends, sauf si nous leur disons qu'elles sont le produit de transactions honnêtes. Nous allons le faire, bien sûr, mais il faudra que tu nous donnes cinquante pour cent. En contrepartie, personne ne te demandera d'où provient cet argent. » Je ferme la parenthèse qui n'avait pour but que de vous faire comprendre l'inquiétude des généraux de devoir déballer devant des collaborateurs du président ou devant le président lui-même des transactions dont ils s'étaient désintéressés depuis l'origine. Alors le chef tchétchène n'a jamais pu rencontrer le président. Et les généraux se sont dit que cette guerre présentait un autre avantage majeur. Les Tchétchènes, s'ils trafiquaient des armes, n'en possédaient eux-mêmes pas assez pour mener une guerre. En les acculant au conflit, il leur faudrait bien en acheter et ils se rendraient vite compte que les armes les moins chères et les plus faciles à se procurer étaient les armes qu'allaient leur vendre ces généraux russes. La démonstration de force russe ne s'est pas fait attendre. Et les Tchétchènes ont montré qu'on ne raye pas comme ça un peuple de la carte, d'autant plus, vous l'avez bien compris, que les Russes, en tuant l'ennemi, tuaient aussi leur client, donc ils ont massacré en évitant d'éradiquer. La Tchétchénie comptait de nombreuses familles aisées que les officiers russes se sont empressés de rançonner, en enlevant leurs enfants ou en menaçant de raser leur village. Les Russes ne parvenaient pas à venir à bout des Tchétchènes, on sait maintenant pourquoi, cela aurait tué les affaires de certains, alors Eltsine s'est inquiété de cette guerre qui n'en finissait pas, et il a eu peur que le conflit ne s'éternise comme en Afghanistan et ne menace sa réélection. La paix a finalement été signée et le président réélu. On a envoyé de l'argent pour reconstruire la Tchétchénie. Une moitié a été détournée à la source à Moscou et l'autre moitié a été détournée sur place. Ce qui a créé une rancœur compréhensible chez certains indépendantistes qui avaient l'impression de renoncer à leurs idéaux sans contrepartie. Poussés par des hommes de Moscou qui avaient intérêt à faire redémarrer le conflit, une troupe de combattants a envahi le Daguestan voisin, enfin quelques villages, pour provoquer le successeur d'Eltsine. Il se demandait si un nouveau conflit n'était pas une façon de galvaniser le pays pour que la Russie puisse avoir sa propre croisade contre le terrorisme. Voilà, je suis désolée d'être un peu rapide, mais une chose est certaine, les Tchétchènes ont revendiqué avoir saboté l'*Oskar* pour humilier le pouvoir central à Moscou, incapable de protéger le fleuron de son armée, les sous-marins nucléaires. La thèse qui revient le plus souvent aujourd'hui est celle de l'explosion d'une vieille torpille lors de sa mise au tube pendant la manœuvre. Mais ces torpilles, si elles étaient effectivement vieilles, venaient justement de subir des transformations au Daguestan, et c'est peut-être là que s'est produit un sabotage. Je ne dis absolument pas que je crois à cette théorie, mais elle n'est peut-être pas plus saugrenue que les autres. Ou alors les deux ingénieurs embarqués étaient membres d'un commando suicide ? Cela me paraît moins crédible, mais tout est possible dans ce pays, la culture de la destruction est telle, et nous sommes capables d'y apporter un tel vice. Tout ce qui est impossible dans n'importe quel pays civilisé devient probable ici. D'ailleurs, vous devez partir à bord d'un bateau de pêche remonter vers la mer le long des bases. Pour cent dollars payés aux gardes-côtes, j'imagine, vous vous offrez la visite d'une des plus grandes concentrations de navires de guerre au monde, comme vous le feriez d'une plantation de bonsaïs dans un jardin japonais. Quand la corruption devient un mode de vie, rien n'est impossible, l'improbable s'efface devant l'opportunité. La corruption à l'ère de l'Union soviétique, c'était du folklore, maintenant c'est le cancer. Les petits corrompus le sont, car ils voient comment s'enrichissent leurs chefs et ils sont fatigués d'attendre des traitements misérables qui leur parviennent avec des mois de retard. Et puis, au fond, qu'est-ce qu'ils risquent ? Dans le temps, c'était le goulag ou la mort, maintenant, le pire qui puisse leur arriver, c'est de devoir partager. Avant de nous séparer, je vais vous donner mon sentiment. Vous cherchez à comprendre ce qui s'est passé dans cette affaire. Et vous avez compris qu'au fond il y a deux affaires en une. La première pose la question de savoir pourquoi ce sous-marin grand comme un stade de football, haut comme un immeuble de six ou sept étages, a coulé. La seconde est bien plus dramatique, car nous savons tous qu'il y avait à l'arrière, dans les trois derniers compartiments, si mes souvenirs sont justes, une bonne vingtaine de survivants, dont on pense qu'ils ont mis entre neuf heures et trois jours pour mourir alors que le sas de sécurité était accessible, que le navire était échoué par cent mètres de fond, une profondeur qui est de l'ordre du record du monde de plongée en apnée, c'est dire si l'on avait de grandes chances de sauver ces hommes. Le premier réflexe de nos dirigeants a été de faire porter la responsabilité du drame aux étrangers, en prétendant que ce submersible insubmersible ne pouvait avoir été envoyé par le fond que par un missile américain. Puis ils se sont rétractés, les avantages de faire porter le chapeau aux étrangers balayés par l'inconvénient de devoir justifier une absence de riposte, de ne pas avoir atomisé l'agresseur ou même plus. La version la plus neutre consistait alors à expliquer qu'une vieille torpille avait explosé à l'avant du bâtiment. Ils ont répandu cette rumeur, avant de savoir quelle était la vraie cause qui peut bien être celle-ci, au final. Mais, dans tous les cas, ils ne voulaient pas être pris à contre-pied par les révélations des survivants. Ces hommes devaient mourir pour que le doute puisse continuer à bénéficier au pouvoir, pour que la vérité ne puisse lui être jetée à la face. Au bout du compte, que sont ces vingt-trois vies, comparées à un secret d'État à naître ? Rien. Et cela n'a rien de choquant. Le contraire aurait étonné. Dans un pays où la vie ne vaut rien, ou la mort a longtemps été une délivrance, peut-on concevoir qu'on échange des siècles d'exercice du pouvoir dans le secret contre les vingt-trois vies d'hommes qui ont choisi le métier des armes ? Le contraire aurait été à lui seul une révolution. Et de révolution, dans ce pays, nous n'en avons jamais eu.

Anna m'a libéré. Elle n'a pas insisté pour que je me joigne à eux dans cette remontée vers la mer que j'ai faite cent fois. Le journaliste allait pouvoir se rendre compte de la puissance de feu de l'empire, avec tous ces navires alignés sur des kilomètres. Il allait voir aussi comment nous traitons les disgraciés, les obsolètes, en laissant la corrosion faire son œuvre funeste. Il avait peu de chance de pouvoir s'approcher de l'épave de l'*Oskar*. De toute façon, avant de le remonter, ils ont méticuleusement découpé la proue du bâtiment soufflée par l'explosion, pour que personne ne puisse lire ces débris, cet enchevêtrement de tôles froissées et déchirées qui pourrait livrer son secret à un œil expert.

Je n'ai plus travaillé pour le journaliste avant son départ pour la France. Je pensais que les quatre mois qui séparaient le renflouement du sous-marin de sa venue au cercle polaire auraient suffi pour me permettre de parler sereinement de toute cette affaire. Mais je me suis lassé plus tôt que je ne le pensais de cette nouvelle exhumation. Je me suis excusé auprès de lui de ne pas l'accompagner dans de nouvelles entrevues. Il a rencontré beaucoup d'autres protagonistes de cette affaire. L'un d'entre eux a même proposé de lui vendre des révélations explosives, qui n'étaient au final que la version officielle de la justice arrangée par le pouvoir.

J'ai tout de même tenu à le conduire à l'aéroport. Dans la voiture, il s'est montré prudent sur le résultat de ses investigations. Il repartait avec plus de doutes que de certitudes et encore moins de convictions sur une hypothèse précise qu'avant son départ. Je trouvais cela plutôt bon signe, mais il m'a rétorqué qu'il n'avait pas les moyens financiers de ne pas prendre parti pour une théorie, car un travail qui les présenterait toutes n'aurait pas grand intérêt pour ses commanditaires. J'étais vraiment désolé de le voir comme ça, dépité de n'avoir pas découvert la vérité sur le naufrage de l'*Oskar*.

— La vérité est un objectif théorique, lui ai-je dit. Ceux qui se battent pour elle, le font souvent au risque de leur vie pour la transmettre à des gens qui n'en ont pas grand-chose à faire. Tenez, mettez ensemble les plus grands spécialistes des plus grandes universités du monde et demandez-leur de vous expliquer comment une idée, le communisme, qui avait les apparences du mieux pour l'humanité, a conduit à abréger la vie d'une bonne vingtaine de millions d'hommes et de femmes. Ils vont vous trouver des tonnes d'explications avec des mots savants comme déviationnisme, culte de la personnalité, et je ne sais quoi encore. Mais aucun ne pourra vraiment vous l'expliquer, parce que c'est inexplicable. L'irrationnel de l'homme est une matière que sa raison ne peut pas aborder par définition. Pourquoi croyez-vous que nous mettions tant d'énergie à étudier les animaux ? Pour les comprendre ? Foutaise, nous espérons en les observant finir par comprendre, un jour ou l'autre, ce qui ne tourne pas rond chez nous. Nous sommes les plus mal placés pour parler de nous-mêmes.

Alors que nous approchions de l'aéroport, je lui ai lâché pour finir :

— Si la vérité vous intéresse vraiment, elle n'est pas dans les faits, qui n'en sont que la partie visible. Elle n'est même pas dans les rapports de pouvoir qu'une minorité nous impose. Elle est dans la compréhension des raisons qui nous font les accepter, et pour ce sujet il faut plus de trois jours.

Une fois que nous l'avons raccompagné, sur le chemin du retour j'ai charrié Anna sur le journaliste. Je lui ai demandé, sans beaucoup de délicatesse, si rien ne s'était passé entre eux, ce qui aurait été dommage, car ce garçon en valait la peine, et en plus il avait un bon passeport, un passeport de France, un pays qu'on disait merveilleux, où il faisait bon vivre... Anna s'est vexée et elle s'est refermée comme une huître piquée dans sa chair vivante. Puis elle a profité du huis clos dans lequel nous étions tenus pour m'accabler de reproches. Elle m'a asséné que sa relation avec les hommes, tous les hommes, était un échec, parce que sans le savoir j'étais au milieu.

— Au milieu de quoi? grands dieux, lui ai-je demandé en levant les bras au ciel.

— Au milieu, s'est-elle contentée de répondre.

Et puis, d'un coup, les larmes me sont montées aux yeux. J'ai compris l'espace d'un court instant ce qu'était sa vie, entre sa mère amnésique antérograde, son frère disparu, et moi qu'elle considérait au fond d'elle-même un peu admirable et tellement décevant. J'étais à terre, mais Anna n'en avait pas la moindre conscience et, profitant du huis clos imposé par la voiture, elle a repris la conversation là où elle s'était arrêtée avant la venue du Français.

— Alors, qu'est-ce que c'est que cette histoire avec la voisine, tu devais m'en parler, n'est-ce pas?

— Je ne me souviens pas que nous devions en parler, mais soit.

— C'est juste sexuel, je présume?

— Comment peux-tu dire une chose pareille?

— Je ne porte pas de jugement. Vous avez commencé quand elle vivait dans notre appartement communautaire, alors que Vania et moi étions enfants?

— Absolument pas.

— Ne me dis pas que cette femme n'était pas ta maîtresse depuis tout ce temps.

— Je te le dis.

— Tu me jurerais sur la tête de Vania que tu n'as jamais eu de relation avec elle du temps où elle partageait l'appartement communautaire?

Je ne pouvais pas jurer, alors j'ai fait un acte manqué. J'ai raté un virage à petite vitesse et nous sommes partis dans un mur de neige. Sans dommage. Le temps de redémarrer après avoir dégagé la voiture, la conversation avait refroidi et nous n'avons plus évoqué ce sujet. Anna avait subitement perdu de son arrogance, sa voix ne montait plus des profondeurs, elle était redevenue celle d'une jeune fille de son époque.

DEUX AMIS

— Plus de dix ans après, il m'en veut toujours, n'est-ce pas?

Le général s'épongea le visage avec la serviette bleu ciel qu'il tenait entre les mains. En faisant ce mouvement, il découvrit sans pudeur son membre désolé. Le colonel n'y prêta aucune attention. Dans cette nudité, de profil, les plis de leurs peaux grasses s'ajustaient dans la même perspective. La surface blanche de leurs torses contrastait avec le vermillon de leurs visages. Le général s'efforçait de dissimuler son essoufflement.

— Son intelligence t'a pardonné depuis longtemps, Piotr, mais son cœur est vexé. Il ne te fera jamais de mal, cela j'en ai la certitude. Il se contente de t'ignorer. Nous voilà à la retraite, tous les deux. Pour lui, nous sommes deux officiers d'un autre temps, celui où il était un jeune homme sans couleur.

— Pourtant, il a gardé des relations avec toi, il t'a demandé conseil à plusieurs reprises, il a pris acte de ton influence, mais il est vrai que tu es général.

— Non, comme tous les hommes qui parviennent à un niveau inespéré, il veut oublier tous les moments où il n'a pas été à son avantage. Il sait que l'idée de l'éprouver en RDA est venue de moi. En bon professionnel, il la respecte. Mais, sur le moment, il l'a pris comme un camouflet. De cette vexation, tu as été le témoin, pas moi. Il veut simplement t'oublier.

Le colonel se leva, donnant le signe du départ. Les deux hommes se saisirent d'une grande serviette et sortirent nus de la cabane en bois où ils prenaient leur bain de vapeur. Ils marchèrent sans se presser en direction du bras de rivière qui serpentait devant la propriété. En cet hiver finissant, la glace qui venait buter contre la rive s'était faite plus transparente. D'un coup de pied, le colonel en brisa une petite surface qui leur permit à tous deux de s'immerger jusqu'à la racine des cheveux. Ils s'extirpèrent de l'eau sans précipitation et, alors qu'une brise légère leur fouettait le corps, ils s'essuyèrent énergiquement en se frottant les membres. Puis, la serviette nouée autour de la taille, ils se dirigèrent à petits pas vers la datcha séparée de la cabane d'une vingtaine de mètres.

Après s'être habillés chacun dans leur chambre, ils s'installèrent dans de profonds fauteuils qui faisaient face à la cheminée. Le colonel sortit d'un petit meuble d'angle une bouteille de vodka dont il remplit deux verres avant de s'asseoir en lâchant un long soupir.

— Je sais que tu n'y es pas pour rien, Guennadi, alors peut-être peux-tu m'expliquer comment il est parvenu jusque-là.

Le général esquissa du coin de la bouche un sourire de connaisseur.

— L'opiniâtreté, Piotr, ajoutée à des circonstances favorables. Il s'est trouvé à la croisée des chemins. Ajoute à cela l'assise de réseaux qu'il doit à sa fidélité à certains, et tout cela a fait de lui le plus talentueux des médiocres. On ne demande rien de plus à un homme politique, si l'on veut qu'il soit crédible dans la durée. Les masses n'ont rien à faire des surdoués. Et lorsqu'elles sont affamées, elles sont prêtes à continuer à jeûner pourvu qu'on leur parle de grandeur. Il aurait eu du génie, il n'aurait pas fait la moitié du chemin qu'il a parcouru. Il a fait comme bon nombre d'ambitieux de son calibre dans l'histoire politique, il a su se hisser sur un promontoire d'où il pouvait contempler les faiblesses de ses concurrents. Il s'est imposé comme une évidence. Je l'ai aidé comme beaucoup d'autres parce qu'il était un des nôtres, et s'il n'avait pas de grande qualité flagrante, il n'était pas non plus entaché de lacune rédhibitoire. Comme président, il n'a certes pas le panache de son prédécesseur, mais l'heure n'est plus au panache, elle est à la normalisation. Le vieil alcoolique faisait rêver à peu de frais. Staline était l'homme providentiel pour arrêter la NEP. Lui, il est l'homme de la synthèse entre la réalité et nos valeurs profondes. Il prend la place laissée vacante par les hommes brillants, trop préoccupés de leur propre intérêt pour daigner s'intéresser à ceux de la nation. Ils le regrettent déjà, mais il est trop tard. Une femme délaissée trop longtemps par un riche apollon finit par se contenter de son jardinier pour satisfaire ses désirs les plus élémentaires. Tu sais, Piotr, je l'ai soutenu parce que nous n'avions plus rien à perdre. Un petit Andropov entre les murs du Kremlin, c'est assez pour que nous retrouvions l'estime de nous-mêmes. Et puis, je peux te l'avouer à toi, je m'honore de l'avoir conseillé pour ne pas dire influencé dans certaines circonstances. Ce n'est pas une mince satisfaction de faire partie de cette petite équipe d'artisans qui en dix ans seulement l'a façonné et articulé. Notre Pinocchio se débrouille bien tout seul maintenant. Dommage que son nez ne s'allonge pas quand il ment, sinon on pourrait marcher dessus pour traverser la Moskova. Notre histoire est ainsi faite que, lorsque nous n'avons plus aucun ennemi à combattre à l'extérieur, ceux de l'intérieur reprennent vigueur. Il est le plus qualifié pour cette lutte.

Remarquant que son ami n'avait plus rien dans son verre, le colonel se saisit de la bouteille pour refaire le niveau. Puis il remit du bois dans la cheminée qu'il tirait d'un grand panier.

Il observa méticuleusement les bûches.

— Je crois que le gardien a encore coupé du résineux. Ces jeunes ne connaissent rien à rien. Ils sont aussi illettrés que leurs parents, la connaissance de leur environnement en moins. C'est très dangereux, les résineux donnent beaucoup de sève. Elle se colle dans le conduit de cheminée qui finit par s'enflammer, entraînant avec lui le reste de la datcha. C'est arrivé à moins de trois kilomètres d'ici, en pleine nuit, personne n'a survécu.

Il se fit songeur, puis hésitant :

— Dis-moi, Guennadi, je suis ennuyé de te demander cela, mais les domaines me proposent d'acheter cette datcha que j'occupe depuis trente ans. C'est là que je vais finir mes jours. Depuis la mort de mon épouse, je ne l'ai pas quittée. Mais comme je n'ai pas d'autre revenu que ma retraite d'officier supérieur du KGB, je ne peux pas payer le prix qu'ils me demandent. Toi qui le connais bien, demande-lui de faire quelque chose, s'il te plaît. Ce n'est pas une grande faveur.

— Je vais m'en occuper, Piotr, ne t'inquiète pas, ils ne te mettront pas à la rue. Il me doit assez. Tu sais, quand 'l est revenu de RDA, il est arrivé à Moscou. Je l'ai reçu. La désintégration de l'empire rendait les relations moins formelles. Il s'est mis en colère comme il en a l'habitude et m'a dit : « À quoi ça sert, tout ce bordel, rien n'a changé, il faut toujours des tickets de rationnement pour manger et les rues sont toujours aussi sales. Quant au KGB, je ne vois pas l'intérêt de renseigner un organisme qui ne comprend plus l'utilité de ces renseignements. Je vais démissionner, mon général. » C'est à cet instant que s'est jouée toute sa carrière, et il s'en souvient très bien : « On ne quitte jamais le KGB, Vladimir Vladimirovitch, lui ai-je répondu, en tout cas cette séparation ne peut pas résulter d'un acte volontaire de votre part. Tout au plus, prenez vos distances et trouvez un emploi civil, mais vous resterez officier de la centrale. Voyez-vous, en ce moment, il est urgent de ne rien décider, de faire le dos rond. Les grandes carrières sont le fait de gens d'une extrême patience. Vous êtes originaire de Saint-Pétersbourg, alors retournez-y, papillonnez, attendez que ça se calme, le long terme ne se joue pas aujourd'hui. Et nous resterons en contact. Je ne suis pas loin de la retraite, mais cette notion n'a pas les mêmes conséquences dans notre monde. Même défroqué, un prêtre reste un prêtre, il y a des serments dont il est difficile de se délier. » De là, il est retourné dans sa ville où il a trouvé une planque en or, la fonction d'observation parfaite, inutile pour la société, profitable à son détenteur. Son université d'origine l'a pris comme responsable des relations internationales. Mais notre vrai lien ne s'est créé que lorsque le maire de la ville a décidé de le recruter pour la même tâche. Vladimir Vladimirovitch m'a appelé : « Mon général, j'ai l'impression que cette mairie est un repère d'escrocs. — Tant mieux, lui ai-je répondu, c'est une espèce qui mérite de la considération, car elle se développe plus vite que le rat des villes. Vous allez comprendre la réalité du système actuel, celui de la libre entreprise dans sa forme originelle, quand la volonté d'appropriation individuelle ne connaît pas de limites. »

Le général s'apprêtait à continuer lorsque le colonel fut pris d'une quinte de toux d'une proportion inattendue. Quand elle s'arrêta, il était violet :

— J'ai trop fumé, dit-il pour s'excuser. Des années de tabac de mauvaise qualité m'ont foutu un emphysème. Le docteur dit que je ne vais pas trop mal d'un point de vue, mais de l'autre je pourrais tout aussi bien crever du jour au lendemain. La perspective de la mort ne m'effraye pas particulièrement. Mon plus grand regret est de ne pas avoir compris grand-chose à la vie.

— Il n'y a rien à comprendre, Piotr, rien. Elle n'a aucun sens à l'exception de celui qu'on veut bien lui donner.

— J'ai manqué de conviction pour cela, Guennadi. Au crépuscule de ma vie, je réalise que je n'ai fait que suivre le mouvement. Au fond, je suis un bon soldat. Je n'ai jamais été très perspicace, je croyais que Plotov était le même genre de type que moi, mais je me suis trompé.

— Oui, mais Plotov était beaucoup plus jeune que toi. Au moment du putsch de 91 contre Gorbatchev, il a compris que c'était le vrai tournant de notre histoire moderne. Derrière les apparences, il a su déceler une réalité différente, et je dois dire que je l'ai bien aidé. C'est la raison pour laquelle, avant toute chose, il m'a appelé. « En totale contradiction avec ma recommandation précédente, je serais à votre place, Vladimir Vladimirovitch, je démissionnerais tout de suite du KGB. Moi-même je suis trop près de la retraite pour le faire. Réfléchissez bien. Ce n'est pas un putsch. C'est une opération spéciale de l'espèce la plus ancienne. En se faisant enlever et séquestrer, Gorby fait coup double. Il se dresse en victime et en champion des libertés contre Eltsine et donne le coup de grâce aux conservateurs qui veulent rétablir l'ancien système. Dans tous les cas, cette opération sent à la fois le soufre et la naphtaline. On ne grille pas ses cartouches avec une bête qui agonise. Et il est bien probable que la faute de ce coup d'État retombera sur le KGB accusé d'avoir manipulé les uns et les autres. Et c'est en grande partie vrai. » Pour toi, Piotr, les événements se sont passés d'une autre manière. Je sais que tu m'as toujours cru mais il y a au fond de toi une indéfectible fidélité au communisme. Tu es incapable de concevoir un autre système. Ton ralliement aux putschistes, faux ou vrais, aurait pu te coûter beaucoup plus cher que ta mise à la retraite d'office.

Le général s'approcha du foyer de la cheminée et se frotta les mains pour se réchauffer. Puis il reprit ·

— À cette époque, pour être sincère, je ne pensais pas que Plotov avait un grand avenir. Je le parrainais comme on le ferait d'un neveu éloigné. Mais il a montré des signes rassurants d'intelligence, au sens d'une faculté d'adaptation que son caractère un peu obtus ne laissait pas présager. Les mois passant, il s'est assoupli comme un cuir de bonne qualité. L'homme crispé que nous avons connu s'est remarquablement socialisé au point de paraître à l'aise avec tout le monde. Il ne connaissait rien aux affaires, mais il s'est immergé sans tarder dans la nouvelle économie. Comme responsable des questions internationales de la ville, c'est lui qui attribuait des terrains aux entreprises étrangères pour qu'elles puissent produire sur place. Pendant la famine de

93, il s'est impliqué dans le programme « matières pre-mières contre nourriture » qui fut un cuisant échec, mais pas de son fait, ce sont les escrocs qui ont pris le dessus. Il s'est fait aussi pas mal abuser par les associés privés de la ville dans les casinos. Il n'avait pas compris qu'on ne laisse pas la gestion du liquide à ceux qui le manipulent. Ce qui fait la force de Plotov, c'est qu'il est sans grandes joies et sans grandes peines, donc peu vulné-rable. Et puis je crois que, de son expérience en RDA, il a compris qu'on pouvait piéger quelqu'un de bonne foi. Il se l'est rappelé quand tous les aventuriers qui tournaient autour de lui ont essayé de le compromettre. Quand le maire a perdu les élec-tions en 96, il est resté solidaire de lui. Il a fait ses valises pour Moscou. Au moment de partir, sa maison a brûlé. C'est le sauna qui a mis le feu à l'ensemble. Certains en ont profité pour suggé-rer qu'il se refaisait une virginité, en effaçant les traces des pots-de-vin qu'il avait investis dans l'immobilier. Ce sont souvent les plus corrompus qui hurlent le plus fort à la corruption. Il me semble que Plotov aime trop le pouvoir pour le risquer avec de l'argent mal gagné. Ou alors, s'il a touché quelque part, c'était juste pour se créer des réserves et gagner son indépendance. Il sait qu'il n'existe pas d'exemple d'ambition politique qui n'ait pas nécessité à un moment ou un autre des fonds conséquents. Dans ce cas, je le crois assez fort pour qu'aucun prélèvement effectué ne puisse remonter à la surface.

— Tu le voyais régulièrement à Moscou?

— Au début, nos rencontres étaient fréquentes. Il était dans l'attente qu'on lui propose un poste consistant, et cela a pris un peu de temps. On déjeunait souvent en tête à tête, et c'est à cette époque qu'il m'a convaincu de sa dimension nationale. J'ai découvert qu'il avait appris à parler de lui pour, au fond, ne rien livrer d'essentiel. Au contraire de l'époque où il était au KGB, il évitait que le silence ne s'installe, que la pesanteur ne prenne l'avantage sur un bavardage calculé. Et plus il s'exprimait, moins il devenait saisissable. Une vraie boule de billard trempée dans

247

l'huile. Malgré notre apparente complicité, je ne sentais à mon égard pas plus de confiance que de défiance. Ses efforts pour se comporter en politique de la haute sphère administrative ne suffisaient pas à masquer son inclination frénétique pour l'action. Un jour, je lui ai rappelé ce que Staline pensait de Trotski : « Un homme d'action. Il court tout le temps, il s'agite, il fuit la politique et sa viscosité. De fait, il s'est rangé dans la catégorie des proies, celles dont l'action sera arrêtée brutalement par un prédateur, d'un seul coup de patte. » Et j'ai ajouté : « Je pense que Staline n'a jamais considéré Trotski comme un adversaire à sa taille. » Quand il a enfin réussi à le faire tuer au Mexique, il n'a montré aucune satisfaction devant la fin d'un adversaire à peine respectable. Mais, quand Plotov et moi déjeunions ensemble, il n'avait pas d'ambition politique à proprement parler, il voulait agir, servir l'État, prendre sa part du bouleversement en cours. Ses copains de Saint-Pétersbourg l'ont recommandé pour qu'il occupe un poste directement dans l'administration présidentielle. Il s'y est révélé efficace. Lorsqu'on l'a chargé des domaines, il s'est constitué un bon petit paquet de dossiers sur les transactions à conditions préférentielles, sur les avantages et autres passe-droits des uns et des autres, et pour la première fois il en a fait une monnaie d'échange. Son bon dossier au KGB a aidé, j'en suis sûr, pour sa nomination à la tête du FSB. Lui n'en voulait pas, il avait perdu le goût des intrigues du monde du renseignement, l'astreinte quotidienne au secret, mais là encore il n'a pas été long à comprendre quelles perspectives ce poste lui offrait. On lui a payé un perchoir de rapace dans une cage d'oiseaux bavards. À ce moment-là, il a pensé qu'on lui avait offert son bâton de maréchal. Celui que l'on décrit comme un fonctionnaire aussi noir que peut l'être une gueule de mineur est parvenu en peu d'années au bout de ses capacités. Au-dessus de lui on théâtralise l'impuissance de la politique et plus aucun des acteurs ne se sent lui-même assez crédible pour concevoir une ambition qui ne provoque pas le rire. À cette période, l'allégeance des marionnettes politiques aux intérêts capitalistes les plus brutaux est absolue. Le pays qui avait voulu inventer le communisme pratique le capitalisme au sens de l'orthodoxie de ses débuts. On vole le bien public, on arrose les hommes placés dans les rouages de l'État comme des jeunes plants une année de sécheresse, on dénoue les conflits par le meurtre. L'Amérique nous a bel et bien imposé son modèle. C'est celui du début du XIXe siècle, quand des élus issus de scrutins falsifiés se mettent au service d'intérêts privés concentrés autour d'une minorité de milliardaires. Les nôtres ont inventé la privatisation-spoliation. Et Plotov de me dire un jour à voix basse : « Nous n'avons pas le capitalisme des Européens de l'Ouest. On nous inflige la version la plus brutale de la genèse. »

Le général se mit à bâiller.

— Et quand Plotov, grâce aux recommandations d'un certain nombre d'entre nous, est nommé à la tête du FSB, il n'a pas vraiment d'ambition politique. Personne n'a remarqué son ascension. Sa couleur est toujours celle des murs, mais nul n'a observé qu'il ne les longe plus. Le désordre immense à la tête de l'État est soigneusement entretenu. Un président qui ne peut plus mettre un pied devant l'autre est entouré de courtisans qui ne sont présents que pour le dissuader de faire quoi que ce soit, et laisser l'État se désagréger jusqu'à la mort.

Le général s'interrompit et bâilla une seconde fois avant de conclure :

— Je finirai de te raconter tout cela demain, Piotr, le bain de vapeur, le dîner et la vodka ont eu raison de moi.

— De moi aussi. Mais je ne me plains pas, c'est tout ce qui me reste. Toi, c'est autre chose, tu as l'oreille du pouvoir.

— Tu parles...

— Ne le nie pas, Guennadi, tu as eu et tu auras encore de l'influence. C'est une satisfaction de peser sur le cours des choses. Ils sont si peu nombreux, ceux qui peuvent s'en prévaloir sur cette planète.

— Je ne me fais pas d'illusion sur l'importance de mon rôle, et je n'en attends aucun remerciement. Nous continuerons cette conversation demain.

Au petit matin, les deux hommes battaient la campagne chaussés de bottes fourrées qui leur remontaient jusqu'aux genoux. Ils avaient la même chapka en renard argenté enfoncée jusqu'aux sourcils. L'hiver était certes finissant, mais toujours vigoureux. Le ciel était d'un bleu blanchi qui laissait échapper quelques flocons épars. Piotr tenait un fusil à double canon superposé, crosse sculptée en tête d'élan. Le général arborait une carabine plus récente à un seul canon. Trois chiens les suivaient en s'attardant sur chaque nouvelle odeur, la contournant pour en déchiffrer toutes les subtilités. Le premier était un berger d'Asie centrale, un molosse d'un demi-quintal aux oreilles coupées. Les deux autres étaient de grands chiens de chasse au poil rêche. Le colonel au visage couperosé montrait sa joie d'être dans cette nature vivifiante avec son ami. Puis il renvoya les chiens dépités à la datcha.

— J'aurais pu organiser une battue, mais je n'aime pas cette façon de chasser. Je préfère l'affût, c'est plus silencieux et plus aléatoire.

Il fallut une bonne demi-heure aux deux hommes pour s'enfoncer dans une forêt de conifères et rejoindre une cabane recouverte de branchage construite sur une route de grands gibiers. Une petite ouverture pour passer le canon de leur fusil était leur seul lien avec l'extérieur. Deux chaises pliantes et une table en rondins servaient de mobilier. Ils commencèrent par sortir de la besace du colonel une bouteille de vodka et deux morceaux de viande boucanée assez salée pour ne pas les tenter de laisser la bouteille à moitié pleine.

Le général enfonça une longue balle de .222 dans le canon de sa carabine. Tandis qu'il refermait l'arme, le colonel occupé à vérifier les deux chiens de son fusil murmura, lugubre :

— Voilà un an que ma femme est morte.

Comme il ne poursuivait pas, le général lui demanda naturellement :

— Et alors?

— Alors, elle ne me manque vraiment pas. Je crois que je ne l'ai épousée que pour faire bonne figure au KGB. Si j'avais été célibataire, ils ne m'auraient jamais laissé sortir du territoire.

— C'est probable.

À cet instant, la porte du refuge champêtre s'ouvrit sur le gros berger. Il ne s'était pas résigné à laisser son maître. Il entra en remuant la queue. Le colonel le laissa se coucher dans un coin.

— Tu sais ce que disait Victor Hugo? murmura le général.

Le colonel hocha la tête en ajustant son fusil à travers la lucarne.

— Il disait que les chiens ont leur sourire dans leur queue.

Puis il se fit pensif :

— Il y en a une autre comme ça, je ne sais plus de qui. Il prétend que nous aimons les chiens parce que les chiens nous prennent tous pour Napoléon. À propos d'amitié, Piotr, je te considère comme un ami depuis près de trente ans maintenant.

— Tu peux dire trente-cinq.

— Et je me demandais récemment si tu aurais pu me trahir.

Le colonel regarda le sol quelques secondes, puis leva les yeux.

— Te trahir? Certainement. Je t'aurais trahi sans hésiter s'il l'avait fallu ou si on me l'avait demandé. J'étais au service du régime avant tout. Mais je ne t'aurais jamais trompé pour favoriser mon propre intérêt, jamais. Pour être sincère avec toi, tu m'as toujours inquiété avec tes manières de libre penseur. Plusieurs fois je me suis dit que tu allais finir au goulag.

— Malgré cela, tu continuais à me fréquenter et à me donner des signes d'amitié.

— Pour autant que je n'avais pas reçu d'ordre contraire.

— Et là tu n'aurais pas hésité?

— Pas une seconde.

Une fois installés chacun sur une chaise pliante, le général reprit la conversation sur un ton jugé assez bas pour ne pas être entendu des grands animaux.

— Tu vois, il y a chez Plotov une qualité qui a retenu l'attention de l'entourage de « Boris l'éponge », premier président de toutes les Russies. C'est son sens de la parole donnée. Nous avons dîné, Plotov et moi, un soir à Moscou, alors que sa femme était partie à Saint-Pétersbourg. Ce soir-là, je l'ai vu avec une tête d'animal traqué : « Le président m'a proposé de prendre les fonctions de Premier ministre. — Plutôt flatteur », ai-je répondu. Mais il ne parvenait pas à se détendre. Il a fini par lâcher : « Il a ajouté que, si tout se passait bien, je pouvais me considérer comme son successeur. » Soudain, c'est vraiment l'homme du KGB que j'avais devant moi, tremblant de méfiance et de suspicion. « Ou alors ces fonctions ne valent pas un kopeck passé sous le fer d'un cheval de trait, ou alors on me tend un piège. — Le temps des conditions viendra, Vladimir Vladimirovitch, il viendra. Tout ce dont vous devez vous assurer pour le moment, c'est de votre appétit pour le pouvoir. Si vous en voulez, demandez-vous ce que vous voulez en faire. » Il a pris sa tête entre ses mains comme s'il cherchait à la soulager du poids d'une grosse migraine. Puis il m'a regardé en me traversant de son regard bleu pâle. « Si je ne prends pas le pouvoir qu'ils me donnent, Guennadi Alexandrovitch, il viendra un temps où il faudra le leur arracher. Ce qui se passe en Tchétchénie, c'est un des événements les plus graves de notre histoire. Nous avons déjà perdu l'URSS. Si nous perdons la Tchétchénie, le Daguestan suivra, puis l'Ingouchie, puis... il en sera fini de la Russie. Je me fous des aspirations légitimes de leur peuple, je les diluerai dans le sang. L'équipe actuelle a bradé notre économie, nous ne pouvons pas les laisser démanteler nos frontières. Ce qu'ils préparent, c'est une deuxième Yougoslavie. Nous sommes la risée du monde entier qui n'attend que cet ultime affaiblissement. Donc, admettons que j'accepte, quelle est la contrepartie ? — Je n'en sais fichtre rien, Vladimir Vladimirovitch, mais je peux l'imaginer. D'abord, un engagement de ne jamais poursuivre le président sur ses détournements et ceux de sa fille. Ensuite, de trouver un accord avec les oligarques qui l'entourent. Selon mes informations, il se dit que les oligarques vous sont très favorables. Ils comptent se garder l'économie et vous laisser le reste. Ils ont les fesses plus sales qu'un veau nouveau-né et ne demandent qu'une seule chose, que rien ne bouge. » Plotov eut un rictus qui en disait long sur sa détermination : « La grande majorité des oligarques sont juifs. Je n'aurai aucune difficulté à réveiller l'antisémitisme populaire quand il sera temps de le faire. Je vais d'abord les endormir et ensuite je leur imposerai mes conditions : pas d'ambition politique, vous rendez tout ou partie de la propriété des entreprises stratégiques ou vous quittez le pays. Pour ceux qui ne quitteront pas le pays, ce sera le goulag sur une mine d'uranium où ils finiront avec des couilles comme les rescapés de Tchernobyl qui peuvent s'en servir de siège quand ils sont fatigués. Quant aux Tchétchènes, on les buttera jusque dans les chiottes s'il le faut, mais je ne laisserai plus jamais quelqu'un bouffer même une petite assiette de notre territoire ou de notre industrie. — Je vais me permettre une remarque, Vladimir Vladimirovitch. Il arrive parfois qu'on aboutisse à une très bonne conclusion en partant d'un postulat erroné. Vous ne devriez plus vous le permettre si, grâce à Dieu, vous accédiez à la magistrature suprême. L'oligarchie n'est pas un phénomène juif. Que les juifs aient été parmi les plus prompts à se lancer dans les affaires, c'est un fait. Qui tient à un niveau d'éducation et d'ouverture sur le commerce plus avancé que les orthodoxes. Il faut y ajouter un réseau international qui a facilité nombre d'ouvertures. Mais il n'y a aucune solidarité juive dans l'oligarchie et les haines ne sont pas tempérées par l'appartenance à une même communauté. Les orthodoxes auraient voulu faire aussi bien. Beaucoup y sont arrivés, mais nombre d'entre eux n'ont pas été assez lestes. Maintenant, l'antisémitisme russe n'est évidemment jamais une arme à négliger. Personnellement, je pense que vous n'en aurez pas besoin. » Cet entretien a eu lieu la toute dernière fois que nous nous sommes rencontrés. Depuis, je ne l'ai eu au téléphone qu'une seule fois, quelques mois avant son élection. Il était inquiet de son manque de popularité. Il m'était difficile de lui répondre que son manque de charisme était flagrant. Il enrageait, alors qu'il avait toute la classe politique et celle des affaires derrière lui, de venir buter maladroitement sur le suffrage du peuple. « Alors que tout est prêt, il ne manquerait plus que ces cons ne votent pas pour moi. — Il faudrait que vous incarniez l'ordre, lui ai-je répondu, mais pour cela un peu de désordre est nécessaire. — À quoi pensez-vous, Guennadi Alexandrovitch? — Je pense à faire d'une pierre deux coups. Motiver le peuple pour reprendre une offensive musclée en Tchétchénie et vous faire élire. Ne concerne le peuple que ce qui lui est proche. Son avis n'est motivé que par une souffrance personnelle. » Il y eut un long silence à l'autre bout du fil, et Plotov reprit : « Vous n'êtes pas en train de me parler d'attentats à Moscou, n'est-ce pas? — Vous m'offensez, Vladimir Vladimirovitch, loin de moi cette idée. En l'espèce je ne dis rien. Je constate que vous êtes toujours le patron du FSB. Je note aussi que les Tchétchènes préparent des attentats pour frapper l'opinion. Vous pouvez les en empêcher comme vous pouvez faire en sorte qu'ils accélèrent leurs préparatifs, comme vous pouvez aussi observer une stricte neutralité. Si ces attentats permettent de relancer la guerre et de la gagner, que seront ces vies perdues comparées à celles que vous économiserez? Je sais depuis le début que vous êtes un homme croyant, Vladimir Vladimirovitch, et je ne vous mettrai jamais en porte à faux avec votre foi. » Il m'a invité aux cérémonies d'intronisation, mais nous ne nous sommes jamais parlé depuis. Des immeubles ont certes explosé à Moscou. Rien ne prouve que nos services secrets soient impliqués dans cette tuerie.

Le général se moucha. Son nez coulait. Il resta un long

moment sans rien dire, le regard fixé au loin, là où la trouée disparaissait dans la masse verdâtre et grise des arbres. Il interrompit le silence une première fois :

— L'éducation et la culture sont essentielles. Elles seules permettent à l'homme de comprendre ce qui le rend mauvais. Malheureusement, l'expérience montre qu'un homme capable d'analyser les turpitudes de son espèce n'en devient pas meilleur pour autant.

Le colonel ne répondit rien. Bien que les deux hommes ne puissent le voir de là où ils étaient embusqués, le ciel s'était chargé de gros nuages blancs qui s'effritaient en flocons humides de fin d'hiver. Soudain, une biche de grande taille apparut dans la trouée. Sa truffe noire scintillait. Elle s'immobilisa dans l'allée. Sa tête pivotait sur son cou comme celle d'un oiseau cherchant des yeux la confirmation des bruits qu'il perçoit.

— Elle est à toi, murmura le colonel.

Le général, qui ne pouvait s'empêcher de deviser, répondit en chuchotant :

— La beauté face à l'extrême violence, c'est le résumé de notre histoire.

Puis il fit feu. La bête n'esquissa pas un mouvement, foudroyée par l'insecte métallique qui lui ôta la vie avant qu'elle n'ait conscience de la perdre.

Ils passèrent ensuite une corde autour des pieds de l'animal qu'ils réunirent en un seul nœud. Ils le traînèrent ainsi jusqu'à la datcha, l'œil fixe et opaque, la langue pendante, la tête ballottée par les mouvements du terrain.

En chemin, de sa main libre, le général ôta sa chapka qui lui faisait transpirer le crâne. Il paraissait absorbé.

— Je vais m'occuper de récupérer le titre foncier pour ta datcha, Piotr. Plus j'y pense, moins je vois Plotov me refuser ce service. Tout le monde s'est servi dans ce pays depuis neuf ans, il doit tout de même bien y avoir quelque chose qui revient à des hommes comme nous. Nous n'avons pas été éduqués à revendiquer la propriété privée des biens de ce monde, mais je n'imagine pas non plus que nous soyons spoliés.

Il fallait bien la force des deux hommes pour tirer le corps de l'animal dont le glissement était à peine facilité par la fine pellicule de neige humide qui recouvrait le sol. Essoufflés par l'effort autant que par des années d'excès, ils firent une petite pause. Le colonel en profita pour éviscérer l'animal. Les boyaux emmêlés furent jetés aux chiens dont les yeux s'allumèrent devant le festin. Le général resta à ses côtés, scrutant les alentours.

— Je ne sais pas pourquoi je pense à ça, mais, au début du règne de Boris Iᵉʳ, Sa Majesté spongieuse, j'ai été invité à une soirée à Moscou chez une sorte d'oligarque. Enfin, un de ces types qui ont fait une fortune fulgurante en truquant les adjudications de sociétés publiques ou en spéculant sur les bons de privatisations. Même un milliardaire américain n'aurait pas le mauvais goût de se faire construire la maison qu'avait ce bonhomme. Il se sentait menacé et ne savait pas comment s'y prendre pour se protéger. Il m'avait invité pour me proposer de prendre en charge sa sécurité moyennant une rémunération faramineuse que j'ai déclinée. Il voulait que je reste au FSB et que de là j'organise sa protection avec des hommes à moi. À cette époque, on ne refusait pas les invitations, faute de savoir à qui l'on avait affaire. Des millionnaires comme ça pouvaient avoir des influences inattendues. Je me souviendrai toute ma vie du choc que j'ai eu, quand je suis entré dans sa datcha. Au rez-de-chaussée, il y avait un immense salon organisé autour de sept ou huit tables basses où étaient posés bouteilles, verres et amuse-gueule. Tu me croiras si tu veux, ces tables étaient vivantes. Des femmes nues à quatre pattes par terre, un plateau en verre posé sur leur dos, passaient la soirée, figées dans cette position. Rien de leurs formes ni de leur intimité ne nous était épargné à travers la vitre. Les invités faisaient mine de ne rien remarquer. Notre hôte, me voyant intrigué, m'a fait un clin d'œil en disant : « Ces filles reçoivent des salaires de cadre supérieur de multinationales pour des soirées comme ça. Elles m'en voudraient beaucoup de faire venir de vraies tables basses d'Indonésie en teck. » La semaine suivante, on l'a retrouvé éventré dans une rue adjacente à une boîte de nuit à la mode de Moscou. Ils lui avaient fait une boutonnière. Qu'il meure ne leur suffisait pas, ils voulaient l'humilier en lui mettant les tripes à l'air. Quand j'y repense, j'imagine qu'il a dû souffrir, mais pour l'humiliation, je ne vois vraiment pas, sauf à penser qu'un mort est capable de se voir. L'époque était très violente. Nos entrepreneurs trop frais dans le système n'aimaient pas l'idée de la concurrence, ils préféraient l'élimination physique. On tuait à tous les niveaux du commerce. Il suffisait de pouvoir se payer un Tchétchène et, à cette époque-là, les Tchétchènes n'étaient vraiment pas chers.

CARBONISÉS

Le gris sombre des quais en béton s'éclaircit sous un soleil pâle, donnant un reflet champêtre à l'épaisse mousse gorgée d'eau qui recouvre les aplombs de la longue jetée. La rade est comme un malade qui s'efforce de sourire, étirant ses stigmates pour les perdre dans les plis de sa peau. L'air du mois d'août est à peine tiède. Il couve une fraîcheur honteuse pour la saison.

Vania Altman sent comme un picotement au bout des doigts. Son appréhension se manifeste ainsi, discrète et retenue. Il franchit les marches des locaux de l'escadrille. Sur l'épaule, un petit sac de toile bleu renferme le minimum, une brosse à dents, un petit tube de dentifrice, des sous-vêtements de rechange pour trois jours. Pas de livre, il n'en aurait pas l'usage, la mission est trop courte et trop intense. Juste un petit calepin, pour prendre des notes utiles s'il y a lieu. Si l'appréhension ne se manifeste pas plus, c'est qu'elle est submergée par un profond sentiment de fierté. Vania ne sait pas pourquoi il est là, il sait seulement qu'il n'aurait jamais pu être ailleurs. À le voir, on est surpris par la douceur de son visage, large et fin. Des yeux d'un bleu soutenu. Ses cheveux blonds coupés court se cachent sous sa casquette qui remonte sur l'avant comme un pont de porte-avions. Sans y penser précisément, il sait que cet instant est l'aboutissement d'un rêve, celui de vivre parmi les hommes debout.

L'ordre est venu tôt ce matin. Une chance, deux équipages se partagent le bâtiment et c'est le sien qui embarque pour trois jours de manœuvres. Il aurait préféré débuter par une mission longue, partir pour trois mois, le temps de prendre ses marques. Ce sera pour la prochaine fois, dans cinq semaines. Le sous-marin revient tout auréolé d'une longue mission en Méditerranée à défier les forces de l'Otan. Le commandant a reçu au Kremlin une haute distinction pour ce fait d'armes sans précédent. Il en a remontré aux ennemis d'hier qui seront peut-être encore ceux de demain. Tout le monde en a parlé à la base, et s'embarquer sous le commandement de Liouchine est un honneur pour un enseigne de vaisseau novice. Ces manœuvres sont plus qu'un exercice, elles doivent démontrer la force de la flotte du Nord. À la base, la fébrilité des officiers qui courent dans tous les sens est le signe qu'un enjeu supérieur catalyse les énergies. La marine russe doit se prouver à elle-même, comme aux observateurs espions étrangers, qu'elle n'a rien perdu de sa superbe, qu'elle est encore capable d'inspirer la terreur comme au temps de la guerre froide, que l'impécuniosité dans laquelle l'ont plongée les temps nouveaux n'a pas altéré la crainte qu'elle suscite.

Vania le sait depuis l'école des cadets et son choix n'était pas innocent, les Russes n'aiment plus leur armée, au mieux elle leur est indifférente, au pire ils lui crachent dessus. Le dégoût qui se répand sur l'armée de terre n'a pas encore atteint la marine et encore moins les sous-mariniers. Il faut dire qu'ils n'étaient ni en Afghanistan ni en Tchétchénie, et qu'aucune des rumeurs qui circulent sur les rampants n'a jamais effleuré les hommes en noir. On ne connaît pas d'exemple d'officier de marine qui loue les services de ses hommes contre des espèces résonnantes à des entrepreneurs. Chez les sous-mariniers, on ne viole pas les jeunes recrues. On ne les renvoie pas non plus à leur famille dans des caisses en pin avec les moins précieux de leurs objets personnels, car leurs bagues et montres se sont déjà transformées en vodka. Aucun scandale n'a jamais éclaboussé leur corps. S'ils ont connu des restrictions dans des cantonnements polaires où nombre d'entre eux ont perdu la vie, aucun n'a jamais été privé de sa dignité.

Vania s'inquiète un peu de débuter dans une manœuvre importante. Sans l'insistance d'Anton, on ne l'aurait probablement pas embarqué. Anton est son mentor, depuis l'enfance. Son père et lui sont comme deux frères, pas un jour ne passe sans que l'un s'inquiète de l'autre. Quand les journées rallongent, ils s'en vont ensemble battre la campagne, et si leur subsistance en est la raison principale, ils savent l'un et l'autre orner leurs sorties de motifs plus nobles, attachés qu'ils sont à cette nature pauvre mais apaisante. Son père n'aurait jamais eu l'idée par lui-même d'envoyer son fils à l'école des cadets de Saint-Pétersbourg, à l'âge où d'autres collent encore à leur mère. Anton l'en a convaincu par petites touches successives au fil de leurs escapades dans les grandes étendues silencieuses. Anton avait compris très vite que Vania ne serait jamais homme à croiser le regard de celui qu'il allait tuer, à supporter les brimades de supérieurs rongés par l'alcool, ni à endurer la promiscuité malsaine des chambrées puantes. Rien ne le disposait à servir chez les rampants. L'aviation lui était interdite parce qu'il avait peur en avion. La marine de surface le rebutait aussi. Pas une sortie en bateau, avec son père, Anton et Boris, qu'il n'ait passée arc-bouté au bastingage, envoyant à la mer le fond de son estomac retourné comme un gant. « Quand on est affligé comme toi du mal de terre, de l'air et de mer, il ne reste que le meilleur, les sous-marins, lui avait dit Anton. On passe toujours deux ou trois heures en surface avant de plonger. Un sous-marin est tellement peu fait pour naviguer sur l'eau, à cause de son absence de quille, qu'il roule et qu'il tangue sans merci pour ses hommes. Alors, par grosse mer, personne n'est épargné et l'équipage se soude en vomissant de concert. Chacun prie pour entrer dans l'obscurité, et quand le sous-marin s'enfonce comme une grosse baleine pour se caler dans les profondeurs, la sérénité nous revient comme si on voyageait dans un train de nuit. »

Anton est capitaine de corvette, troisième après Dieu. Rien dans son apparence ne trahit l'intelligence qui est la sienne, comme s'il s'attachait à n'en rien laisser filtrer. Pourtant il n'est pas un fluide circulant dans les milliers de tonnes du sous-marin qu'il ne soit capable de suivre, d'entendre. Aucun mécanisme ne lui est étranger, chaque valve, clapet, moteur principal ou auxiliaire lui est familier. Dans le bateau, il est l'homme de l'eau, de l'air, de l'atome et de l'huile. Toutes les tensions qui en résultent, atteignant parfois plusieurs centaines d'atmosphères, il les transforme en quiétude. Pour le reste de l'équipage, il n'est nul besoin de lire les dizaines de voyants qui rendent compte de l'état de la technique, la position des sourcils d'Anton suffit à leur tranquillité. Son visage peut sembler inexpressif tant il rechigne, dans les moments difficiles, à laisser poindre le moindre sentiment négatif par peur de la contagion. Depuis quelques années que les pièces détachées manquent et que l'entretien se dégrade par faute de moyens, les hommes à bord s'alertent plus facilement, y compris les officiers qui, voyant les avaries se succéder, craignent à tout moment de lire sur son visage une sentence de mort. Les uns et les autres tentent de s'accommoder de l'imperfection et des risques qu'elle fait peser sur leurs vies. Mais Anton maîtrise, relativise, car, selon lui, tout a été pensé pour le pire. Si on lui fait confiance, c'est parce que, malgré le délabrement de la flotte, il a gardé sa foi dans les concepteurs qui ont pourchassé le hasard jusqu'à le laisser pour mort. Et si ce dernier parvenait toutefois à se manifester, il compte sur ses ressources intellectuelles pour lui donner le coup de grâce. C'est en ces termes que les autres officiers ont parlé d'Anton à Vania, soulignant la chance qu'il avait d'apprendre à ses côtés pendant deux ans au moins avant qu'on ne lui coupe le cordon ombilical qui le lie à l'ami de son père.

Vania se surprend parfois à penser qu'il a plus d'admiration pour Anton que pour son propre père et, quand il pense à ce dernier, il le voit comme un raisonneur, agile dans la réflexion, impuissant dans l'action. Il se souvient d'un jour où il rentrait de l'école des cadets de Saint-Pétersbourg pour des vacances. Son père, avec lequel il avait de rares conversations en tête à tête, l'avait pris à part pour lui demander comment il se sentait dans son école, si son éloignement ne lui pesait pas trop, si la discipline militaire ne l'étouffait pas, si la promiscuité ne l'incommodait pas. Comme Vania répondait négativement à toutes ses questions, son père finit par s'emporter. Un très court moment, mais avec une force surprenante chez cet homme que rien ne semblait jamais vraiment toucher, occupé qu'il était à soigner son image de désinvolte imperméable aux autres, appliqué à relativiser toute chose pour la tenir à distance. « J'ai l'impression d'avoir un vieux en face de moi. Tu es le plus jeune vieux qu'il m'ait été donné de rencontrer. Tu as réglé ta vie comme du papier à musique, je ne vois jamais la moindre révolte chez toi, juste un large acquiescement qui te porte. Tu ne questionnes pas le monde qui t'entoure, tu te fonds dedans avec discrétion et servilité et tu ne vois pas que tous ces hommes que tu admires et qui t'inspirent sont des hommes d'hier. Nous n'avons même plus d'ennemis, Vania, et si c'était le cas, il faudrait se demander pour quelles valeurs nous sommes prêts à mourir, pour quelle conception du monde nous devons nous sacrifier lorsque l'ordre en sera donné. Ceux qui nous menaçaient hier sont sur le point de nous assimiler, de nous étreindre pour mieux nous intégrer dans leur gigantesque marché. La guerre est perdue et c'est tant mieux, et s'il y en avait une à gagner un jour, ce serait contre qui ? Tout ce que je peux dire de mon fils, c'est qu'il est un bon Russe de la Russie éternelle, un serviteur zélé d'une patrie qui a connu tous les déguisements pour se maintenir en une grande nation impérialiste. » Puis il s'était tourné vers la fenêtre du salon où il parlait en croisant les mains dans son dos, avant de revenir prendre son fils dans ses bras pour l'étreindre en lui murmurant, les larmes aux yeux : « Malgré tout cela je suis fier de toi. Je voudrais seulement que tu ne vendes pas ta conscience à des hommes qui ne la méritent pas. » Vania n'avait rien su répondre. Il avait juste appuyé sa main dans le dos de son père pour le rassurer. Il connaissait ses contradictions, cause de ses emballements et des reproches qu'il n'adressait finalement qu'à lui-même, incapable de donner un sens à sa vie, car pour lui le temps n'était plus à la résistance (d'ailleurs il n'avait jamais été résistant) et pas encore à l'adhésion. Il se fustigeait de n'être rien, ou rien d'autre qu'un petit professeur d'une histoire ridicule, enseignant malheureux d'une discipline soluble dans le mensonge, affamé par le mépris des bureaucrates de Moscou qui ne voyaient certainement en lui qu'un être inutile.

Vania ne se souvient pas avoir reçu d'encouragements de sa mère. Quelle mère sensée souhaite voir l'enfant qui est sorti de son ventre se transformer en soldat ? Elle savait que, même en temps de paix, l'armée russe n'est jamais sûre. On y meurt souvent victime d'un ennemi intérieur qui fédère l'incompétence, la négligence et le mépris. L'inévitable arbitrage entre les soldats, le matériel et le secret se fait toujours au détriment des premiers dans cette armée qui perd ses hommes comme un vieux carter perd de l'huile. Elle ne s'est jamais opposée à son choix et, devant cette fatalité, elle s'est inclinée, accompagnant un mouvement plus puissant qu'elle, s'en remettant à la Providence pour maintenir son fils en vie. Au fond d'elle-même, elle pensait que le risque de le perdre en opérations était plus faible que celui de le voir mettre fin lui-même à ses jours, comme nombre d'adolescents de sa génération qui vivaient l'après-communisme résignés de n'être rien. Cette génération était convaincue de n'avoir pas plus de place dans le monde des vainqueurs que dans celui des vaincus, la misère n'ayant que faire de la liberté, surtout quand elle ne résulte pas d'une conquête. La liberté d'expression récente manquait de saveur, car elle n'était pas l'aboutissement d'une lutte, mais d'un simple effondrement. Quelle énergie un vieux mur éboulé par des ruissellements qui ont ruiné ses joints en terre peut-il transmettre ?

On ne pouvait pas parler d'évasion héroïque d'une prison idéologique fortifiée. Ses portes s'étaient ouvertes pour la simple raison que le gardien avait oublié les clefs à l'intérieur, avant de se faire la belle lui-même. La mère de Vania s'était rangée à l'ambition de son fils, sans résistance. Avec le temps, elle avait même tiré de sa position un sentiment à mi-chemin entre la fierté et la vanité.

En entrant au mess des officiers, Vania se sent chez lui. Plus que dans le petit logement qui lui a été attribué dans la ville interdite à un peu moins d'un kilomètre de la base, un appartement surchauffé les bons jours, glacial quand la chaudière centrale est en panne. L'immeuble est insalubre, on promet des travaux depuis des années, mais rien ne se passe. La vie n'y est pas moins affligeante que dans celui de ses parents qui ne se parlent que par nécessité, pendant que sa sœur aînée joue les modernes en lui reprochant d'avoir choisi ce métier d'un autre temps, comme si elle faisait écho à leur père. Vania souffre de la complicité qui s'est installée entre eux durant toutes ces années où il était au collège militaire de Saint-Pétersbourg. Il sent sa mère isolée, comme si ce bloc s'était constitué sans le savoir contre elle. Déjà, avant son accident, elle ne cherchait pas pour autant à se rapprocher de son fils à qui elle ne témoignait comme aux autres qu'une froideur utilitaire. Elle donnait de l'efficacité pour résoudre les contraintes matérielles qui, dans l'impécuniosité du quotidien, pèsent, lourdes comme du lait de vache dans l'estomac d'un adulte. Mais, plus Vania prend de l'âge, plus il réalise à quel point elle était empêchée dans ses sentiments. Par quoi, il est incapable de le dire, mais il se souvient qu'elle se comportait en permanence comme si elle craignait de s'attendrir.

En pénétrant dans le mess, il laisse derrière lui un monde où la négligence et l'imperfection sont la règle, où la frontière entre civilisation humaine et règne animal lui semble sans cesse attaquée. Une fois cette porte franchie, il retrouve les siens.

Il redevient porté par un idéal indéfinissable qui de commun avec la patrie et la guerre n'a que les apparences. Le monde des sous-mariniers, on le lui a tellement dit, n'appartient qu'à eux, à cette petite communauté qui a décidé de vivre pour elle en apnée. La terre entière est peuplée d'individus qui rêvent de solitude dans de grands espaces aérés, sans contraintes. Les sous-mariniers cultivent la promiscuité dans des espaces confinés où chacun ne vit plus que pour ses semblables. Les marins sont posés sur la mer. La mer étreint les sous-mariniers. Jusqu'à les broyer s'ils descendent trop profond. Leur univers est un défi à l'ordre établi par la nature, et elle ne se prive pas de le leur rappeler jusqu'à leur infliger le feu, si l'eau ou la privation d'oxygène ne suffisent pas pour les anéantir. La conscience qu'ils en ont fait beaucoup pour leur humble solidarité.

Vania salue tous ces officiers avec plus de respect qu'ils n'en demandent. Anton est là qui lui fait signe. Il boit un verre avec le second du navire. Vania est presque gêné de se joindre à eux, mais ils le mettent à l'aise. La conversation tourne autour de la solde qui n'est pas arrivée. Le bruit court que de l'argent est en route pour payer les équipages. La rumeur est à ce point réaliste que le Vieux, plutôt que d'embarquer pour les manœuvres, a demandé à l'officier d'intendance de rester à la base pour défendre les intérêts de ses hommes. Puis le second interroge Anton pour savoir s'il a les mêmes informations que lui sur le trafic de pièces détachées dont bénéficieraient des culs de plomb de l'état-major. Anton opine et en rajoute en baissant la voix. Le second finit son verre, tape sur l'épaule d'Anton pour lui signifier qu'il part se changer avant d'embarquer. Anton et Vania restent seuls. Ils ne vont pas tarder à y aller non plus. Anton sourit à Vania, complice de son appréhension pour cette première plongée.

— Tu vas voir, c'est plus vivant en manœuvre que pendant les missions longues. Il y a un vrai jeu de stratégie avec l'aviation anti-sous-marine et les bâtiments de surface. Il va y avoir du monde déployé en mer de Barents. Et je crois qu'on a pas mal de tirs avec des charges réelles en perspective. On ne va pas pouvoir beaucoup dormir, j'espère que tu as de l'avance. Et comment va ton père ?

— Je crois qu'il va bien, je l'ai eu au téléphone, il y a deux jours, mais je n'ai pas pensé à appeler mes parents pour leur dire que j'embarquais avec toi. Je les appellerai à mon retour.

— Ton père, Boris et moi, on est partis pêcher le saumon, il y a tout juste une quinzaine de jours. Je ne sais pas si ce sont les radiations, mais j'ai jamais vu une telle vitalité chez ces bêtes-là alors qu'elles sont à quelques jours de mourir après avoir frayé. Et depuis, je n'ai pas non plus eu le temps de lui passer un coup de fil, j'avais pas mal de travail administratif à faire à la base et du bricolage dans l'appartement. Comment est celui qu'ils t'ont donné ?

— Ça peut aller.

— Tu as l'eau, l'électricité, le chauffage ?

— Oui.

— Alors tu as l'essentiel, à condition que les chiottes marchent.

— Elles fonctionnent.

— C'est une chance. Je crois que ces cons du ministère à Moscou ont peur qu'on n'ait plus la foi pour embarquer. C'est pour ça qu'ils nous affament, qu'ils nous enfument avec des canalisations de chiottes qui refoulent, qu'ils nous coupent le chauffage par intermittence en nous expliquant que le type chargé de l'entretien était tellement bourré qu'il est tombé dans la chaudière la tête en avant. Ils veulent qu'une fois qu'on a passé la coupée, on pousse un soupir de soulagement comme si on avait retrouvé le paradis. Parfois, je me demande même si la plupart des bonnes femmes de sous-mariniers ne sont pas aussi des agents du FSB, chargées de nous rendre la vie impossible au point de ne plus vouloir quitter nos sous-marins, refuge de toutes nos misères, remède à toutes nos déceptions.

Le visage d'Anton s'éclaire.

— C'est vrai que c'est le paradis dans un sous-marin. Tu vas voir quand on sera à cent mètres, rien qu'entre nous, et que le maître d'hôtel nous servira une petite vodka frappée, le monde entier, sans le savoir, nous enviera. Ils nous croient en plongée, c'est eux qui le sont mais pas dans l'eau, dans la médiocrité de leur existence de petits rongeurs. Et, dans deux ans, la retraite. S'ils la payent comme la solde aujourd'hui, ça sera un vrai problème, mais si l'argent revient dans les tuyaux, je pourrai aller tous les jours pêcher ou chasser. Et pendant ce temps-là ton père sera toujours en train d'enseigner, à ses élèves qui piquent du nez, que Staline mérite d'être reconsidéré.

Vania a ce sourire qui le rend irrésistible, car il rend compte non seulement de ce qu'il est mais de ce qu'il va devenir.

Puis les deux hommes partent se changer dans le bureau d'Anton. C'est là qu'ils troquent leur uniforme noir contre une combinaison de travail. Anton prend un petit sac avec juste le minimum pour trois jours, il confesse qu'il n'a pas pris de rechange, de toute façon, en manœuvre, on n'a pas le temps de se doucher, à peine de se laver les dents. En sortant du bureau d'Anton, ils croisent un officier qui accompagne deux civils en combinaison sans galons, deux petits sacs à la main.

— Ce sont les deux ingénieurs torpilles qui se joignent à vous, pouvez-vous les conduire sur le bateau, capitaine ?

— Je m'en occupe.

Les présentations faites, les quatre hommes se dirigent vers l'*Oskar* amarré sur le quai. Le bâtiment est énorme, bien qu'une grande partie de la coque soit sous la ligne de flottaison. Long comme un terrain de football, la partie qui émerge, kiosque compris, est à la hauteur des bâtiments administratifs de quatre étages qui lui font face. On dirait une orque égarée. On passe un dernier poste de contrôle après un tourniquet. Les ingénieurs torpilles n'ont pas les bons laissez-passer. C'est la revanche du planton qui n'a jamais pris la mer et qui toise ses interlocuteurs, car il est en dehors de leur hiérarchie. Anton passe deux coups de fil. Un homme arrive en courant quelques minutes après, parle au planton qui regarde ailleurs et qui, finalement, leur fait signe de passer, dépité de ne pas avoir pu les ennuyer un peu plus. Sur le pont, on s'agite. Un plongeur en tenue, bouteilles sur le dos, se tient prêt à repêcher tout homme qui tomberait à la mer pendant cette phase de préparatifs. Anton croise le chef cuistot. Il lui fait un signe de tête interrogatif.

— Ça va aller, mon commandant, le Pacha s'est énervé, on va avoir les quantités et la qualité, je m'en occupe.

— Si tu nous sers deux fois la même chose ou ta foutue langue de bœuf bouillie, on te sasse par trois cents mètres de fond.

Le chef cuistot sourit.

— Pas de risque, commandant.

Ils pénètrent dans le navire par le panneau d'accès et confient les deux ingénieurs à un officier de l'avant. Commence une longue descente d'échelles en échelles, puis de porte étanche en porte étanche pour rejoindre l'équipe de quart au poste conduite propulsion, loin, au fond du bateau. Ici, on ne se salue plus, un signe de la tête suffit et évite de se cogner le coude contre les angles métalliques qui se dressent partout. De toute façon, on n'a pas la distance réglementaire pour claquer des talons. L'officier sécurité plongée vient au rapport. Anton lui présente rapidement Vania. Il a le regard noir et vif, de petites lèvres et un menton rond et court.

— Tout est clair, commandant, à mentionner un problème avec l'eau douce qu'on essaye de résoudre, il faudra probablement interdire les douches, on travaille dessus, on sera en mesure de revenir vers vous avec un compte rendu dans deux heures, au plus tard.

— De toute façon, on n'avait pas l'intention de se doucher et ça m'étonnerait qu'on ait le temps, ce sont les plus grosses manœuvres de notre flotte depuis des lustres, on ne va pas les passer à la salle de bains. Le miracle des profondeurs, c'est que, tant qu'on n'est pas à l'air libre, aucune mauvaise odeur n'ose pointer le nez, pas vrai ?

— Absolument, mon commandant.

— Les hommes ?

— Tous en place, clair appel.

Vania observe Anton en coin. Ce n'est pas le même homme. En tout cas, rien à voir avec celui qu'il connaît à la maison, chez ses parents, absent et presque essoufflé comme un poisson qui ne trouve son air qu'immergé. Ce n'est pas son grade qui lui donne cette assurance, il est tout simplement chez lui, dans un lieu qui n'a aucun secret pour lui, avec des hommes qu'il croit sans réserve. Anton continue son petit tour avec Vania. Ils vont à la propulsion, là où l'on commande la puissance, juste derrière le réacteur nucléaire qui est complètement confiné. Un sous-officier s'avance vers Vania et lui accroche à la poche de sa poitrine un film dosimètre « pour mesurer la radioactivité subie, on le transmet à terre et ensuite ça part on ne sait où chez des gens qui s'en foutent complètement ».

— Ici, il va faire chaud quand on sera partis, lui lance Anton. Et plus la mer est chaude, plus ça monte. J'ai connu près de cinquante degrés ici, dans l'océan Indien. Là, ça devrait aller, on reste en mer de Barents. Allez ! au central.

Ils repartent vers l'avant, ça grouille de monde, en tout cas c'est l'impression que ça donne, et comment pourrait-il en être autrement dès lors qu'on embarque un peu plus d'un homme par mètre de bateau. Dans les coursives, chacun plaque son dos contre les parois pour laisser passer l'autre. On monte au central, là où sont canalisées toutes les informations et alarmes. Le Vieux n'est pas encore arrivé, mais le second s'active. Anton rejoint son tableau de contrôle qui rend compte de l'état de tous les fluides qui circulent dans le navire, de leur pression, et de l'étanchéité des conduits. C'est là que sont toutes les alarmes techniques, y compris celles de l'incendie qu'on redoute par-dessus tout, car, dans l'histoire de la sous-marinade soviétique, le feu a tué plus que l'eau. À côté de son grand tableau, se trouvent le poste de pilotage et ses deux palonniers. C'est un autre officier qui en a la charge, et des hommes vont s'y relayer pour donner au bateau son cap, sa profondeur et son assiette. C'est lui aussi qui relaiera les ordres d'allure aux subordonnés groupés à l'arrière du navire. Deux périscopes, l'un de veille, l'autre d'attaque qu'on utilise quand le bateau affleure la surface en immersion périscopique, séparent le central d'opérations. De part et d'autre de ces derniers, on gère la cécité totale, quand le bâtiment est plongé dans les ténèbres des profondeurs. Avec les cartes, on repère sa position, avec les sonars celle des autres. C'est aussi d'ici qu'on gère les ordres de lancement des torpilles, relayés plus avant et plus bas, dans le compartiment où dorment, sur des rances, les engins mortifères. Les missiles, eux, plus longs, sont disposés sur les flancs.

Le Vieux fait son entrée. Quarante-cinq ans environ, c'est le plus âgé de tous. Il a des traits réguliers légèrement gonflés, une tête large à ne pas trouver une casquette standard, des yeux bleus francs. Il s'avance, l'esprit ailleurs, mais l'addition de ses soucis ne suffit pas à lui donner l'air contrarié. Le second vient au rapport. Quand il lui annonce un appareillage dans deux heures, le Pacha fait une moue satisfaite. Il se dirige ensuite vers Anton, son filtre avec les vrais ennuis, ceux qui mettent en péril le navire. Les deux hommes se connaissent depuis longtemps, la confiance est mutuelle. Ils analysent ensemble les problèmes soulevés par Anton avant que celui-ci ne lui présente Vania. Le commandant lui souhaite la bienvenue et lui promet un baptême digne de ce nom avant la fin des manœuvres, puis la conversation reprend entre Anton et le Pacha, comme deux vieux amis. Le lien qui les soude transparaît, presque matériel. Vania les regarde comme s'il s'agissait d'un vieux couple. Ils sont unis pour le meilleur et pour le pire. Le meilleur, c'est quand tout va bien, un bonheur dont la compréhension est réservée aux adeptes de l'ivresse des profondeurs. Le pire, c'est quand le bateau reste prisonnier des fonds obscurs. Dès lors, on peut se raconter tout ce qu'on veut, quelle que soit la voie empruntée, la mort est au bout. Entre les deux, rien. C'est ce rien qui les unit. Car c'est ce rien que se disputent les autres, là où l'oxygène n'est pas compté. Puis le Pacha se dirige vers la table à cartes et demande la météo. Anton conduit Vania à l'arrière. Ils passent le mess des officiers. Vania n'a pas encore de couchette attribuée, il est en surnombre. Anton règle le problème, on lui en trouve une en hauteur dans une pièce qui lui rappelle les couchettes du train de nuit pour Saint-Pétersbourg, les bannettes superposées jusqu'au plafond auxquelles on accède par des échelles métalliques. Il pose son petit sac dans un casier. Les deux heures suivantes, il reste près d'Anton qui épuise point par point la procédure de vérifications. Il sort de ce travail apparemment un peu inquiet, et quand Vania le lui fait remarquer, il commence par nier avant de lui avouer en retrait des autres que ce sont moins les petits problèmes techniques qui le préoccupent que la réaction de ses sous-officiers inexpérimentés et plutôt mal formés à l'apparition de problèmes plus graves. Puis il fait signe à Vania qu'il s'en remet au destin, accentuant ce geste d'un sourire pour minimiser la chose.

Deux remorqueurs décollent les 18 000 tonnes du navire, avant de le libérer loin du quai. C'est parti pour deux heures en surface, le temps de vérifier que toutes les fonctions sont normales. Vania se met dans le sillage d'Anton qui a rejoint le central. Tant que le bateau est en surface, les ordres viennent de la baignoire là-haut, où le commandant et son second sont à l'air libre. Le Pacha laisse à son second la manœuvre, le soin de suivre le bras de mer jusqu'à son embouchure en mer de Barents, puis de s'éloigner encore une heure de la côte avant de plonger. Un officier marinier est en liaison avec le kiosque. Il répète à haute voix les ordres qui lui sont donnés dans son casque. On stabilise la vitesse et le cap. Chaque homme de la première bordée est à son poste, certains en action, d'autres s'y préparent comme un athlète sur un stade d'échauffement. Les conversations qui n'avaient rien à voir avec le service se sont tues, l'équipage est concentré sur l'objectif commun. Vania scrute les hommes rassemblés dans le central un à un, se gare pour ne pas gêner les va-et-vient nerveux. Les mouvements latéraux du navire sont de plus en plus perceptibles, amples à la mesure du vaisseau. On roule de plus en plus. Il faisait beau là-haut, quand ils ont quitté la rade, mais, en sortie du bras de mer, le vent doit soulever la houle. Vania lutte contre la nausée. Il n'est pas le seul. Un officier confirme l'inconfort général en se précipitant vers les toilettes qui sont juste derrière la porte du central. S'il tire la chasse, c'est qu'il a vomi, le règlement l'interdit pour la vidange de vessie, on économise l'eau. Il revient comme si de rien n'était. Deux hommes vont lui succéder. Vania tient, il essaye de suivre l'oscillation pour endiguer le mal. Le temps n'est plus comptabilisé. Le Vieux, son second et deux officiers descendent du massif et rejoignent le central. Ils enlèvent leurs cirés pour les tendre au maître d'hôtel préposé à les ranger. Ce dernier revient ensuite, donne une petite tape dans le dos de Vania et l'emmène un peu plus à l'arrière pour lui donner son masque à oxygène. Il lui en explique brièvement le fonctionnement, lui montre les prises prévues en cas de crise à cet étage et l'encourage à s'en remettre aux autres dans le reste du navire. Vania revient dans le poste assez tôt pour entendre l'ordre d'alerte puis d'immersion périscopique à vingt mètres. La fermeture des panneaux du bateau est achevée. On vient d'en rendre compte. Les pilotes poussent la barre en avant. L'inertie des commandes fait que l'inclinaison n'est pas immédiate. Puis le sous-marin prend de l'assiette, mettant à mal les quelques objets mal attachés qui valsent en musique. Une fois calé à l'immersion périscopique, il revient à l'horizontale. Le bâtiment bouge déjà moins. On s'affaire autour des périscopes. Un gros bruit de purge d'air comprimé prévient qu'on les hisse. Le Vieux fait la « danse de l'ours ». Il s'installe derrière le périscope, assis sur un siège qui en suit les mouvements, les deux mains accrochées aux poignées. Il scrute l'horizon à 360°. Il en descend, laissant un officier le remplacer, se place près de la radio et converse avec le navire amiral qui assure le contrôle tactique de l'exercice et la coordination avec les sous-marins, bateaux de surface et chasseurs anti-sous-marins. On rappelle les règles du jeu et les points de rendez-vous. Débute alors une guerre miniature sur plusieurs centaines de kilomètres en eau peu profonde, dans un gigantesque cimetière marin datant de la Seconde Guerre mondiale, puis de la guerre froide. Le reste du monde ne sera pas loin. Le Vieux le répète à ses officiers au briefing dans ses quartiers :

— Nous sommes par petits fonds et la détection des sonars va être gênée par les bâtiments de surface. Soyez vigilants, les Américains, les Anglais et les Norvégiens vont s'inviter à la parade, et ils s'approcheront le plus près possible pour nous emmerder. Ils vont en profiter pour s'entraîner de leur côté en conditions réelles. On ne va pas se laisser impressionner, mais cela reste très dangereux, le but de ces manœuvres n'est pas non plus de nous couler entre nous. Alors, ouvrez les oreilles et pas de gaffes au sonar, celui qui confondra le bruit d'un *Los Angeles* avec les mouvements de queue d'une femelle béluga enceinte de quatre mois, on le balancera en slip dans les circuits de purge. On ne fait rien si l'on a le moindre doute, c'est clair ?

Tous les hommes opinent. La tension, sans être à son comble, est élevée. Les grandes missions autour du globe ont rarement cette intensité. Quand on part seul pour trois mois, les choses s'installent tranquillement et, sauf quelques exercices spécifiques, le temps est du côté des hommes.

On continue, à l'immersion périscopique. Les fonds ne sont pas assez denses pour envisager une plongée plus profonde. Les rondes d'étanchéité du bateau sont repoussées. À cette période de l'année, la visibilité est bonne. Sous ces latitudes, en été, le jour faiblit, mais il ne cède jamais complètement à la nuit.

Il règne un étrange bien-être entre la surface et les profondeurs, même si le bateau est encore un peu bercé par la houle. Alors qu'on approche de l'heure du dîner, le vaisseau réduit l'allure à trois nœuds. On attend les ordres du bâtiment amiral. Un officier au périscope de veille observe la mer jusqu'à près de quinze kilomètres. Les oreilles d'or écoutent la masse d'eau. Le moindre murmure de mammifère marin leur est perceptible, comme les bruits de mâchoire des crabes royaux. Dans ce monde du silence, ils sont capables d'identifier n'importe quel bateau de guerre ou civil au bruit et à la fréquence de son hélice. Ils sont, dans un sous-marin, ce que sont les nez chez les parfumeurs, ils ont accès à des subtilités qui échappent au commun des mortels. Leurs oreilles sont plus proches du limier que de l'homme, mais, au lieu de profiter de la musique des bois, ils écoutent celle des mers. Une soudaine absence de bruit peut s'avérer aussi inquiétante qu'un bruit nouveau. Le Vieux se réjouit sans méchanceté de la confusion qui règne dans le bâtiment amiral. L'amiral de la flotte du Nord, il le connaît bien et depuis longtemps. Il l'apprécie, mais ne l'envie pas. Il préfère son quotidien à celui d'un homme réduit aux simagrées politiciennes, forcé de quémander pour ses hommes et son matériel à des bureaucrates au régime sans sel, assis à Moscou sur un petit pouvoir qu'ils utilisent comme un siège de proconsul. Il ne l'envie pas et se garde bien aussi de lui jeter la pierre pour tous ses tracas de dernière minute, comme si des années de négligence et d'impréparation remontaient à la surface.

Il est temps de passer à table dans le carré commandant. On s'installe à huit sur les banquettes. Comme on a un peu de temps devant soi, le Vieux décide d'entreprendre le rite initiatique de Vania. On lui fait porter un grand verre d'eau de mer. Il le boit d'une traite sans grimacer et, pour lui faire passer l'âpreté, on lui donne un verre équivalent de vodka. La table applaudit, le Vieux lève son verre au nouveau venu, lui demande d'être fier des siens quelles que soient les circonstances, lui dit sa chance d'être officier, car s'il avait été sous-officier il aurait eu droit au même verre d'eau salée, mais avec, mélangés, en prime, des poils pubiens de ses petits camarades. La nappe est mise par le maître d'hôtel. Une belle nappe blanche immaculée. Les assiettes sont ceintes d'un liseré doré avec en leur milieu une ancre de marine bleue. Les couverts, sans être en argent, sont de bonne facture. Vania observe le maître d'hôtel. Il est aussi jeune que lui, grand et distingué, un visage adolescent. Il est un peu maniéré. Vania finit par s'avouer qu'il a quelque chose de féminin. La seule féminité qui ait pu embarquer dans ce microcosme masculin. Il est très respecté, personne ne le raille, il est comme un porte-bonheur qui veille sur l'équipage, fin, efficace et dévoué. Il sert un vin de Moldavie. Chacun des officiers présents a son rond de serviette à son nom. La nourriture arrive fumante. Du bœuf en sauce bien assaisonné qui a très bonne allure. Le Vieux observe Vania qui roule les yeux devant ce plat inattendu.

— Tu aurais été là du temps de l'Union soviétique, la cuisine était bien meilleure à bord. Le parti mettait un point d'honneur à ce que nos sous-mariniers soient traités comme des princes. Bon, ça s'est un peu dégradé. Aujourd'hui, parfois, ils annulent des sorties de sous-marins en mer, parce qu'ils ne sont pas capables de fournir assez de bouffe à l'équipage pour toute une mission. Mais ils ont bien compris que ce qu'on peut endurer à terre, ce n'est pas possible à l'intérieur de nos navires. Il n'y a pas de place pour l'humiliation, on ne saurait pas où la ranger. Ici c'est un autre monde, tu l'auras compris, on vit en seigneur ou on meurt en héros, mais aucune mesquinerie de ver de terre ne pénètre dans le bateau, ça c'est un principe. Là, ils ont fait des efforts. On ne sait jamais, s'il était venu à l'idée du nouveau président d'assister impromptu à l'embarquement. Mais il n'est pas venu.

— Comment est-il, mon commandant, vous qui l'avez vu quand il vous a décoré?

— Rien à voir avec son prédécesseur que je n'ai jamais vu,

d'ailleurs. Lui c'est, comment dire, une belette. Deux petits yeux de fouine. Un pur produit du KGB puis du FSB. Un type tellement préoccupé à surveiller les autres, qu'il a oublié qu'il existait encore, jusqu'à ce qu'on vienne le chercher. Je ne pense pas que ce soit le bon cheval pour nous. Il est surtout préoccupé de rattraper le temps perdu pour tous ses copains des services secrets qui ont vu la galette leur passer sous le nez. Ce qui n'est pas bon signe pour l'armée. À mon avis, il ne fera rien pour nous, sauf si son prestige est menacé ou qu'il a l'idée d'une guerre qui lui donne de la stature. De la stature, il va en avoir besoin, il est tellement petit. Enfin, on verra... Je ne sais même pas s'il est au courant qu'on a des mois, pour ne pas dire des années, de retard de salaires. Même s'il l'était, je ne pense pas qu'il ferait grand-chose. Vous savez, notre armée, quelles ques soient les circonstances, depuis 1918, elle a toujours foutu la trouille aux autres. Parce que les autres se sont dit : « Comment une armée aussi mal gérée, dont on a coupé les têtes comme à des oies domestiques sur l'ordre de Staline, a t-elle été capable de résister puis de repousser Hitler ? » La réponse est que nous avons compris que la guerre est une sauvagerie, alors on se comporte comme des sauvages. Et même avec du matériel rouillé, des ampoules plutôt que des bottes aux pieds de nos soldats, on les terrorise, les Occidentaux. Même en ce moment, alors que nous sommes presque du même côté, ils se pissent dessus rien qu'à l'idée de nous croiser dans un océan.

Il s'interrompt puis esquisse un sourire avant de reprendre :

— Depuis des siècles, nos dirigeants, quels qu'ils fussent, nous ont maintenus dans un état qui faisait de la mort une délivrance. Il n'y a pas de soldat plus redoutable que celui qui pense que la mort libère du poids de la vie. Toutes les idéologies du monde, en face de ça, c'est du sang de vierge.

Les desserts sont délicieux, mais, alors que le maître d'hôtel sert les cafés, le Vieux est appelé à la radio. Il glisse, en se levant :

— On va peut-être commencer ces manœuvres.

— Sombre, le Pacha, lance Vania à voix basse à Anton alors qu'ils se lèvent à leur tour.

— Il en rajoute toujours un peu, c'est un personnage, notre commandant, il n'est pas loin de la retraite s'il le veut, il n'a pas d'ambitions à l'état-major, c'est pour ça qu'il a son franc-parler. Il a connu l'époque où il y avait un commissaire politique à bord et où personne n'osait rien dire sous peine de se faire cueillir un jour à la sortie du bateau et emmener dans une limousine noire. Depuis, il se rattrape. Je le connais bien, nous avons débuté ensemble sur l'*Oskar*. Je sais qu'il est amer, parce qu'il ne pensait pas au départ que la contrepartie de la liberté, c'était le délabrement. Il a eu l'impression que nous étions considérés comme des reliques de l'Armée rouge, des reliques qu'on n'entretient pas, tout au plus, on passe un coup de chiffon pour faire briller, les jours de visite. Mais il n'est pas non plus nostalgique de l'ancien temps.

Vania et Anton marchent dans la coursive en direction de l'arrière. Anton s'arrête dans un renfoncement et s'approche du jeune homme :

— Le Vieux m'a dit un jour : « Tu te rends compte qu'on nous demande de passer parfois un quart d'année sans toucher une femme, et ça, plusieurs fois dans la même année. À qui et où demande-t-on cela à un être humain, à part à un prisonnier puni pour des méfaits ? À personne, et surtout pas à ces vieux débauchés du Kremlin qui finissent la prostate embaumée, alors qu'on n'a pas un dentiste valable pour soigner nos caries dentaires dues à l'abstinence. »

Vania rit. Mais d'un drôle de rire qui n'appartient qu'à ceux qui viennent de franchir la frontière entre l'adolescence et l'âge adulte, quand le monde se dévoile peu à peu tel qu'il est, dans son intime réalité. Vania plus que jamais est heureux de son choix. Ces hommes-là, il vient d'intégrer leur communauté et il ne fera plus jamais marche arrière.

Au poste de conduite propulsion, Anton passe un long

moment à remplir des papiers qu'il montre ensuite à Vania pour sa formation. Dans un sous-marin, le présent, dès qu'il bascule dans le passé, est consigné quelque part pour laisser une trace. Les compartiments de l'arrière, où est installée la propulsion nucléaire, sont les moins peuplés. Une vingtaine d'hommes pour près d'une centaine devant le réacteur. À cette heure de la soirée, juste après le dîner, il règne une atmosphère studieuse et détendue de centrale électrique un jour férié. Réacteurs et alternateurs délivrent une petite musique industrielle sourde. Rien n'indique que ce vaisseau qui croise à près de cinquante kilomètres à l'heure emporte, dans ses flancs de mammifère marin repu, vingt-quatre missiles Granit qui traînent avec eux une charge d'une tonne de TNT à mach 2,5. Vingt-huit torpilles meublent à l'avant près des six tubes préposés à leur lancement. Ces torpilles ne sont que de deux types. Le Shkval, capable de casser un porte-avions en deux comme une craie qui, grâce à une bulle de cavitation formée devant sa tête, jaillit de sous la mer à près de cinq cents kilomètres à l'heure. Les 65-76, beaucoup plus lentes, sont simplement énormes. L'enthousiasme de Vania n'a pas altéré sa prudence. S'il avait pensé un jour qu'il risquait vraiment sa vie dans un sous-marin en dehors d'une période de guerre, il n'aurait probablement jamais choisi cette arme, ni l'armée, d'ailleurs. Comment penser que ce bâtiment, qui n'a rejoint la flotte que depuis cinq ans, puisse faillir? Sa double coque en acier le rend indestructible. On ne connaît pas d'exemple d'une panne du système de chasse d'air dans les ballasts qui ait empêché un navire sans brèche de remonter. Bien sûr, il y a le feu qui peut s'inviter, mais c'est une faible probabilité. Celle de mourir dans un sous-marin est infime comparée à celle d'être anéanti sur une route enneigée par un chauffard imbibé d'eau de Cologne qu'il a bue après avoir balancé par la fenêtre avec une moue de mépris cet alcool de femme qu'est la vodka. *Oskar*, de tous les volcans du monde, est le plus sécurisé, le moins capricieux, le moins facétieux.

Vania est tiré de ses songes par l'arrivée du commandant avec cinq officiers de l'état-major. Il découvre leur présence et réalise que le Vieux a préféré manger la première soupe avec ses hommes les plus proches qu'avec des culs de plomb. C'était certes plus commode pour vidanger ses humeurs. Devant cet aréopage qui demande à Anton des explications précises sur des sujets où chacun se targue de compétence présumée, Vania s'est réfugié en tranche arrière, là où l'arbre de transmission transmet la puissance des moteurs à l'hélice. C'est à cet endroit que la queue du sous-marin s'effile. Un homme seul est de quart, qui vérifie quelques cadrans et sert de chien de garde contre des bruits suspects. En apercevant Vania qu'il n'attendait pas, il dissimule une petite revue sous sa blouse dont Vania n'a entraperçu qu'un bout de la couverture, une jambe nue de femme.

C'est un homme du rang avec une bonne tête de débrouillard, toujours prêt à rire, mais qui a dû assez souffrir dans sa vie pour être constamment prêt à sauter sur une bonne nouvelle. Il n'est pas très grand, avec un visage plat, les pommettes hautes et les yeux en croissant de lune.

— Votre première mission, lieutenant?

— La première, répond Vania qui réalise qu'il est vraiment difficile d'abuser les autres dans cet univers.

— Plutôt tranquille, non?

— Oh oui, tranquille.

— Bonne bête que cet *Oskar*, pas vrai? Voilà cinq ans que je suis dessus, et je ne me plains pas. Bon, y a toujours des petits tracas à droite et à gauche, des infiltrations, des joints qui suintent, mais rien de grave. Indestructible, le bestiau. Y en a qui s'inquiètent du nucléaire, moi je dis : c'est bien maîtrisé. La seule chose que je redoute au fond, ça serait un gros problème dans les barres de plongée, par exemple, là on aurait un vrai souci, ou l'hélice qui se prend dans un gros câble sous-marin, ça serait bien fâcheux. Un choc avec un autre sous-marin, c'est possible, mais, avec 18 000 tonnes, je plains quand même l'autre sous-marin. Bien sûr, si on a une voie d'eau en profondeur, à raison d'un bar de pression supplémentaire tous les cent mètres, difficile de s'en sortir.

Il s'arrête de parler quelques secondes, fronce les sourcils et repart :

— Vous savez pourquoi je suis fier d'être sous-marinier ?

— Dites-moi.

— Parce que le sous-marinier, c'est le meilleur de l'homme et de la femme réunis. Le meilleur de l'homme à cause qu'on est l'élite, soudés, solidaires, incapables de se faire des vacheries entre nous. Le meilleur de la femme parce que, comme elles, on peut faire abstinence des mois entiers sans péter une durite, je veux dire, lieutenant, on n'est pas esclaves de notre désir, on est des quasi-cérébraux. C'est pour ça que le sous-marinier est très recherché par les femmes. Elles nous sentent comme leur maître, sur le même terrain qu'elles, c'est ça qu'est remarquable, pensez pas ?

— Je... je suis bien d'accord avec vous.

Les deux hommes sont interrompus par une annonce dans le haut-parleur qui vient du poste de commandement : « On vient à cent mètres, surveillez l'étanchéité, rendre compte par compartiment. »

— Accrochez-vous, mon lieutenant, parce que, quand ils descendent avec dix d'assiette, on a vraiment le cul en l'air ici, surtout avec la longueur du suppositoire, ça fait une sacrée amplitude. De toute façon, on ne va pas naviguer bien plus bas, il n'y a pas de fond dans le coin. C'est une navigation compliquée en petits fonds, il y a des échos sonars partout, il paraît, ça fait caisse de résonance et comme, dans ce genre de manœuvre, on doit bien avoir une bonne quarantaine de bâtiments en surface, en haut, les oreilles d'or n'ont pas intérêt à confondre le bruit d'une hélice de sous-marin étranger espion avec celui des flux de ventre d'une crevette naine. On est comme des taupes sourdes de naissance. Le Vieux, il peut être assez soupe au lait.

Quand on était en Méditerranée, des sous-marins de l'Otan sont venus nous renifler l'hélice. Ni une ni deux, il leur a fait, Ivan le Terrible, il les a chargés par demi-tours successifs et ils ont fini par s'écarter. Les étrangers n'ont pas intérêt à s'approcher trop près.

Il s'interrompt puis reprend :

— Écoutez-moi ce silence, lieutenant. À part la cavitation créée par le tourbillon de l'hélice, on ne peut rien entendre de ce bateau. Vous savez sur quel bâtiment vous allez être affecté ensuite ?

— D'après ce qu'on me dit au bureau militaire, ça devrait être celui-là.

— Vous ne le regretterez pas.

Vania lui fait un sourire et s'en retourne vers le PC propulsion pour rejoindre Anton qui est en conversation avec l'équipe de quart.

— En dehors des aspects tactiques, il est prévu que nous tirions deux torpilles pendant les manœuvres qui se termineront après-demain vers midi. Demain on lance un Shkval. Après-demain, on termine les opérations avec le lancement d'une 65-76 modifiée. Je ne sais pas ce que le Vieux décidera concernant l'ouverture ou non des portes étanches de l'avant pendant le tir, mais pour nous, de toute façon, fermeture complète des sas, que les gars à l'avant aient mal aux oreilles ou pas. À part ça, pas de douches jusqu'au retour, on a un petit problème d'eau douce, rien de grave, mais on tire au minimum, d'accord ?

L'ordre arrive par l'interphone : « Moteur avant 5. » Le chef de bordée répète : « La vitesse passe à 5. » On sent à peine l'accélération.

— On va vite, avec si peu de fond sous la quille, mon capitaine, fait remarquer un sous-officier.

— Le Vieux sait ce qu'il fait. Si on doit s'échouer, ce sera au maximum à cent mètres. À cette profondeur, on peut respirer avec une paille. C'est le record du monde de plongée en apnée, non ?

— Quelque chose comme ça, répond un autre sous-officier.

— Bon, reprend Anton en essuyant sur son front quelques gouttes qui perlent, je crois que tout est clair.

Puis, en désignant Vania du regard :

— On va aller dormir deux heures, on sera là avant la fin de votre quart.

Vania grimpe dans sa bannette, avec précaution pour ne pas réveiller les hommes endormis. On dirait qu'ils comblent les compartiments d'un grenier à blé. La veilleuse permet de se guider sans marcher sur la tête d'un dormeur. Si l'on n'entendait pas quelques ronflements sporadiques, on dirait qu'il n'y a personne, tant les hommes sont immobiles, enfoncés dans leur couche. Vania parvient à se glisser dans la sienne sans se cogner la tête contre les montants métalliques de celle du dessus. Il a juste enlevé ses chaussures et ses chaussettes, et descendu un peu la fermeture éclair de sa combinaison pour laisser l'air y pénétrer. Puis il tire sur la couverture en laine gratteuse pour se couvrir jusqu'à la taille. Il ne parvient pas à trouver le sommeil. Rien d'étonnant, l'enthousiasme a pris le pas sur la fatigue, et cette fine excitation ne veut pas se rendre. Il pense à Svetlana, à leurs premières semaines ensemble. Il ne lui a pas avoué qu'elle était la première femme dans sa vie. Il sent chez elle un sentiment contradictoire à son égard. Au premier abord, l'uniforme de sous-marinier a beaucoup fait pour leur rapprochement. Mais son intuition l'a rapidement mise sur la voie des inconvénients, les longues périodes d'éloignement, un risque de finir veuve qui n'est pas négligeable, vu de l'extérieur, des salaires misérables comparés à l'argent que peut se faire un garçon pas trop scrupuleux dans les affaires. Il sent qu'elle l'observe, qu'elle n'est pas encore convaincue de se donner au-delà de ce corps qu'elle lui a offert avec beaucoup de naturel, comme si ce n'était pas l'essentiel. Et lui se demande s'il n'est pas surtout amoureux de ces premières étreintes, de la découverte de ce plaisir essentiel, et si cette femme est capable de susciter chez lui autre chose que du désir.

Elle l'a quitté inquiète. Pas de sa future mission, mais de son absence de précautions lors de leurs dernières étreintes, le prix des préservatifs les rend inaccessibles pour un enseigne de vaisseau. Ils ont usé de la méthode empirique du retrait spontané dont on sait ce que la démographie lui doit. Il a senti sa jeune compagne très tendue. Elle ne voulait pas qu'une négligence lui force la main dans sa relation avec Vania. Il l'a connue dans le restaurant au nom italien qui est en bas de chez ses parents. Elle y est serveuse. C'est une jolie blonde de taille moyenne dont le regard porte plus loin que ceux qu'elle regarde. Vania a dû faire vite pour la séduire. Il n'a pas les moyens de l'assiduité. Il s'est déclaré à sa seconde venue, en lui laissant son numéro de téléphone, après avoir déjeuné en uniforme. Une attitude un peu puérile, car l'uniforme ne fait plus rêver aucune femme. Les affaires, les contrées lointaines, voilà ce qui les transporte, mais un officier sous-marinier n'est rien d'autre qu'une promesse de solitude. Vania croit à l'œuvre du temps, et s'il est assez accroché à cette beauté qui a pris le meilleur des Nordiques et des Slaves, il veut bien prendre le risque de la perdre s'il ne parvient pas à l'ancrer. Il n'a pas encore songé à la présenter à ses parents, il n'est pas impatient de la livrer au regard scrutateur de son père et de sa sœur.

Dans cet état qui n'est pas tout à fait la veille mais encore loin d'être le sommeil, il revient à lui-même. Il pense qu'il craint moins de mourir que de passer à côté de la vie.

Les entrailles d'une baleine pendant sa lente digestion doivent faire plus de bruit que l'intérieur d'*Oskar* la nuit. On n'entend qu'un crépitement semblable à celui d'un néon qui grésille doucement. Dans la guerre du silence, *Oskar* est un maître. Comparés à lui, bien des vaisseaux de l'Otan avancent dans l'obscurité comme des lépreux qui préviennent de leur passage avec une crécelle. Des hommes se lèvent, d'autres se couchent. Aucun bruit ne résiste au respect mutuel, et les marins dans la nuit sont des ombres qui s'emploient à se fondre en elle. Puis Vania s'endort.

Le sous-marin glisse avec précaution dans une nuit d'aveugle, comme s'il renouvelait l'aventure de l'aube de la vie.

L'agitation dans les bannettes inférieures donne le signal de la relève de bordée. Vania se réveille avec un sentiment de fatigue cérébrale. Il se faufile jusqu'à la salle de bains, brosse à dents et dentifrice en main. Après avoir reposé ses effets au pied de son lit dans son petit sac, il se dirige au carré des officiers sur le pont supérieur à l'arrière du central opérations. Les officiers y défilent pour prendre par huit leur petit déjeuner. Anton est assis sur une des banquettes qui font le tour de la pièce. Il consulte l'un après l'autre les messages de la nuit. Le Vieux se pointe, rasé de près, les yeux encore un peu gonflés par les quelques heures de sommeil soustraites à la nuit. Suivent deux officiers de l'état-major. Le café coule à flots, on mange beaucoup de pain et de confiture pour se remettre l'estomac en place. La nuit a été bonne, aucun problème technique à signaler. On devrait remonter à l'immersion périscopique d'ici une petite demi-heure. Anton demande au second s'il peut prendre Vania près de lui pour des travaux pratiques. Ce n'est peut-être pas le meilleur moment, mais il accepte avec plaisir. La conversation dévie sur la torpille Shkval. C'est le grand lancement de la journée. Elle est l'une des plus grandes avancées technologiques de la Russie. Là où l'Otan peine à propulser ses torpilles naturellement freinées par l'eau, les ingénieurs soviétiques, puis russes ont développé un système de cavitation qui crée une bulle d'air devant l'engin. Sa vitesse est multipliée par neuf sur dix mille mètres, son efficacité et sa force de destruction aussi. Le lancement d'une torpille n'est jamais anodin à bord d'un sous-marin. Il faut ouvrir les portes avant des tubes lance-torpilles en prise directe avec la mer qui se presse pour entrer, s'appuyer sur la moindre faille et trouver le chemin qui mène vers ces hommes qui défient la loi des abîmes. Chaque opération de lancement met l'équipage sous pression. Par la détente des tubes qui fait suite au lancement, les oreilles sont mises à rude épreuve. Un tel missile est hors de prix. Si les grands marchands de la surface n'avaient pas l'intention de vendre cette version actualisée à des Chinois venus assister à son lancement depuis le pont du navire amiral, le sacrifice d'une telle merveille technologique n'aurait pas été imposé, surtout pas dans cette période de disette noire.

— Aujourd'hui, on fait du commercial, glisse le Vieux à l'oreille d'Anton, courbé sur ses papiers. Le missile est disponible sur le marché international des armes depuis longtemps, mais nul ne doute que les chacals de l'Otan qui croisent autour des navires en manœuvre seront intéressés par son lancement.

Dans une eau si peu profonde, le commandant répète ses conseils de vigilance accrue. Derrière le Vieux, un petit aréopage se dirige vers le central opérations. Vania colle au second comme une ombre en veillant à ne pas le gêner. Pendant que le Vieux prodigue quelques commentaires aux observateurs de l'état-major, le second dirige la manœuvre de remontée jusqu'à l'immersion périscopique. Le bateau débaffle pour s'assurer qu'aucun bâtiment sur ou sous les mers n'est dissimulé par l'angle mort de détection du sonar, à l'arrière. Il arrive que des sous-marins se trouvent à la remontée nez à nez avec des bateaux de pêche ou des tankers dont l'énorme masse pointe par l'arrière à quelques centaines de mètres. Une fois le périmètre clarifié, le second ordonne l'immersion périscopique. C'est le retour à la vue. Il s'empare du périscope hissé, pour une première inspection à dix mètres de la surface et à 360°. Pas de bâtiment à la vue. Pendant ce temps-là, l'antenne de réception très basse fréquence a repris le contact avec le reste de la flotte et collecte tous les renseignements qui ont été mis en attente pendant la nuit. Le second en profite aussi pour un contact radio avec le bâtiment amiral. Conversation courtoise, d'une journée qui démarre sous de bons auspices. On en profite pour faire un point précis de la position du bâtiment et recaler la centrale à inertie. On s'agite dans la ruche. Le tableau des surveillances sur les circulations de fluides, les pressions et les températures ne signale aucun défaut.

Après une bonne demi-heure à l'immersion périscopique, le commandant ordonne qu'on se prépare à l'immersion profonde. Les mâts et périscopes sont affalés dans un bruit caractéristique d'air déflaté. On ne devrait plus tarder à préparer le tir. Chacun est prié de regagner sa place. Anton et Vania se dirigent à l'arrière vers le PC propulsion. De nouvelles têtes sont là, toujours intéressantes. Le café a commencé à faire son effet, et Vania se sent plein d'entrain. Il fait un tour des principales fonctions avec ceux qui en assument la charge. Toutes les portes qui protègent les compartiments de l'arrière ont été fermées, isolant l'équipage de l'avant. D'en haut, pour assurer l'équilibrage avant et arrière du bâtiment on joue sur la pesée en pompant aux régleurs. Le navire avance à faible allure, la crainte de toucher le fond est dans tous les esprits. Les fréquents ajustements demandés montrent qu'on s'approche de la position recherchée pour le lancement. Le capteur d'immersion donne quarante-sept mètres. L'ordre vient dans l'interphone, on va lancer à l'immersion périscopique. On remonte. On remet un peu d'allure et dix degrés d'assiette. Le bâtiment revient à vingt mètres. À l'avant, on doit hisser le périscope. On attend. L'attente est assez longue. Aucune fonction technique n'est laissée sans surveillance. Puis vient l'information : « Ordre de tir donné, personne ne bouge, on fait un dernier tour de piste, poste propulsion paré ? — Paré, répond Anton, tout est clair à la propulsion. » Puis, moins d'une minute après : « Tir autorisé. » Une vingtaine de secondes s'égrènent. Une onde parcourt le bateau, sourde et très amortie à l'arrière.

L'interphone grésille : « Torpille partie. » Puis, quelques secondes après, d'un ton plus léger : « Lancement réussi. » Anton et Vania ont suivi, tendus, les ouvertures et fermetures de porte. Une défaillance à ce niveau, et le bateau est submergé en moins de deux minutes. Mais tout a parfaitement fonctionné.

— Même mal entretenues, les machines sont comme les hommes, elles donnent tout ce qu'elles ont dans le ventre, confie Anton à Vania.

À bien observer Anton, on réalise qu'il a pour le jeune homme des regards de père. Il n'a pas eu d'enfant avec sa femme, et cette absence de descendance lui pèse. Vania aurait pu être son fils. Il est celui de son meilleur ami. Il se sent responsable de sa vocation. En le voyant fier et passionné, il ne regrette pas de l'avoir encouragé dans cette voie.

Les sas s'ouvrent, l'air circule. La température de l'arrière redescend un peu sous l'effet de masses plus fraîches qui viennent de l'avant. Anton remonte au central, suivi comme son ombre par le jeune officier. On s'y congratule sans modestie. Ce n'est pas dans les habitudes, mais il faut en mettre plein la vue aux observateurs de l'état-major. La torpille-fusée a fait mouche, la cible touchée par le milieu.

Le reste de la journée est passé à jouer à cache-cache avec les bâtiments de surface et l'aviation anti-sous-marine. Les jeux les plus sérieux des adultes et ceux, plus communs, des enfants se ressemblent.

Les deux ingénieurs de l'usine d'armement du Daguestan sont là aussi, avec l'air de sortir de nulle part. « Ils ont des mines de conspirateurs », se dit Vania. Des mines de Caucasiens auraient suffi. La dureté de leur expression les fait souvent imaginer pires qu'ils ne sont. Vania s'en veut de céder aux préjugés des Slaves contre les Orientaux de l'empire. Ce sont eux qui ont supervisé au Daguestan la modification du propulseur de l'énorme torpille classique qui sera tirée demain. On les sent un peu à part. Personne n'a l'air disposé à faire d'effort à leur égard pour le moment. Les officiers d'état-major montrent leur satisfaction. Le Vieux a l'air excédé par leur omniprésence, mi-courtisans, mi-inspecteurs délateurs. Il se décide pour une courte sieste d'une demi-heure et charge son second de le réveiller en cas d'alerte. Une fois le commandant éclipsé, chacun retourne à son poste, les invités cherchant à se rattacher à l'un ou à l'autre. Vania, qui s'est envoyé comme tout le monde une petite vodka dans le col, se sent aspiré vers le bas. Le manque de sommeil se rappelle à lui. Il n'a pas dormi deux heures la nuit dernière, et il est tenté de se rattraper par une courte sieste. Mais Anton lui donne le signal du départ dans leurs appartements vers l'arrière. Le dernier tir est prévu pour 11 heures le lendemain, ensuite les manœuvres prendront fin. La partie de colin-maillard s'achève dans la soirée. La nuit s'annonce joueuse mais moins intense. *Oskar* est chassé par deux bâtiments de surface et deux avions anti-sous-marins. Le Vieux a transformé l'inconvénient des faibles fonds en un avantage substantiel pour brouiller les échos. Pour le dernier dîner des manœuvres, il a choisi ses convives. Son second, Anton, et Vania qui lui rappelle son fils. C'est le dernier service. Les invités ont été regroupés à une table tenue par l'officier de tir, une façon pour le Pacha de s'en débarrasser. Il a commandé au maître d'hôtel deux bouteilles de vin de Moldavie. La conversation en vient au lancement de la torpille du lendemain :

— Ils ont fait des modifications au Daguestan pour rendre le carburant de son moteur de propulsion moins volatil. Je ne sais pas comment ils travaillent dans cette usine. Je n'ai pas vu les documents de certification. Les deux buses de l'état-major me disent qu'elles ont été approuvées. Je ne peux tout de même pas demander qu'on m'envoie un porteur par hélicoptère avec les documents. Je dois dire que, même dans l'ancien temps, on a toujours géré un peu le flou. Tout le monde contrôlait tout le monde, ça n'empêchait pas les brèches. Mais aujourd'hui, c'est l'apogée. Je crois que c'est une des raisons pour lesquelles mon fils n'a pas voulu continuer.

Se tournant vers Vania :

— Ce n'est pas la seule raison. Quand on décide de renoncer à une chose à laquelle on tient beaucoup, c'est exactement le même processus que celui d'une catastrophe dans un engin sophistiqué, plusieurs causes sont nécessaires, une seule ne suffit pas. Mon fils ne supportait pas le flou, mais aussi, il faut le dire, sa femme ne supportait pas les séparations. Elle voulait son homme à la maison tous les jours. Ils ont fini par se disputer et par divorcer. Une fois divorcé, sachant que sa femme n'était plus là pour l'attendre à son retour de mission, il s'est trouvé incapable de reprendre la mer. À l'idée d'embarquer, il s'était mis à se pisser dessus comme un enfant qui doit quitter sa mère la première fois pour aller à l'école. Mon propre fils, vous vous rendez compte ?

Personne n'ose sourire. Mais lui s'y autorise pour détendre l'atmosphère. Puis il reprend :

— Je ne lui en ai même pas voulu. Il n'a pas eu la chance d'avoir une femme comme la mienne. Sans elle, je n'aurais jamais fait une carrière pareille. Elle a tout supporté, mes éloignements, mes infidélités. À la fin, même si vous ne l'étiez pas au départ, vous finissez par tomber amoureux fou devant des femmes pareilles. Mon fils n'a pas eu cette chance. C'est la femme de marin qui fait le marin. D'ailleurs je suis toujours plus prudent pour la confiance que j'accorde à un homme qui n'a pas de véritable attache au sol. Il n'a pas la même volonté pour y revenir sain et sauf et il peut être moins fiable, pas vrai, Anton ?

— Bien possible, commandant.

Anton a subitement l'air accablé, et comme on est à l'heure des confidences en petit comité, il poursuit :

— Je dis cela alors que je ne suis pas sûr de retrouver ma femme au retour des manœuvres. Si c'est le cas, je ne sais pas l'homme que je serai lors de la prochaine mission, c'est certain, je ne serai pas le même.

— Et le jeune Vania, marié ? demande le Vieux.

Vania rosit de devenir le centre de la conversation.

— Pas encore, mon commandant, je viens juste de rencontrer une femme, et je ne suis pas persuadé qu'elle ait envie de faire sa vie avec un sous-marinier.

— Il y en a beaucoup comme ça, dit le second. Elles fondent devant l'uniforme puis se rétractent ensuite devant la réalité des sacrifices qu'il impose. Et ce sera de plus en plus dur. La concurrence se lève, je me demande ce qui restera du prestige d'un officier sous-marinier dans cinq ans. Il ne résistera pas à la pauvreté de sa condition. Les femmes ne resteront même pas ici. Elles s'exileront avec des hommes d'affaires qui les feront rêver et voyager.

Le Vieux baisse les yeux comme s'il se préparait à la prière avant de reprendre :

— Les femmes. Pas une soirée ne se passe sans qu'elles deviennent à un moment ou à un autre le sujet de la conversation. Il faudra un jour qu'un esprit aiguisé nous explique ce qui nous vaut cet acharnement à nous éloigner d'elles aussi longtemps pour finalement leur dédier toutes nos pensées.

Le repas terminé, le maître d'hôtel sert des digestifs à la demande du commandant. Le Vieux fait tourner le cognac dans son verre en regardant la spirale un peu huileuse se former près du col d'où redescend le liquide. Le signal du départ est donné lorsqu'il décide de rejoindre le central opérations où l'on s'agite dans la pénombre. L'officier de quart a l'air satisfait. Il semble que les poursuivants par mer et par air soient distancés sans plus de manière. Trois heures du matin, c'est l'heure du prochain rendez-vous. *Oskar* viendra à l'immersion périscopique pour rendre compte de sa position et de sa probable victoire virtuelle. En attendant, on avance à faible allure avec un minimum de bruit. Le surfacier censé le piéger a disparu de l'écho sonar. Vania aurait voulu en savoir plus sur la stratégie adoptée, elle l'intéresse même si elle n'entre pas dans le registre de ses attributions futures. Le temps de redescendre à la propulsion procéder aux vérifications d'usage, échanger avec les uns et les autres, on atteint l'heure du rendez-vous. Le navire est remonté à l'immersion périscopique. Anton s'étonne auprès de Vania de l'absence de problème technique depuis le début des manœuvres. Il loue les concepteurs du bateau qui avaient même anticipé son défaut d'entretien régulier. Le rendez-vous avec la surface confirme la victoire d'*Oskar* sur ses poursuivants. C'est la deuxième consécutive après le lancement réussi de la torpille à cavitation. Vania pris entre l'alcool et la fatigue se sent près de défaillir. Anton, qui anticipe une fin de nuit calme après la fin des joutes, lui conseille d'aller se coucher jusqu'à l'aube virtuelle. Vania assommé ne se le fait pas répéter et s'enfonce tout habillé dans sa bannette. Les quelques sous-officiers qui lisent dans la lumière tamisée de la cafétéria ne semblent pas lui tenir rigueur de l'avoir traversée directement alors que l'usage le proscrit, recommandant de la contourner à toute heure du jour et de la nuit. Il s'endort profondément pour se réveiller bien plus tard que l'heure convenue. Il saute de son lit, s'empresse de descendre l'échelle et de rejoindre le mess où il ne reste du café que dans un thermos. Personne n'a remarqué son absence. Il est près de 9 heures, et il est difficile de nommer ce qu'il vient de faire autrement qu'une grasse matinée. Il se sent un peu honteux, mais, quand il rejoint Anton, celui-ci plaisante avec un de ses hommes et paraît bien loin d'avoir comptabilisé son retard. Vania n'a rien perdu de l'effervescence qui va suivre. Il apprend d'Anton que trois sous-marins de l'Otan sur zone ont repéré l'*Oskar*. Ils s'en sont approchés jusqu'à moins de cinq nautiques. Le Pacha l'a mal pris et s'est décidé à leur donner la chasse pendant les deux heures qui restent avant le lancer de torpille. Une façon de leur faire comprendre qu'il n'est pas dupe. Le réacteur est poussé au maximum. *Oskar* avec sa taille colossale joue l'intimidation sous l'œil probablement médusé d'un *Los Angeles* qui tente de rester derrière lui, dans son sillage. Seules les inclinaisons en virage donnent une idée de la partie qui se déroule. Anton monté un moment au central opérations revient à celui de la propulsion, avec des nouvelles fraîches : la chasse est suspendue, le sonar est un capharnaüm, le lancement sera exécuté à l'immersion périscopique dans quarante-cinq minutes. L'*Oskar* est lui-même la cible d'un tir virtuel du navire amiral. Ces données ne concernent pas directement Anton et Vania. Leur préoccupation, c'est que la propulsion soit à la hauteur de la manœuvre.

Vania regrette de se sentir encore un peu engourdi malgré plusieurs tasses de café. Un officier du central se dirige près d'eux à l'arrière pour un court échange. Les portes étanches resteront ouvertes jusqu'au double sas de la propulsion. Le Pacha en a décidé ainsi pour épargner les oreilles de la centaine de personnes qui se trouvent à l'avant. La torpille expédiée va créer une forte compression et le strict respect des consignes de sécurité sur les premiers compartiments cause de sérieux désagréments. En réponse, Anton fait un geste qui revient à dire : « Qu'il en soit ainsi. » L'officier de quart reparti, il procède au comptage des hommes nécessaires à l'arrière pour l'exercice, vingt-trois au total, et donne l'ordre de verrouiller les portes de communication avec l'avant. L'interphone se met à crépiter : « C'est toujours quand on a besoin d'une communication parfaite qu'il prend l'idée à ce foutu matériel de se frire un œuf. »

On remonte à l'immersion périscopique. Le profondimètre de la salle de propulsion indique vingt mètres. Le bâtiment est stabilisé après un dernier virage à tribord. Depuis l'arrière, on s'imagine les échanges d'informations avec la surface. Le Pacha doit converser directement avec l'amiral de la flotte du Nord. La mer doit être agitée en surface pour qu'on sente un pareil remous à vingt mètres. Le retour en surface vers la base, dès la torpille lancée, risque d'être mouvementé. L'interphone crache : « On met la torpille au tube. » Il devrait y en avoir pour une bonne vingtaine de minutes, vu la taille du monstre à manœuvrer. Anton refait un tour de tous les cadrans, de tous les capteurs. Les vingt minutes sont largement dépassées :

— Qu'est-ce qu'ils foutent à l'avant, ils prennent leur temps ?

L'interphone crache à nouveau : « Torpille au tube. » Puis plus rien. Le sous-officier qui tient le manche de la propulsion lâche :

— Les deux ingénieurs doivent se rendre compte qu'ils ont laissé le moteur de la torpille au Daguestan.

Anton fronce le nez :

— Ces 65-76, c'est une usine à chagrin.

— Sur quel plan ? demande Vania.

— La propulsion, le liquide est instable. Au fait, pour ceux qui croyaient être rentrés, on a eu l'autorisation d'en tirer deux. Si la première ne part pas, on n'est pas à la base, les enfants.

De longues minutes s'étirent. On devine l'effervescence à l'avant, surtout dans le compartiment des torpilles. Anton se décide à prendre l'interphone :

— Où en est-on ?

— Le tir est suspendu, on a un problème de propulsion missile, on vous tient au courant, dit l'officier de quart.

— Quelle idée de confier la fabrication de missiles à des Caucasiens, on leur a confié le pays une fois, du temps de Staline et de Beria, on sait ce que ça a donné, soupire le chef de quart propulsion.

Nouvelle friture qui annonce un message de l'interphone : « Lancement annulé, on rentre la torpille. »

— Mais c'est pas la procédure ! dit un sous-officier circonspect.

— Et c'est quoi, la procédure ? demande Vania.

— En cas de torpille défectueuse, on la jette quand même à la mer. Ce n'est pas très bon pour l'appréciation de l'équipage, mais normalement c'est ce qui est préconisé, ajoute Anton en se grattant le sommet du crâne.

Soudain, une déflagration secoue le bateau qui oscille sous l'onde de choc. Anton se précipite sur l'interphone :

— Qu'est-ce qui se passe ?

Pas de réponse. Il recommence :

— Allô ! allô ! qu'est-ce qui se passe ?

La réponse vient, une voix blanche :

— On n'en sait rien, on a perdu le contact avec le compartiment torpilles.

— Quoi?

Suit un ordre immédiat.

— Moteur avant, toute. Chassez partout, surface.

— Moteur avant six, répète Anton à son sous-officier.

Oskar prend de l'assiette, il remonte doucement. Tous les hommes ont les yeux fixés sur le capteur d'immersion dont les chiffres s'allègent. Leur attention est brusquement détournée par les alarmes incendie de l'avant qui se déclenchent.

— Ils se sont fait péter la torpille à la gueule, hurle un des hommes.

Anton a les yeux exorbités et rivés sur son tableau d'alarmes où les clignotants s'allument les uns après les autres. Il essaye d'identifier les priorités en retenant son souffle. Vania le regarde, tétanisé, il sent la chaleur l'envahir comme si du mercure coulait dans ses veines.

— On est presque en surface, les gars, lance Anton pour rassurer.

Survient alors une explosion de l'ampleur d'un tremblement de terre. Le bateau se vrille sous l'onde de choc, on glisse, on tombe. Le navire revient en assiette nulle, celle qui précédait la déflagration, puis soudain la queue du sous-marin se soulève alors que l'avant semble se dérober.

— Nom de Dieu, on coule! hurle un des hommes en essayant de se retenir à une manette de purge.

Le sous-marin descend lentement vers les profondeurs. Anton, livide, s'est mordu les lèvres jusqu'au sang en coupant la propulsion qui les précipite vers le fond. Il essaye de reprendre l'interphone qu'il a lâché un peu plus tôt. Tout en se tenant comme il peut, il parle dans l'appareil en s'efforçant de ne pas crier :

— Qu'est-ce qui se passe, vous m'entendez?

Le grésillement a disparu, personne ne répond. Les alarmes de l'avant qui s'étaient allumées de concert se sont toutes éteintes. Et le bateau continue à descendre dans une oscillation décidée par la mer. Anton ne voit que des paires d'yeux hagards fixées sur lui. Une voie d'eau à l'avant les entraîne vers le fond. Il ne veut pas céder à la panique. Son cerveau lui a envoyé un signal. Ce qu'il n'avait jamais vraiment redouté est en train de se produire. Tout ce qu'il a fait avant ne compte plus. Ce qu'il est, c'est maintenant qu'il va le savoir. Le bâtiment continue à plonger. Il y a toujours de la lumière. Anton est partagé entre l'appréhension et l'impatience de toucher le fond. Dans une mer plus profonde, ils iraient vers l'implosion et la mort. Mais par cent mètres tout est encore possible. Il essaye de se souvenir de la topographie des lieux, celle dont on parlait sur la table à cartes au moment de s'immobiliser par ici. Anton sait que, plus le navire va s'enfoncer, plus l'eau se précipitera par la brèche, dopée par la pression. Anton hurle à ses hommes de se préparer au choc. Il le sent proche, même si le capteur d'immersion n'indique plus rien. L'hélice a touché la première un banc de sable qui amortit la chute. La coque vient frapper le sable. Tous les hommes se sont allongés dans l'attente de l'impact. Il est assourdissant. La bête probablement éventrée à l'avant racle le fond avant de s'immobiliser dans un craquement sinistre, légèrement sur le flanc. On fait le tour des hommes. Des plaies sans gravité. Pour Anton, le sable est à moins de cent vingt mètres de la surface. Sa première préoccupation est de se saisir des lampes torches de secours. Il sait que la lumière générale va bientôt s'éteindre. Ensuite il précipite le recensement des cartouches d'oxygène qu'il fait rassembler près de lui. Pour terminer, il réunit ses hommes hébétés qui affluent vers lui comme s'il était le Messie. On le sent prêt à toutes les violences pour leur imposer le calme.

— Bon, on a un vrai problème, mais ça ne peut pas mieux se présenter. Voilà vingt ans que je l'attendais, cette avarie, et je m'étonnais qu'elle ne soit pas venue me défier plus tôt. Maintenant, c'est fait. Alors pas de panique, d'abord parce que c'est indigne, et deuxièmement un homme paniqué consomme plus d'oxygène qu'un autre. Je vais vous dire comment je vois le topo.

On a eu une explosion de moteur de torpille, puis, avec la chaleur, il est possible que la torpille ait explosé elle-même, provoquant une brèche dans le tube qui s'est ouvert comme une boîte de conserve. Le commandant avait autorisé qu'on garde les portes ouvertes à l'avant. À mon avis, tout le monde est mort de l'autre côté. On pourrait toujours essayer de vérifier s'il y a des survivants. C'est mathématiquement impossible qu'il s'en trouve et, si l'on s'avise d'ouvrir le sas qui nous protège de l'avant, on va se retrouver submergés. Pour l'instant, on est étanches. On a de l'oxygène pour deux ou trois jours et des cartouches en quantité. Nous sommes plantés dans le sable à environ cent mètres de fond, à portée d'un plongeur en apnée. C'est idéal. Le sas de secours est au-dessus de nous et parfaitement accessible. J'imagine que la balise de détresse s'est déclenchée et flotte désormais en surface. Avec la densité de bâtiments qui croisent au-dessus, on ne tardera pas à nous localiser, surtout que le Vieux a précisé sa position lors de la dernière immersion périscopique. Voilà, tout le monde se met dans la tête qu'on va s'en sortir, parce que les probabilités nous sont largement favorables. On attend un peu, le temps de les laisser nous repérer, et après on tapera sur la coque à intervalles réguliers pour les aider. En attendant on met le réacteur en veille. Exécution.

Anton s'étonne lui-même de la clarté de son exposé et de son effet sur ses hommes dont les visages se détendent un peu. Il reprend :

— Vous vous formez par binômes et vous vous relayez en permanence pour vérifier l'étanchéité de l'arrière. Chaque binôme vient au rapport. Les trois qui restent se chargent d'éteindre tout ce qui serait susceptible de nous péter à la gueule et de récupérer la documentation survie. On contrôle la pression atmosphérique et la viabilité de l'air. Allez, mouvement!

Anton, resté avec Vania et un sous-officier, tente d'ordonner ses pensées.

— Je crois qu'on maîtrise la situation, qu'en penses-tu, Vania?

Vania réprime un tremblement électrique qui agite son corps, alimenté par la surprise plus que par la peur. Il acquiesce, blême.

— Je crois aussi.

Anton fronce le nez et à voix basse :

— On a quand même un problème. Toute la bouffe était à l'avant. Et la température ne va pas tarder à descendre. À cette profondeur, il fait déjà très froid, et si l'on doit rester plusieurs jours sans manger, ça va devenir pénible. Je n'ai pas de solution. Même s'ils nous repèrent vite, il va leur falloir du temps pour trouver un sous-marin de secours en mesure de s'arrimer sur notre sas. À vue de nez, il va falloir tenir au moins vingt-quatre heures. Espérons seulement qu'il y en ait un d'opérationnel dans le coin et que quelqu'un sache s'en servir.

— Il y a aussi des étrangers sur la zone, tu ne penses pas.

— Tu peux t'enlever ça de l'esprit, ça m'étonnerait que là-haut quelqu'un demande l'aide internationale pendant des manœuvres supposées en mettre plein la vue à l'Otan.

Une équipe est devant eux. Elle vient au rapport après avoir sondé la coque. Pas de doute, l'eau est là, elle s'infiltre par des failles de structure qui viennent du choc. Elle s'invite entre le suintement et le jet sous pression selon les endroits. D'après un sous-officier, si la situation ne se détériore pas, ils pourront garder les pieds au sec à cet étage jusqu'au lendemain midi, ensuite il faudra composer avec l'eau. Anton serre les mâchoires, une défense contre la contrariété. Son esprit s'active vertigineusement.

— Si l'eau entre, c'est que la structure est atteinte, le bateau est peut-être tout simplement vrillé. S'il l'est, le sas de secours pourrait être bloqué, mais nous n'en sommes pas encore là.

Il demande le rassemblement des hommes :

— Bon, les gars, on va faire un peu le point pour que tout soit clair dans les esprits. D'abord l'eau monte, mais assez doucement pour qu'on tienne jusqu'à l'arrivée des secours. La solution idéale serait qu'une cloche soit posée sur le sas arrière et qu'on nous sorte un par un dans un sous-marin de secours. L'autre solution, c'est de sortir par nos propres moyens. Je vous rappelle la procédure. On enfile une combinaison qui se gonfle et nous assure de l'oxygène jusqu'à la surface. Une fois habillé, on ouvre la première porte du sas. On la referme et on la met à la pression de l'extérieur, environ dix bars pour ce qui nous concerne. Ce qui veut dire que, dans tous les cas, le partant a les tympans crevés. Ensuite, celui qui remonte ouvre la porte extérieure du sas qu'on actionne d'ici en manuel avec le vérin hydraulique. Si, ensuite, un autre homme est évacué, cela signifie que, quand on va ouvrir la porte intérieure du sas, une tonne d'eau va entrer dans le bâtiment en accentuant la pression à l'intérieur de celui-ci. En conséquence, au fur et à mesure des sorties, les risques d'accidents neurologiques vont augmenter. Une bonne partie d'entre nous risque de finir en petite chaise. Si deux ou trois d'entre vous veulent tenter le coup, on peut le faire, mais il ne faudra pas trop attendre. Ils ont des chances d'arriver en haut sains et saufs et de ne pas compromettre la survie de leurs camarades. Mais je précise à l'intention des volontaires qu'une fois en surface, s'il n'y a personne, c'est la mort par le froid, qu'ils gardent cela à l'esprit. Je vous donne dix minutes pour réfléchir. Si le nombre de volontaires ne dépasse pas trois, je veux bien tenter le coup. Au-delà, on tire au sort. Si mon point de vue vous intéresse, j'attendrais gentiment les secours, il fait très froid là-haut et même rouge, une combinaison n'est qu'un point infime sur une mer houleuse. Dernier point pour conclure, cette démonstration n'est pertinente que si le sous-marin est vrillé, et que le sas est bloqué. Pour être honnête, j'en doute.

Anton les observe l'un après l'autre. Pas un seul n'imagine mourir en pleine manœuvre alors que toute la flotte du Nord est juste au-dessus d'eux. Il leur a redonné confiance. Pourtant lui-même n'y croit pas. Il ne s'imagine pas en sortir, mais ne se voit

301

pas non plus mourir là. Il se demande comment il va maintenir ses hommes en activité pour leur occuper l'esprit. Dans un coin, Vania se décompose. La peur n'en est pas la cause. L'irréalité de la situation, un naufrage pour sa première sortie, le tétanise. Il ne parvient plus à se souvenir de rien et encore moins à se projeter dans le futur. Il est pénétré par le froid des profondeurs qui triomphe sans combat de la chaleur artificielle. Les hommes reculent un peu pour se concerter. L'un d'entre eux fait le tour pour recueillir les décisions. Il revient vers Anton :

— Trois pour se sasser, commandant, les autres préfèrent attendre les secours.

— Très bien, lesquels ?

Deux sous-officiers lèvent la main et Vania aussi.

Anton fait signe à chacun de regagner son poste et s'approche de Vania. Son regard d'animal sauvage ébloui par des phares de camion l'inquiète.

— Tu serais prêt à te sasser, Vania ?

— Si nous n'avons pas d'autre solution.

— Encore faut-il que quelqu'un vous attende là-haut. C'est toute la question.

Les yeux toujours écarquillés, Vania fixe la porte qui les sépare de l'avant, comme si elle les protégeait du diable.

— Tu es sûr qu'il n'y a pas de survivants à l'avant, Anton ?

— J'en suis certain. La probabilité qu'il y ait des survivants est nulle. Si l'eau entre à l'arrière, je ne vois pas comment l'avant pourrait ne pas être déjà complètement inondé, sans compter que nos camarades sont certainement morts du souffle de l'explosion. Pour s'en assurer, il faudrait ouvrir la porte du sas de communication avec l'avant. Il doit y avoir quelque chose comme douze bars de pression dessus. Nous serions engloutis en une fraction de seconde.

— Mais qu'est-ce qui a bien pu se passer, Anton ?

— Le moteur de la torpille a dû exploser quand ils l'ont sortie du tube pour la ranger, au lieu de l'éjecter à la mer. La chaleur a dû monter à plusieurs milliers de degrés, provoquant l'explosion de la torpille elle-même. Mais, tu veux que je te dise, quelque chose me chagrine. L'explosion du moteur seul de la torpille ne peut pas avoir provoqué de voie d'eau dans la double coque en acier. Et si la torpille elle-même a explosé, elle est tellement puissante que le bateau aurait dû s'ouvrir en deux et nous envoyer tous dans la mer.

La lumière s'éteint. L'incident était attendu. Personne ne le relève. Des torches s'allument par réflexe. Vania éteint la sienne pour économiser les piles.

— Voronov?

— Oui, chef.

— Prends un homme avec toi et distribuez toutes les vestes et les pulls que vous trouvez. Il ne va pas tarder à faire froid. Et sortez aussi toutes les combinaisons de secours. Elles sont juste à côté.

Le silence s'installe à mesure que les mots perdent de leur utilité. Il n'y a plus rien à faire. Il faut attendre dans la nuit, le froid qui vient et l'eau qui monte en dessous, encore plus froide que l'air. On ne voit que les gesticulations désordonnées des lampes des hommes partis chercher les équipements. Le navire est posé légèrement sur le côté, ce qui rend toute assise délicate. Anton calcule à voix haute qu'il faut compter une bonne dizaine d'heures pour les repérer et envoyer un sous-marin de secours. Voronov s'est approché discrètement d'Anton. Dans le noir, on ne reconnaît plus personne. Il parle à voix basse.

— Je n'ai trouvé que quatre combinaisons, mon capitaine.

— Et les autres?

— Disparues.

— Ils ont dû oublier de les monter à bord.

— Ou ils les ont revendues à un parc aquatique pour se faire un peu d'argent de poche, lâche une voix.

— Je les voulais juste pour nous protéger du froid. Fais-en circuler trois aux volontaires.

Anton est tout contre Vania. Il réfléchit tout haut.

— L'accident est arrivé vers midi. Ceux qui veulent se sasser devront le faire avant 19 heures. La nuit ne tombe pratiquement pas en ce moment, c'est un avantage pour vous, si le temps est clair.

Puis, plus bas :

— Je ne suis pas pressé de faire l'essai. Si l'on se rend compte que le sas est bloqué, les gars vont perdre le moral.

— Si les secours arrivent, ils nous remonteront comment avec leur sous-marin de poche ?

— Ils vont se coller au sas avec une ventouse qui assure l'étanchéité et, une fois le sas ouvert, ils nous remontent un par un. Tu fais comme tu veux, Vania. Si le sas fonctionne, ils nous sauveront. Si tu essayes de sortir par tes propres moyens, tu as des chances d'y rester.

— Je sais, Anton, mais quelque chose me dit que je dois sortir de ce foutu cercueil par moi-même.

— N'oublie pas que toute la marine de la grande Russie est à notre recherche et que nous sommes à la portée d'un plongeur en apnée.

— J'entends ce que tu me dis, Anton, mais comment te dire...

Il regarde l'ami de son père au fond des yeux :

— Mais quelque chose dans ton regard me dit de tenter le coup.

— Plus bas, Vania.

Vania se met à chuchoter contre son oreille :

— Quelque chose en toi me dit qu'en théorie nous ne courons aucun risque, mais qu'en réalité, tu ne crois pas que nous allons nous en sortir. Parce que tu sais qu'en haut, ce sont des incapables, mal entraînés, sur un matériel dépassé. Je me trompe, Anton ?

Anton ne répond d'abord rien. Il se contente de soutenir son regard, puis il lâche :

— Tu te trompes, Vania, tu te trompes complètement, mais je ne t'empêcherai pas de te sasser.

Puis il esquisse un sourire pour se dégager de l'étreinte du jeune homme en ajoutant :

— En attendant, on se détend, on est encore au sec, le froid est supportable et quand on aura percuté une cartouche d'oxygène, dans une heure selon mes calculs, l'air sera plus pur que dans n'importe quelle station balnéaire.

Les hommes restent par cinq avec une seule torche par mesure d'économie. Il n'y a rien d'autre à faire que d'attendre et de se préparer à une lente dégradation des conditions de vie par la progression du froid et la montée des eaux. Le moral des hommes est stable. Que la logique des événements les conduise vers le pire n'en étonne aucun, mais au fond d'eux-mêmes ils continuent à croire, ce serait un tel luxe de désespérer à cet instant. Un sous-officier cachait une bouteille de vodka près de lui en contravention avec le règlement. Le délit se transforme en aubaine. La bouteille à peine entamée circule de bouche en bouche. Vania a décliné la gorgée de vodka, il se prépare physiquement et mentalement à sortir de l'épave par le sas. Il sait quel effort cette sortie va demander à son organisme. Ce n'est pas la première fois que des sous-mariniers russes quittent leur navire naufragé par le sas alors qu'il n'a pas le souvenir d'un sauvetage en profondeur réussi. Un autre des trois volontaires est justement en conversation avec un sous-officier :

— Tu sais que dans le meilleur des cas tu seras sourd le restant de tes jours, lui oppose son camarade.

Le volontaire renifle un grand coup.

— Tu as déjà remarqué à terre le nombre de conneries, de banalités qu'on entend dans une journée, combien de gens parlent alors qu'ils savent très bien qu'ils n'ont rien à dire. Cela ne fera pas une grosse différence pour moi de ne plus rien entendre. Et puis je ne peux pas rester là à attendre, il me faut de l'action. Compter sur les autres, ici, pour moi, c'était sans limites. Mais, là-haut, je ne leur fais aucune confiance.

La coque brisée du bateau ne craque pas, elle râle. L'image des corps déchiquetés qui flottent sans vie de l'autre côté, dans ces attitudes obscènes propres à la mort, défilent devant les yeux de Vania ouverts dans l'obscurité humide. Il sent l'angoisse l'étreindre. Ce n'est pas de mourir qu'il a peur, c'est de la négation qui s'ensuit. Il se sent révolté contre l'injustice qu'il y aurait à mourir sans avoir même pu justifier un peu de cette courte vie qui a été la sienne. Il n'y a même aucune esthétique à quitter l'existence désarticulé et gonflé d'eau, à être précipité comme n'importe quel autre corps vivant dans la chaîne alimentaire. Cette image le hante, c'est elle qui l'a décidé à quitter le navire. Anton percute une cartouche d'oxygène qui se répand lentement en chuintant.

Le silence s'est progressivement emparé de l'épave où chacun tente de s'arranger une couche acceptable. Vania près d'Anton s'est calé à même le sol contre une tuyauterie. Les heures s'égrènent et, quand le sommeil paraît poindre, le froid devient subitement insupportable. La mer a refroidi l'épave à la température des profondeurs. Il devient impossible de dormir. Vania en essayant de se retourner pour se convaincre du contraire réalise que sa hanche est mouillée. L'eau est là, déjà. Anton murmure :

— C'est ce que j'avais prévu.

Vania imagine qu'Anton sait déjà avec précision quand ils auront de l'eau à hauteur du menton.

Anton est prêt à tout, sauf à se faire surprendre. Un étau s'installe sans bruit contre les tempes des survivants. En montant, l'eau comprime la bulle d'air. La pression est déjà deux fois celle de l'atmosphère. Anton se donne quatre heures pour faire sortir les volontaires par le sas. Après ce délai, leur sortie risquerait de tuer les autres. Et si les secours n'interviennent pas, les autres ne vivront pas plus d'une vingtaine d'heures.

L'inquiétude, Anton ne lui laisse aucun répit. Il la combat

minute par minute, en lui opposant une froide méthodologie scientifique. Il lui arrive aussi de laisser ses pensées flotter à leur gré. Il se produit alors un curieux phénomène, son esprit se met à frayer avec la mort, à l'apprivoiser, à la rendre familière. Il imagine que la transition se fera sans violence, dans le froid de l'atmosphère ambiante et de l'eau, pour l'engourdir doucement, lui ôter la conscience, ralentir ses fonctions vitales comme si la mort se voulait respectueuse de ce qu'elle remplace. Il se force même à une sorte de curiosité pour l'au-delà et à l'imaginer plus apaisant qu'on ne veut le croire.

Le temps suspendu devient neutre, pacifié d'impuissance, chaque mouvement reste en suspens, confondu d'inutilité. L'eau continue à monter. Elle est à mi-mollets. Sans rien dire, les hommes se perchent pour fuir la crue. Anton se saisit d'un bout de papier et d'un stylo qui bave à cause de la pression et se met à écrire. La première lettre, très longue, sous forme d'un rapport, relate les événements dans un ordre chronologique, elle émet certaines hypothèses sur les causes du naufrage et fait une relation précise des circonstances qui ont suivi. Elle annonce que la décision a été prise tant que la pression le permet de sasser trois volontaires. C'est encore l'officier qui écrit. La seconde est une lettre à sa femme, une lettre d'adieu. Le style en est très impersonnel, car Anton se doute qu'elle sera lue avant qu'elle n'atteigne son destinataire final. Ensuite il s'en veut de s'être laissé guinder par le regard des autres et il lui écrit une vraie lettre d'amour. Il lui dit que ce sont les mêmes qui le tuent, lui et ses compagnons, qui les ont éloignés, elle et lui, en leur rendant la vie si difficile.

Peu après il organise l'évacuation des trois hommes alors qu'il est encore temps, avant que l'équipage ne soit complètement engourdi par le froid.

Ce déclin des hommes a été interrompu par le bruit d'un choc avec le sas dans les heures qui ont suivi. Ils s'y précipitent avec le peu de force qui leur reste. Torche en main, sans un mot, ils illuminent cette bouche d'égout d'où ils pensent voir venir leur salut. Ils ont entendu un choc quelque part, au-dessus. Ils frappent à leur tour contre la coque en prenant n'importe quel instrument à portée de lampe pour montrer que l'effort qui est entrepris n'est pas vain. Ils sont convaincus d'être sauvés.

Certains prennent conscience dans cet ultime effort qu'ils ne sont plus que des troncs. L'eau glacée leur enserre la taille. De nouveaux coups sont entendus autour du sas. Puis plus rien, plus un bruit, c'était un essai, ils reviendront bientôt. Ils sentent au plus profond d'eux-mêmes que la chance est de retour, que leur calvaire sera bientôt oublié, mais aucun n'a la force de manifester sa joie. Le corps à moitié paralysé par l'eau glacée et la tête écrasée par la pression, Anton n'arrive pas à réfléchir. Malgré cela, il trouve la ressource de décider qu'une nouvelle cartouche d'oxygène est nécessaire, le temps que les secours s'arriment sur le sas, l'ouvrent et les sortent, l'un après l'autre. Il n'a aucun moyen de savoir que la concentration en oxygène est excessive, donc explosive. À la percussion de la cartouche succède une énorme déflagration. Une boule de feu enflamme l'épave, chassant l'esprit qui habitait ces corps meurtris.

LA BELETTE

Le président s'est couché tôt, la veille. Il est en vacances au bord de la mer Noire. Dans une résidence où se sont succédé les souverains de l'empire. Les tsars blancs venaient ici avant la révolution chercher une chaleur estivale tempérée par la mer. Les tsars rouges ont perpétué cette tradition. C'est là que les humbles serviteurs du peuple venaient se ressourcer, parfois tout l'été, au milieu de ces essences qui restauraient leur odorat meurtri par ce froid si particulier au Kremlin qui vise les os plus que la chair. Le deuxième des tsars bleus s'y est installé en villégiature estivale pour ses premières vacances depuis son élection.

L'enfant chétif qui se faisait dérouiller dans les rues de Saint-Pétersbourg par les grands n'a jamais rêvé d'être un tsar. Il n'a pas ce tempérament romanesque. C'est un réaliste. Il a consacré les premières années de sa vie à prendre la mesure des autres au point qu'il nourrit pour eux, désormais, une haine raisonnable. Il doit beaucoup au judo. Cet art martial lui a permis de se faire respecter malgré sa taille modeste. Il est ainsi devenu le petit dont il faut se méfier, celui dont l'apparence physique ne dit pas tout de sa force. Un partenaire d'entraînement l'accompagne dans tous ses déplacements. Un rituel hygiénique qui suffit à le différencier de son prédécesseur, plus vieux, plus grand, plus autodestructeur, plus impérial dans sa façon de s'abreuver à la vodka, plus charismatique et un peu plus humain. Mais, pour diriger un empire, il faut, et c'est une qualité incontournable, être capable de descendre deux marches sans s'étaler comme une tache d'encre sur un buvard. L'ancien président n'en était plus capable. Le vieux commençait à faire un peu honte à son pays qui n'est pourtant pas le moindre. On a même cru qu'il allait y passer, victime de ses excès. Alors ceux qui faisaient tourner la nation pour lui, au quotidien, lui ont choisi avec son assentiment un successeur. Le nouveau président, avec ses yeux bleus de rongeur à peau précieuse, veut perpétuer la tradition des dirigeants qui agissent sans scrupules au nom d'un peuple qu'ils méprisent. Il a compris que ne jamais rien renier du passé et l'endosser sans honte est la meilleure façon de ménager son avenir.

Il est à peine 6 heures. Une brise tiède soulève les aiguilles de pin tombées sur la terrasse alors que le soleil, maigre filet lumineux, pointe à l'horizon. Ce lieu de villégiature est unique par son histoire et son confort qui s'offrent sans donner l'impression du faste. Après son petit déjeuner pris seul, le président se rend au tatami improvisé dans une salle pour une heure de judo. Après la douche, une séance de travail est prévue avec deux de ses conseillers.

Quand il sort de sa chambre en tenue décontractée, un homme de son cabinet est devant la porte.

— Le ministre des Armées, monsieur le président. Il vient d'appeler. Il semble que ce soit urgent.

— De quoi s'agit-il?

— Il n'a pas donné de précisions.

— Alors rappelez-le et passez-le-moi dans le bureau.

Le bureau est cossu. Les fauteuils sont des années trente, l'apogée de Staline, des clubs en cuir profond. Des livres que personne ne lit remplissent des étagères fixées aux murs. Sur leur tranche s'appuient des photos encadrées d'anciens dignitaires du parti communiste en vacances ici même. Personne n'a souhaité les décrocher. Le président s'assied derrière une large table qui scintille de propreté. Le téléphone sonne. Le président ne s'encombre pas avec les formules de politesse d'usage.

— Qu'est-ce qui se passe ?

Lui répond une voix sourde et chargée d'angoisse :

— Un de nos sous-marins a coulé pendant les manœuvres de la flotte du Nord en mer de Barents, monsieur le président.

— Depuis quand ?

— Il avait un rendez-vous avec la surface hier soir à 18 h 30 et 23 heures, et il n'a pas donné de nouvelles. Il est possible qu'il ait coulé vers 11 h 30 hier matin. Nous l'avons retrouvé avec le sonar du navire amiral vers 4 h 30.

— Qu'est-ce qui s'est passé ?

— On n'en sait rien. Nous avons plusieurs hypothèses.

— Lesquelles ?

— La première, c'est qu'il ait été touché par une de nos torpilles pendant les manœuvres. La deuxième, c'est qu'il ait été éperonné par un sous-marin de l'Otan qui le pistait. La troisième, c'est qu'il se soit accroché avec un sous-marin américain, qu'il y ait eu ouverture de porte, puis tir de missile préventif de leur part. La quatrième, c'est qu'un de ses propres missiles ait explosé à bord, soit par défectuosité, soit par sabotage.

— Quelle hypothèse est la plus vraisemblable ?

— Je ne sais pas, monsieur le président, à ce stade, je n'en sais vraiment rien.

La voix de l'homme de l'autre côté est moins troublée par la tragédie elle-même que par sa peur d'annoncer la mauvaise nouvelle au président.

— Combien d'hommes à bord ?

— Environ cent vingt.

— Peut-il y avoir des survivants ?

— C'est possible, en tout cas il semble que le sous-marin gît à moins de cent vingt mètres de profondeur.

— Ce qui veut dire ?

— Que c'est une profondeur accessible.

— Qu'allez-vous faire ?

— Nous dépêchons sur place un sous-marin d'intervention.

— Les réserves d'oxygène de l'équipage sont de combien de temps ?

— En théorie, trois bonnes journées, si ce n'est plus. Mais tout dépend de la façon dont le bâtiment est touché, s'il est étanche, si l'eau monte à l'intérieur.

— Existe-t-il un risque de catastrophe nucléaire ?

— Tant que nous n'aurons pas vu l'épave, nous ne pouvons pas nous prononcer. Un sous-marin d'observation devrait s'en approcher rapidement.

— Rappelez-moi à ce moment-là. Ne faites plus rien avant de m'en avoir parlé.

— Très bien, monsieur le président.

— Personne n'est au courant pour le moment, j'imagine.

— Personne.

— Je ne veux pas de fuite.

— Il n'y en aura pas.

Le président raccroche, contrarié. Il se dirige vers la salle de réunion où l'attendent deux de ses plus proches collaborateurs. Ils se lèvent à son entrée, il leur fait signe de s'asseoir en s'asseyant lui-même.

— Nous avons un problème.

Ni l'un ni l'autre n'osent poser de question. Malgré leur proximité avec le président, ils n'ont aucune intimité avec lui. Comment pourraient-ils d'ailleurs en avoir alors qu'il n'en a pas avec lui-même ? L'un comme l'autre remarque son visage contracté. Ses yeux bleus sont particulièrement agités et son petit menton disparaît sous ses mâchoires crispées. C'est un homme de pouvoir. Dans le sens où il a des comptes à régler avec le plus grand nombre. Il prend le temps de réfléchir sans rien dire, un poing fermé dans l'autre main ouverte. Il réfléchit autant à l'affaire elle-même qu'à la façon dont il va s'en entretenir avec ses conseillers. Ils ne doivent à aucun moment penser qu'il sollicite leur avis sur l'essentiel.

— Un de nos sous-marins a coulé pendant les grandes manœuvres de la flotte du Nord. On attend de connaître son état. On ne sait pas s'il y a des survivants. S'il n'y en a pas, nous n'avons aucun problème. S'il y en a, il va falloir réfléchir et vite.

Les deux collaborateurs gardent les yeux baissés, s'abstiennent de poser des questions. Le président poursuit, ses yeux glissant sur la longue table cirée qui s'étend devant lui :

— S'il y a des survivants, je pense que nous ne devons pas nous précipiter pour les récupérer.

— Mais... pourquoi, monsieur le président? ose le plus âgé des conseillers.

— Parce que, de victimes, ils deviendront des témoins, et des témoins d'autant plus crédibles qu'ils sont aussi victimes. Ce qu'ils diront sera entendu.

— On peut toujours les empêcher de parler, ce sont des militaires.

— Je n'y crois pas. Un jour ou l'autre il y aura une fuite. L'information est toujours assez libre dans ce pays, que je sache. C'est un piège. Je n'ai aucune idée de la façon dont cela s'est passé, mais je flaire un piège politique. Vous savez pourquoi?

Les deux conseillers hochent la tête. Le président semble rassuré, il est bien le président.

— Je ne vois que deux explications possibles à cette catastrophe. Une cause interne comme une défaillance technique, une erreur humaine ou un sabotage. Ce n'est pas le genre de cause que j'aurai envie d'avouer à la face du monde. La deuxième possibilité est externe. Un sous-marin de l'Otan l'a éperonné ou lui a lancé un missile. Si c'est cela, c'est très grave, nous serons obligés de réagir, car c'est un acte de guerre.

Il se prend le menton pour réfléchir et le presse entre son pouce et son index replié.

— Dans tous les cas de figure, je saurai gérer la vérité, à

condition de ne pas avoir de survivants dans les pattes. D'un autre côté, la crise perd son impact auprès du public si l'on remonte tous les sous-mariniers. Bien, je résume. Soit on a une chance de récupérer tout le monde, et c'est tant mieux, soit on a un nombre substantiel de morts et c'est un drame national. Compte tenu du prestige des sous-marins, cinquante morts dans l'un d'entre eux valent cinq mille cadavres en Tchétchénie. Mais s'il y a des survivants, nous serons très gênés, car leur vérité vaudra mille fois la nôtre au regard de l'opinion publique. Imaginez un instant qu'un survivant déclare que les Américains ont tiré un missile, comment démentir? Que dire après cela qui soit crédible? Rien, absolument rien.

Il réfléchit un petit moment en silence avant de conclure :

— Je crois que nous avons tout dit sur cette affaire à ce stade. Attendons les nouvelles.

Puis il réfléchit comme s'il était seul. Sa seule crainte vient de la pertinence des informations que les militaires vont lui transmettre. Si elles sont erronées, elles peuvent altérer son jugement. Il sait que cela ne serait pas pour déplaire à l'armée de voir ce président issu du FSB affaibli par sa première épreuve.

Il décide d'abandonner ce dossier pour le moment, faute d'éléments pour revenir à son ordre du jour. Le premier point porte sur les oligarques qui l'ont assis sur son trône et qui voudraient maintenant en faire un valet.

— Il faut être légaliste. On ne peut pas revenir sur les adjudications des entreprises, ni déterrer les morts. Je me suis engagé à ne pas toucher à l'entourage de mon prédécesseur et je ne le ferai pas. Je pense que l'arme fiscale est la meilleure. Ils ont dû soustraire des sommes colossales. L'assentiment de la précédente administration ne me concerne pas. On lance des contrôles sur les oligarques qui nous gênent. Les autres, on les laisse en paix, mais ils vont comprendre tout de suite ce qu'ils risquent à nous contrarier. Dans un an, soit nos cibles se seront exilées en nous laissant le contrôle de leurs entreprises, soit ils auront tous de graves problèmes. On va créer une brigade fiscale de haut niveau, protégée par la présidence et, je l'espère, incorruptible. On trouvera, c'est obligé, de graves délits fiscaux puisque jusqu'ici jamais personne ne leur a demandé sérieusement de payer leurs impôts. On leur proposera ensuite d'échanger leurs dettes fiscales contre des actions de leurs entreprises, et ceux qui résisteront, on les traînera au tribunal pénal. C'est combien, la fraude fiscale ?

— Jusqu'à douze ans d'emprisonnement, monsieur le président.

— Douze ans ferme, dans un goulag. Aucun de ces oligarques habitués au grand luxe ne pourrait y survivre. On va faire comme ça, on va initier les contrôles fiscaux, et ils vont comprendre que les choses ont changé. Déjà, je pense que cela les dissuadera de se constituer en force d'opposition.

Puis le président balaye les principaux dossiers en cours avec ses deux collaborateurs. Il est détendu dans sa chemisette blanche de tennis à manche courte. Pourtant son visage, lui, ne donne jamais aucun signe de relâchement. Cela tient certainement à ses yeux bleus dont l'émotion semble avoir été à jamais proscrite, à son menton volontaire mais court, à sa lèvre inférieure qui avance en faisant balcon, alors que celle du dessus vient la pincer pour donner ce sentiment de froide détermination qui domine sa face.

À la fin de la réunion, il salue ses collaborateurs assez froidement en leur donnant un nouveau rendez-vous de travail en fin d'après-midi.

Le déjeuner se passe en famille. La légèreté de l'air crée une sorte de vacuité propice à l'insouciance. Après le café, il retourne à son bureau où il étudie, un par un, les dossiers d'une pile.

Le lendemain, c'est le commandant en chef des forces navales qui l'appelle directement :

— Alors ?

— Nous avons envoyé un AS 35 pour l'inspecter et le photographier. Plus tôt dans l'après-midi nous avons essayé de lui amarrer une cloche, mais sans succès.

— Que dit l'inspection ?

— Le bâtiment a coulé à cause d'une importante voie d'eau à l'avant, provoquée par une explosion. Il est vraisemblable que tous ceux qui s'y trouvaient sont morts.

— Et à l'arrière ?

— Il y a des survivants, ils tapent contre la coque.

— Combien sont-ils ?

— Une vingtaine, je pense.

Le président fulmine :

— C'est le plus mauvais cas de figure.

— Pourquoi, monsieur le président ?

— Parce que, si nous parvenons à les récupérer, ils sont susceptibles de démentir tout ce que nous allons dire sur cette affaire. Quelle est la cause qui vous paraît la plus probable ?

— Difficile à dire, monsieur le président. Il est possible qu'une torpille ait explosé au moment de sa mise au tube. Mais des sous-marins américains n'étaient pas loin non plus.

— Et alors ?

— On peut imaginer une faible collision avec l'*Oskar*, que son commandant, dont nous connaissons bien le tempérament, se soit échauffé et ait ordonné une ouverture de porte avant lance-missile, ce qui dans le métier est un acte d'agression caractérisé. Ensuite, les Américains criant au fou auraient tiré un missile de barrage.

— Vous y croyez vraiment ?

— Non, ce n'est pas leur genre, nous avons déjà eu des collisions et jamais les choses ne sont allées aussi loin. Il reste toutefois qu'on a trouvé la balise de détresse d'un *Los Angeles*, soit qu'il ait été heurté par l'*Oskar*, soit qu'il se trouvait tellement près de lui au moment de l'explosion que celle-ci l'ait endommagé.

— Et l'explosion d'une torpille ?

318

— C'est une possibilité. Les torpilles qui devaient être lancées sont propulsées par un moteur alimenté qui fonctionne avec un liquide instable. Il est possible que ce liquide ait explosé, dégageant une telle chaleur que le compartiment lui-même ait été ensuite désagrégé.

— Et un sabotage ?

— Un des marins était tchétchène et deux ingénieurs embarqués à bord, justement pour tester des modifications de cette torpille, venaient du Daguestan. Il est impossible à ce stade de savoir si un acte de malveillance est à l'origine du naufrage. Doit-on rendre publique la nouvelle de l'accident ?

— Il le faut bien. Mais je ne veux pas avoir à m'exprimer tant que je ne saurai pas si des hommes sortiront ou non vivants de cette putain d'épave. Qu'allez-vous faire, maintenant ?

— Nous allons essayer de nous arrimer au sas de sauvetage avec un petit sous-marin *Priz*. Mais justement, monsieur le président, nous avons un problème à ce niveau-là.

— Lequel ?

— Ces sous-marins de sauvetage datent des années soixante, ils ont été entretenus plus ou moins bien en fonction des crédits alloués, et je ne crois pas que nous ayons des hommes expérimentés pour les piloter. De plus, pour être franc, je ne voudrais pas que le *Priz* reste coincé à son tour, et c'est un vrai risque.

— Et alors ?

— Les Anglais qui sont au courant de la catastrophe parce que, entre autres, ils avaient aussi un sous-marin sur zone proposent de mettre à notre disposition leur sous-marin de sauvetage *LR-5* qui vient d'être mis en alerte.

— Il n'en est pas question.

Un silence se forme alors des deux côtés.

— Je comprends très bien, monsieur le président.

— Vous comprenez ? C'est très bien, parce que je commençais à me demander quel genre d'hommes j'ai dans mon état-major. Imaginez une seule seconde que ces survivants nous

319

soient ramenés sur un plateau par un bâtiment de l'alliance atlantique. Dites-moi dès lors quelle est ma marge de manœuvre, allez, dites-moi !

— Aucune, monsieur le président.

— C'est cela, aucune. Et qu'est-ce que ça veut dire, hein ? Ça veut dire que le président de la Fédération de Russie est obligé de se conformer aux dires des survivants confirmés par ceux de l'équipage d'un sous-marin ennemi. Avez-vous en tête l'exemple d'une situation où le président de la Fédération de Russie pourrait être plus ridicule ?

— Aucun, monsieur le président.

— Alors démerdez-vous pour sortir vos hommes avec vos sous-marins de sauvetage rouillés, si vous en êtes capable. Sinon, cette épave leur fera une très honorable sépulture, mais jamais, vous m'entendez, jamais, je ne sacrifierai le prestige de la Russie en demandant l'aumône d'une aide internationale. Je ne suis pas responsable du mauvais état de vos matériels.

Le lendemain matin, le président se réveille tôt, comme à son habitude. La journée qui commence s'annonce calme. Le ciel bleu est à peine voilé par la vapeur qui monte de la mer. Il se sent en forme. Âgé d'à peine un demi-siècle, il est convaincu qu'il en abattra un autre. Le pouvoir conserve, mieux que le formol. Il sait que le cancer s'approche rarement des vrais hommes de pouvoir, il les craint.

Un appel du commandant des forces de la marine le cueille dans son bureau alors qu'il est en pleine lecture de notes confidentielles sur la situation en Tchétchénie.

— Alors ?

— Nous avons échoué. Il y avait trop de mer, nous ne sommes pas parvenus à nous coller au sas, nous avons effectué plusieurs tentatives sans succès.

— Et les survivants ?

— Ils ne se manifestent plus. Ils sont probablement morts, j'en ai peur.

— Vous en êtes certain?

— De toute façon, ils ne passeront pas les heures qui viennent.

— Très bien, alors il est temps d'autoriser les étrangers à leur porter secours. Sinon, j'ai bien réfléchi, on nous le reprocherait. S'ils les trouvent morts, cela signifie qu'ils sont incapables de faire mieux que nous. Qu'ils se dirigent vers le sas, mais ne les laissez en aucun cas approcher de l'avant, je ne veux pas qu'ils se forgent leur propre opinion sur la cause du naufrage. Quant à la théorie officielle sur la cause du drame à ce stade, il faut parler d'une fausse manœuvre et d'un tir de missile américain. Nous ne pouvons pas pour le moment faire état de nos propres défaillances, si c'est le cas. Et quoi de plus naturel que de venir au secours d'un sous-marin que l'on a soi-même coulé? Personne ne sera choqué. Tout ça me paraît assez bien joué. J'espère seulement pour vous qu'il n'y a bien aucun survivant. C'est au moins une prédiction que vous êtes capable de faire sans vous tromper, n'est-ce pas?

Le président raccrocha. Sa colère était déjà retombée. Il fit appeler le général Guennadi Ivanov. On ne le trouva pas tout de suite. L'homme était à la retraite et vaquait à des occupations champêtres. Il rappela finalement au milieu de l'après-midi. Le président lui fit part de la façon dont il avait géré la crise.

— Parfait, conclut le général, il n'y avait pas meilleure stratégie. Mais vous ne pourrez pas longtemps mettre l'accident sur le dos des Américains. Même s'ils sont vraiment responsables, on ne peut les accuser sans réagir. On ne va tout de même pas leur faire la guerre, et se contenter d'une protestation véhémente nous ridiculiserait. Accréditons l'idée qu'une vieille torpille a explosé et servez-vous-en pour mettre l'armée au pli en virant tous ceux que vous souhaitez dans la chaîne de commandement. Par ailleurs, je crois que vous devriez vous rendre sur place.

— Mais qu'est-ce que je vais dire aux familles?

— Vous trouverez. En tout état de cause, il ne serait pas correct que vous n'ayez pas interrompu vos vacances au soleil alors qu'un drame touche le pays.

Après avoir maugréé quelques mots inintelligibles, le président se rangea au conseil du général.

LE SILENCE DES MOTS

Vania n'avait pas pris la peine de nous appeler pour nous prévenir qu'il partait en manœuvres. Cet entraînement était si court qu'il n'avait pas jugé bon nous faire savoir qu'il en était. Son esprit était tellement occupé par son déménagement qu'il est aisé de le comprendre. Il faut ajouter que nous n'avons jamais été non plus des parents inquiets et démesurément protecteurs. Vania ne l'aurait pas supporté. Nous l'avons considéré, sa mère comme moi, adulte avant qu'il en ait eu l'âge. Il n'est donc pas surprenant que nous n'ayons pas su qu'il embarquait pour quelques jours. Ce dont j'aurais certainement pris ombrage en d'autres circonstances, c'est qu'il n'ait pas eu envie de partager avec nous la joie de cette première immersion durable, car ce n'était pas un événement anodin, mais l'aboutissement d'une passion qui l'animait depuis l'enfance.

Je me préparais à aller donner mes cours au lycée quand la femme d'Anton a appelé.

— Ils viennent d'annoncer à la radio que l'*Oskar* a coulé, mais l'équipage est sain et sauf dans l'épave qui n'est pas échouée très profondément.

Je me suis aussitôt inquiété pour mon ami. L'État est capable de tout dans notre pays, sauf de miracles. Je dirais même qu'il a une capacité unique de transformer une situation critique en drame avec une application surprenante. Je voyais bien la tragédie qui venait de se produire et je ne distinguais pas même les contours de la lueur d'espoir que les officiels essayaient d'alimenter. Puisque tout est affaire de probabilités, celle de voir réapparaître mon ami Anton avec son visage franc et son sourire enfantin d'homme qui ne connaît pas la malice me paraissait d'une affligeante faiblesse. Je n'en ai rien dit à Evguenia, mais pour moi il était mort, et s'il ne l'était pas, ce serait une résurrection. La marine n'était pas encore capable de dresser la liste des disparus, disait-elle, car deux équipages se partageaient en temps normal l'*Oskar* et ils ne savaient pas lequel avait pris place dans le sous-marin. Il faut avoir entendu ce genre de propos une fois dans son existence pour réaliser à qui nous avions confié la vie de nos êtres chers. Rendez-vous compte, la marine a besoin de temps pour savoir qui a embarqué sur un de ses sous-marins nucléaires. Rien ne dit que ce ne sont pas des Pygmées qui passaient par là qui aient appareillé. On n'est jamais sûr de rien. Du tragi-comique, nous sommes passés sans transition à la tragédie.

Anna, comme journaliste, a reçu à sa rédaction la liste des disparus de l'*Oskar*. Le nom de Vania y figurait. Elle s'est écroulée dans son bureau. Puis elle a pris sa voiture, s'est dirigée à toute vitesse vers la cité interdite, où un barrage de police renforcé pour la circonstance a voulu lui refuser l'accès. Elle a sorti sa carte de presse, ce qui les a fait bien rire, mais ils ont fini par céder devant ses hurlements, signe que toute cette armée de fossoyeurs ne se sentait pas vraiment à l'aise. Elle s'est précipitée dans l'appartement de son frère en enjambant les immondices et boîtes aux lettres hors d'usage qui encombraient la cage d'escalier. Elle a vidé le petit placard qui lui servait pour suspendre ses affaires et, après avoir consciencieusement fouillé chaque centimètre de l'habitation, elle en a conclu que son uniforme n'était pas là. Alors elle a ouvert la fenêtre du bouge et elle s'est remise à hurler, mais à la mort cette fois. Puis elle s'est évanouie. Des voisins sont entrés dans le cagibi dont elle avait laissé la porte ouverte et ont appelé une ambulance qui l'a conduite dans l'hôpital proche de chez nous, celui où Ekaterina avait été soignée après sa chute. Ils m'ont appelé pour me prévenir que ma fille leur avait été amenée de la cité interdite dans un coma léger, suite probablement à un choc émotionnel. Le temps de me rendre à l'hôpital, j'ai fait le rapprochement avec Vania. Je suis resté penché sur son lit jusqu'à ce qu'elle ouvre les yeux. Quand elle est revenue à elle avec cet air de terreur de quelqu'un qui regrette d'avoir retrouvé la conscience, j'ai compris que nous avions basculé dans un monde où il n'est plus question de vivre mais de se maintenir en vie. La frontière qui mène de l'existence à la survie est facilement franchissable. On ne peut pas perdre un enfant et continuer à adhérer à toutes ces petites choses dérisoires qui nous tiennent debout.

Je suis rentré à la maison en titubant. J'étais comme un ivrogne roué de coups sur son banc de misère qui sait qu'en dehors de la mort, il n'attend de nouvelles de personne. Ekaterina était seule dans l'appartement. Je ne lui ai rien dit. Si je l'avais fait, elle se serait effondrée et aurait oublié la raison de ses larmes moins d'un quart d'heure plus tard. Je me suis laissé tomber dans un fauteuil et j'ai regardé le plafond. Puis je me suis enfermé dans la salle de bains. Je ne me suis pas raconté d'histoire comme il est si facile de le faire dans ces circonstances-là. Je devais continuer à vivre, au moins pour ma fille et accessoirement pour ma femme dont j'avais la charge. La salle d'eau me paraissait le seul lieu propice où pleurer sans retenue. Alors j'ai pleuré. Puis je suis sorti de la salle de bains et je me suis englouti une bouteille de vodka. J'ai commencé à faire mon deuil alors que d'autres s'accrochaient à l'espoir ridicule que les officiels s'amusaient à entretenir comme la flamme d'un feu d'herbe humide dans un champ de neige. Je n'ai jamais marché avec eux, je m'en suis éloigné comme on le fait de la peste. Ils ont organisé des réunions avec des dignitaires qui avaient l'air d'enfants surpris à se donner du plaisir dans les toilettes d'une cour d'école. Il fallait voir leurs mines honteuses et ce regard plein de veulerie dont ils inondaient les réunions officielles. Ils avaient même prévu des doctoresses prêtes à enfoncer le dard de leurs seringues dans le derrière des veuves ou des mères qui s'en prendraient trop directement à l'autorité. C'est Anna, à peine rétablie, qui nous a représentés à cette mascarade funèbre qui n'en finissait plus. Plusieurs fois, j'ai cru qu'elle allait sombrer dans la folie.

Le président lui-même est venu de Moscou pour une réunion avec les familles où il était interdit de filmer. Ni Anna ni moi n'y sommes allés. Je n'avais aucune envie de voir cet homme-là. Pourtant je l'ai vu. Il était venu rendre une visite très médiatisée à la veuve du commandant de l'*Oskar*. Il a joué les offusqués en découvrant dans quelles conditions honteuses vivaient les familles de sous-mariniers à terre. Les services secrets avaient sécurisé l'immeuble. J'étais à ce moment-là dans l'appartement de Vania pour récupérer ses derniers effets personnels. Quand un type du service d'ordre est entré pour donner les consignes de dégager, je ne l'ai pas entendu, j'étais aux toilettes en train de pisser. Lorsque j'ai ouvert le robinet d'eau pour me laver les mains, pas une goutte n'est sortie, un incident fréquent dans ces immeubles. Alors j'ai quitté l'appartement avec un petit balluchon de vêtements sous le bras. Dans la cage d'escalier, je me suis retrouvé nez à nez avec le président. Il m'a tendu la main. Je ne pouvais pas lui tendre la mienne, vu que je ne me l'étais pas lavée, alors je l'ai mise dans ma poche et je me suis précipité dans l'escalier. Il m'a lancé un regard de tueur. Arrivé sur le palier, plus bas, un type de sa suite m'a coincé : « Pourquoi tu n'as pas serré la main du président ? — Parce que je venais de pisser et que dans ces putains d'immeubles l'eau n'est courante que certains jours. — C'est pas bien, ce que tu as fait », a-t-il ajouté, menaçant. Alors je l'ai médusé en lui lançant : « C'est pas grave, son grand-père et ma mère étaient de bons amis. S'il te dit quelque chose, rappelle-lui que je suis le fils de cette femme qui bavardait l'après-midi au Frais Ruisseau avec son grand-père quand celui-ci était le cuisinier de Staline. »

Ils ont finalement autorisé un submersible anglais à approcher l'*Oskar*. En moins d'une demi-heure, il a ouvert le sas de secours. Son équipage a constaté que des morts flottaient dans les compartiments arrière du sous-marin, calcinés du haut du crâne jusqu'à la ceinture. En dessous de la ceinture, ils étaient juste mouillés. Ils ont laissé les nôtres à leur sépulture. Il devait être encore trop tôt pour les remonter. Dans notre pays, on craint autant la parole des morts que celle des vivants, et on lui attache une importance telle qu'un mort n'est enterré que s'il n'a vraiment plus rien à dire.

Plus d'un an après, une barge hollandaise a remonté l'*Oskar* puis l'a ramené à son port d'attache après qu'on lui eut minutieusement découpé l'avant et tout ce qu'il recelait de trahisons possibles pour nos officiels. On a enfin pu sortir les corps. Mais il n'était pas encore question de les enterrer : une autopsie pourrait leur faire dire quelque chose qui confirme les propos des officiels. Chaque famille s'est vu attribuer un corps qui pouvait lui appartenir. Les étiquettes portées sur les combinaisons ont aidé à reconnaître ceux de l'avant. Les hommes de l'arrière, carbonisés, étaient certainement moins faciles à identifier, mais il fallait bien mettre un nom sur des restes et c'est ce qu'ils ont fait. Je ne suis pas venu à la cérémonie de remise des corps qui suivit le remorquage de l'*Oskar* à quai. Cette béance à la proue avait elle aussi quelque chose d'obscène, moins dans sa taille que dans la méticulosité fournie à la nettoyer pour la rendre présentable à la presse du monde entier. Le sacré, chez le plus impotent des singes, ne m'intéresse pas, et je me suis bien gardé de me joindre aux manifestations organisées par les officiels pour les familles éplorées.

J'ai pensé un moment que c'était en guise de représailles qu'on ne m'avait pas rendu le corps de mon fils. On ne me le restituait pas, mais comme toujours avec ces gens-là, on ne me disait rien. Mon ami Mikhaïl, le médecin légiste, a été dépêché de Moscou sur le tard et il est venu dormir à la maison. Il me tenait compagnie pendant les courts moments que lui laissait la tâche harassante d'autopsier près de cent vingt cadavres dans d'étranges conditions. Il n'était pas le seul, ni le chef, mais le responsable en second. L'armée avait ses propres spécialistes pour faire parler les morts, et de nombreux conflits de compétence se sont formés, on l'imagine sans mal. Tout le monde s'impatientait d'entendre la cloche qui allait sonner le début officiel de la période de deuil. En ce qui concerne ce deuil, j'étais très en avance sur les autres, mais cela ne paraissait pas être une raison valable pour qu'on ne me rende pas le corps de mon fils. L'explication est venue de Mikhaïl. Je l'ai reçue avec distance et précaution. Il lui a fallu quelques verres avant de me faire l'amitié de me révéler un secret d'État, jouant ainsi sa carrière et peut-être bien plus.

— Il manque trois corps, Pavel.

— Quoi?

— Voilà, c'est une affaire très grave. Tu ne peux pas imaginer l'effervescence que ça crée. Je te le dis, aussi vrai que Staline a existé, Dieu le maudisse, trois corps sont portés manquants, dont celui de Vania.

— Et tu es certain qu'ils ont bien regardé partout dans le sous-marin?

— Certain.

— Et ils n'auraient pas pu glisser hors du bateau?

— Impossible.

— Même s'il manque trois corps, celui de mon fils pourrait avoir été confondu avec celui de quelqu'un d'autre?

— C'est impossible, nous savons que ton fils se trouvait à l'arrière. Et tous les corps ont été identifiés avec leurs objets personnels. Je peux te le dire à toi, ils étaient vingt-trois à l'arrière. On a rendu pratiquement toutes les montres des victimes à leurs parents. Certains n'en ont pas voulu à cause de leur odeur de putréfaction, mais personne n'a eu de doute quant à l'identité de leur propriétaire. Nous avons aussi retrouvé des lettres, dont une sur le corps de ton ami Anton. Il dit que, malgré le surcroît de pression que ça risque de provoquer par l'entrée d'eau, il se prépare à sasser trois volontaires, les seuls d'ailleurs, car les autres préfèrent attendre les secours en qui ils ont parfaitement confiance. Et les Hollandais ont trouvé un sas très accessible et très facile à manœuvrer.

La fiction n'est jamais désagréable pour agrémenter une réalité bien pesante. Tout en gardant mes distances avec cette théorie, j'ai poursuivi :

— Si l'on admet qu'ils aient quitté le sas, que peuvent-ils être devenus ?

— Ça, je n'en sais rien. Très honnêtement, ils ont dû arriver en haut très diminués. Et si personne ne les a récupérés rapidement, ils sont probablement morts de froid.

— Mais il y avait beaucoup de bateaux sur la zone. Des Russes comme des étrangers.

— Il est donc possible, pour ne pas dire vraisemblable, qu'ils aient été récupérés.

— Mais on aurait entendu parler d'eux depuis tout ce temps-là !

— Pas forcément. Si des étrangers les ont sauvés, ils peuvent les garder au secret pour les protéger, mais aussi pour les empêcher de dévoiler des informations qui concerneraient leur propre implication dans le naufrage. Ou alors des Russes les ont hissés à bord de leur bateau, puis mis au secret comme témoins gênants. Ou alors d'autres Russes ont mis la main dessus et, sachant ce qu'ils risquaient, se sont chargés de les cacher pour qu'ils ne tombent pas aux mains du FSB. Ou alors ils ont dérivé, ils sont morts, et un de nos bateaux les a retrouvés et on s'est bien privé d'en parler parce que encore une fois on n'a pas réussi à sauver nos hommes. Ce que je peux te dire, parce que tu es mon ami, c'est qu'ils n'ont pas trouvé trace de leur corps. Maintenant attends-toi à ce qu'on te présente un cercueil parce qu'ils n'ont pas l'intention d'accréditer leur disparition.

Il est plus fréquent qu'on vous annonce la mort de quelqu'un qui a disparu depuis des mois que la possible survie d'un des vôtres dont le décès vous a été annoncé depuis plus d'un an. Au début, je n'ai pas voulu m'accrocher à cette idée, ce qui ne m'a pas empêché d'en parler à Anna, ma fille, et à Boris. Mais, à aucun moment, je n'en ai parlé, comme si Vania allait revenir un jour. Je suis parti du postulat que nous ne le reverrions jamais, mais qu'il avait de bonnes chances d'être en vie quelque part, dans un lieu secret dont on le sortirait peut-être un jour quand, par un long processus de décantation, la vérité se mettrait à surgir parce qu'elle ne serait plus une gêne pour personne.

Dans une jeune démocratie comme l'Amérique, quarante-cinq ans n'ont pas suffi pour faire la lumière sur l'assassinat d'un de ses présidents. Dans une vieille dictature comme la nôtre, beaucoup plus ancrée dans la bureaucratie et le mystère, un bon siècle avant d'accéder à la vérité sur la mort d'une grosse centaine de marins n'a rien d'un luxe. Peut-être lui a-t-on laissé la vie sauve en échange d'un changement d'identité et d'une promesse de silence. Parfois je vais jusqu'à m'autoriser à penser que mon fils n'est pas doté d'un amour filial tel qu'il veuille risquer sa vie pour nous faire savoir qu'il est vivant. Il sait que sa mère a perdu la mémoire, elle le croit donc certainement encore en vie. Quant à sa sœur et à moi, il s'imagine peut-être que nous sommes capables de vivre avec ce deuil. On se fait plein d'idées comme ça, qui se déplacent dans l'esprit comme une houle de pleine mer et c'est tellement mieux.

Mikhaïl a pris beaucoup de risques pour me divulguer ces informations. Elles m'ont redonné un peu le goût de vivre. Alors, pour le remercier, j'ai organisé une petite fête avec Boris qui est venu à la maison et nous avons bu jusqu'à 5 heures du matin.

— Le feu, Pavel, voilà ce qui les a tués. Je ne parle pas de ceux qui étaient à l'avant, ils ont explosé. Ne me demande pas la cause, mais je peux te dire qu'ils ont été atomisés. Mais, à l'arrière, ils ne sont pas morts asphyxiés. Leurs poumons ont explosé. De peur de manquer d'air, ils ont libéré trop d'oxygène à partir de cartouches et cet oxygène a fini par exploser. Ils sont morts dans des conditions atroces, brûlés jusqu'aux os. Je crains qu'ils ne soient morts dans d'horribles souffrances.

Cette narration de la fin d'Anton nous a consternés. Lui, c'était certain, nous ne le verrions plus jamais, et si Vania était vivant quelque part, il y était sans doute pour beaucoup. L'ambiance fut très particulière ce soir-là. Une atmosphère de retour d'enterrement sans mort à enterrer. L'alcool aidant, nous avons charrié Mikhaïl sur son métier. Qu'est-ce qui peut bien pousser un médecin comme lui, aussi brillant, à choisir la médecine légale ? « Parce que l'erreur médicale sur un mort est sans conséquences, il ne reviendra jamais se plaindre. »

C'était la thèse de Boris. J'en ai avancé une autre : « Une peur viscérale de la mort qui l'oblige à la fréquenter tous les jours en croyant l'apprivoiser. » Mais Mikhaïl ne savait rien répondre d'autre que l'intérêt scientifique qu'il portait à son métier. Il nous a raconté plusieurs histoires, mais la plus sidérante était en relation avec l'histoire d'un colonel de l'armée russe en Tchétchénie. Les haut gradés avaient l'habitude d'organiser des descentes dans les villages, pour y rançonner les villageois les plus fortunés « afin de payer les études de leurs enfants à Moscou », avaient-ils l'habitude de dire pour se justifier. Un jour un colonel entre avec ses hommes dans une maison, mais n'y trouve qu'une fille de dix-sept ans. Alors il la viole longuement. Il est surpris par une autre patrouille, le pantalon sur les chevilles, tentant gauchement de se rajuster. Le fait serait resté sans importance si la fille n'avait pas résisté et si le colonel n'avait pas décidé de la tuer. Les parents ont porté plainte sans espoir auprès des autorités russes stationnées là. C'est un type bien, car il existe des types bien même dans les sales guerres, qui a enregistré la plainte et différents témoignages qui accablaient le colonel. Finalement l'armée n'a pas pu faire autrement qu'ouvrir son procès. Le corps a été remis à Mikhaïl en lui demandant d'essayer de ne pas conclure qu'il y avait eu viol. Selon l'armée, le meurtre était acceptable pour la famille, mais pas le viol. Après avoir examiné le corps, Mikhaïl a établi que la jeune fille avait été sodomisée. Il a transmis son rapport au militaire en charge de l'instruction qui l'a chaudement remercié en lui disant :

— Je suis rassuré que vous n'ayez pas trouvé trace de viol.

— Comment, je n'ai pas trouvé trace de viol ? a hurlé Mikhaïl sidéré.

— Selon notre terminologie, le viol n'est révélé que par la pénétration de force des organes génitaux. C'est ainsi. Et, à ma connaissance, le bout des intestins n'est pas un organe génital, comprenez-vous ? Et vous dites bien dans votre expertise qu'aucune lésion du vagin n'a été observée, n'est-ce pas ?

Le colonel a été condamné à cinq ans de prison pour meurtre. Il exécute sa peine comme bibliothécaire à la bibliothèque publique de la région que préside désormais l'homme qui était son général du temps des faits. Il devrait être libéré prochainement pour bonne conduite.

Il est difficile de rire de ce genre d'histoire et nous avons profité du froid qu'elle a jeté pour nous verser un autre verre, avant de sombrer les uns après les autres. Au petit matin, dans un brouillard d'alcool qui n'était pas près de se dissiper, Mikhaïl est reparti faire ses autopsies et je me suis demandé comment, à une heure aussi matinale, le foie retourné, il pouvait ainsi manipuler des restes humains. Je ne me suis pas levé le matin. Le renflouement de l'*Oskar* avait fait grand bruit dans la région et personne ne s'est étonné de mon absence au lycée ce jour-là. Quand l'histoire se joue devant vos yeux, aussi près que les tréteaux d'une troupe amateur jouant Tchekhov sur une estrade scolaire, et que les faits n'ont même pas le temps de basculer dans le passé avant d'être falsifiés, comment se lever par un matin froid de novembre pour intéresser des adolescents à cette fiction qui se prend pour une science ?

Je ne me suis même pas levé de la journée. Ekaterina est venue me demander plusieurs fois si j'étais malade, je lui ai répondu plusieurs fois que non, mais ça ne servait à rien, car elle l'avait aussitôt oublié. On a fait aux dépouilles reconstituées pêle-mêle des funérailles grandioses, pathétiques, comme si l'on purgeait une dernière fois les familles pour s'assurer qu'il ne resterait pas une goutte d'eau dans les conduits lacrymaux en hiver au moment des grandes gelées. Je les ai suivies à la télévision du fond de mon lit, et je me suis dit qu'heureusement, ils n'avaient remonté que des loques gorgées d'eau de mer, sinon ils auraient encore été capables de les embaumer à la mode soviétique.

Parfois, dans la vie, on mériterait un petit coup de main. On ne peut pas toujours déranger ses amis. On est tenté de s'adresser à Dieu, mais tant de gens se sont mis entre lui et nous, qu'on hésite à l'approcher. Réintégrée dans ses droits, l'Église orthodoxe a retrouvé son naturel d'auxiliaire des oppresseurs. Et le nécessiteux comme moi se retrouve seul dans son champ de ruines à errer parmi les décombres. J'apprivoise le doute. Il peut être le plus fidèle des compagnons. Il est le seul signe de la foi. Vivre religieusement, c'est vivre dans le doute et accepter de porter ce fardeau. On devrait excommunier tous ceux qui disent avoir trouvé Dieu et tous les autres qui s'en servent pour leurs petites affaires privées. Je sais que Vania est mort. Mais il reste une petite place pour le doute, cadeau d'un de mes amis, et je m'en contente. C'est le divin de toute cette affaire. Je n'imagine pas qu'il soit parvenu vivant à la surface et qu'on l'ait mis au secret ou achevé pour le faire taire. Non, je pense qu'il n'a pas survécu à la remontée, qu'un accident cérébral l'a emporté. Que son corps ait été récupéré par la marine, c'est probable. Alors pourquoi ne pas me le restituer ? Parce que c'est un des trois seuls cadavres intacts que cette épave a été capable d'expulser. Les autres étaient carbonisés de la tête à la taille ou plus simplement désintégrés. Ce mort présentable gênait les autorités. Lui et ses deux camarades, ils ont préféré ne pas les faire réapparaître. Mais, faute de certitude absolue, l'infime part de doute qui subsiste m'aide à ne pas sombrer à mon tour. Je ne voudrais voir personne venir m'en priver par souci de vérité.

Comme un voilier qui finit par se caler dans la brise, la vie s'est installée dans la monotonie rassurante du confort bourgeois auquel mes nouveaux moyens me permettaient d'accéder. Je passais mes journées avec Alexandra et je ne revenais dans notre appartement que le soir, quand la grand-mère quittait son poste. Sous nos latitudes, le printemps ne suffit pas à faire renaître la nature à la vie. Mais, dès que la neige a fondu pour de bon, je me suis précipité à l'isba que Boris m'avait offerte et j'y ai passé la plus grande partie de mes jours. J'y conduisais Ekaterina au moins une fois par semaine, et elle montait à cheval. Au début nous partions en randonnée tous les deux et, quand je l'ai trouvée assez assurée, je l'ai laissée toute seule. Sa mémoire défaillante après un moment, même si elle s'améliorait sensiblement, ne suffisait pas à la ramener à son point de départ, mais celle du cheval la relayait pour achever une grande boucle qui lui donnait la sensation fugace de maîtriser son destin. Elle revenait les joues empourprées et le regard agrandi, fière d'elle même si elle n'en disait rien, et je mesurais ainsi le bien que lui faisaient ces escapades solitaires à dos de cheval. Les autres jours, je venais avec Alexandra. J'impressionnais Eugène, le vieux garde de la forêt pelée, qui se demandait comment un type comme moi faisait pour avoir deux femmes.

— Le secret de la polygamie, lui ai-je dit une fois, c'est une navrante infidélité aux femmes et une réconfortante fidélité à d'autres valeurs souvent oubliées comme de ne jamais abandonner personne.

Il m'était difficile d'entrer avec lui dans le détail de ma vie et de lui expliquer que je n'étais vraiment pas libre de faire ce que je voulais. C'était le genre de réponse qui le faisait rire, mais qui le fascinait, parce que tout cela était gratuit, lui qui dilapidait sa petite retraite dans des étreintes fugitives et souvent décevantes avec la gardienne du cimetière de réacteurs nucléaires plus au nord de la presqu'île, sans compter le temps et l'effort que demandait le voyage en traîneau à skis en hiver ou à roulettes quand la neige avait fondu. Eugène avait un nouveau passe-temps. Il nourrissait à quelques kilomètres de chez lui une portée de louveteaux abandonnés par leur mère, probablement morte, et par la meute poussée à l'Est par des chasseurs. Il m'a emmené les voir. Ils se comportaient avec lui comme des chiens domestiques. Quand je lui ai demandé pourquoi il ne les rapprochait pas de son isba, il m'a dit que ce serait un problème avec les chiens, mais que, surtout, les louveteaux risquaient de le considérer comme le mâle dominant. Ce rôle voulait dire qu'un jour leur relation risquait de se terminer tragiquement pour lui, quand, trop vieux, il ne serait plus crédible comme mâle Alpha, et ce jour-là il risquait d'être tué par la meute ou plus simplement par celui qui voudrait lui succéder.

— Nous avons déjà un gouvernement qui veille à écourter notre vieillesse, je comprends que tu ne veuilles pas le priver de ce plaisir, lui ai-je dit en souriant.

Je sentais qu'il regrettait le temps où je venais le voir seul. La présence d'un tiers, une femme qui plus est, ôtait à nos conversations leur intimité d'autrefois. Un jour que nous étions seuls tous les deux, je lui demandai s'il trouvait toujours le courage de rallier la casse des sous-marins.

— La gardienne en a rabattu sur les prix, m'a-t-il confié, elle me fait des rabais et il arrive même qu'elle me compte une partie gratuite. Mais elle est très occupée en ce moment. À ce qu'elle dit, des experts occidentaux sont là pour nous aider à dénucléariser le lieu. On a un tel sens du secret qu'ils s'imaginent qu'on cache des choses monstrueuses. C'est fait pour qu'ils mettent beaucoup d'argent sur la table, comme ça, nous, on peut mettre un maximum de pourris autour de cette table et chacun y trouve son compte. Tu vois, il n'y a que moi qui quitte cet endroit les poches vides. Quand ils commenceront les travaux, j'imagine qu'ils feront venir des ouvriers. Ces ouvriers auront besoin d'une femme et ils feront monter à nouveau les prix. C'est ça, le marché, Pavel Sergueïevitch!

Alexandra n'était pas très attirée par les chevaux, ou plutôt elle en avait peur. Elle les trouvait trop imprévisibles pour leur confier sa vie, et j'avais beau lui expliquer que ces deux-là n'étaient pas dangereux, car ils vivaient sans crainte, elle ne voulait rien entendre. Au fond, je crois qu'elle avait très envie de partager avec moi de longues randonnées dans ces immensités sauvages, mais elle ne voulait pas avoir de cheval en commun avec Ekaterina. C'était une forme de respect qu'elle lui manifestait. Alexandra n'était pas jalouse, son fatalisme presque oriental le lui interdisait. Elle savait compter, en particulier, le temps qu'il nous restait à être ensemble et à notre âge dans un pays où la moyenne de vie ne dépasse pas cinquante-cinq ans. Elle ne voulait pas perdre de temps en mauvais sentiments. La sortie de l'hiver nous faisait passer progressivement de la vie de somnambule à celle d'insomniaque. Elle m'accompagnait à la chasse et à la pêche. Nous partions loin, et plus l'année avançait vers l'été moins nous risquions de nous faire surprendre par la nuit qui survolait alors le cercle polaire comme un rapace qui fait mine de viser une branche avant de s'envoler de plus belle. Je l'emmenais dans les coins où les saumons retrouvaient leur lieu de naissance pour y mourir. Ils venaient poser leurs œufs dans le lit de rivières que leur mémoire chimique exceptionnelle leur avait permis de retrouver au terme de milliers de kilomètres d'un parcours épuisant. Puis, là, victimes d'un système immunitaire en panne, ils se laissaient mourir. Il nous arrivait de dormir à l'isba ou de nous improviser un campement de fortune dans des lieux plus reculés où nous ne rencontrions jamais personne. Il n'est pas rare qu'un couple se dise seul au monde, mais là nous l'étions pour de bon dans ces étendues sans fin où la nature paraît à son avantage, cachant sa maladie comme une vieille femme autrefois coquette le fait de son déclin. Des forêts entières de bouleaux semblaient malades, les branches des arbres maigres comme les bras de Don Quichotte. Nous avions toujours beaucoup de peine à rentrer en ville où l'idée de nous séparer pour la nuit devenait chaque jour plus pénible. Le verbe fait beaucoup pour les débuts d'un couple, mais, les mois passant, la qualité des silences devient plus importante. Les silences ne mentent pas et ils ont une façon de se remplir aussi spectaculaire que les mots de perdre leur sens.

L'argent que j'ai investi dans les affaires de Boris a très vite prospéré et, après quelques mois où je suis resté un investisseur passif, je me suis décidé à lui donner un coup de main au bureau et même parfois en mer, ce qui m'obligeait à prendre l'air du large. Les premiers temps, dès que je voyais un objet flotter, je tendais le cou comme s'il pouvait s'agir d'un indice lié à Vania.

Un jour où je revenais d'une sortie en mer qui m'avait un peu assommé, tant le vent soufflait, j'ai trouvé une jeune femme devant la porte de notre appartement. De taille moyenne dans cette région où les filles sont immenses, elle avait un visage délicat avec une bouche arrondie comme celle qu'on dessine sur les poupées de son. Elle venait justement me voir. Je l'ai fait entrer et s'asseoir alors que je m'affalais dans mon canapé. J'ai fait du café pour nous deux, car j'ai compris qu'elle en avait pour un moment et qu'elle venait m'entretenir d'une affaire sérieuse.

— Voilà, je m'appelle Svetlana Chikova et je travaille comme serveuse dans le restaurant qui est en bas de votre immeuble.

— Il me semblait bien que je vous avais déjà vue quelque part, ai-je répondu. Même si je ne suis pas allé souvent dans ce restaurant, il m'est arrivé de vous croiser devant.

Je l'avais d'ailleurs vraiment remarquée, car elle était ravissante.

Elle avait cet air renfrogné des filles qui savent ce qu'elles veulent et qui n'ont pas l'intention de céder, mais quoi, je ne le savais pas encore.

— Bon, a-t-elle repris en se tordant les mains qu'elle avait visiblement moites. Je suis venue parce que cela a un rapport avec votre fils Vania. Je l'ai connu un peu avant la catastrophe, et nous avons eu des relations. Je suis tombée enceinte, j'ai fait enlever l'enfant. Ça m'a coûté très cher. Alors je suis venu vous demander de l'argent. Je ne suis que serveuse et je vis avec ma mère qui est veuve et retraitée des chemins de fer. J'ai dû emprunter cet argent et je n'arrive pas à le rembourser. Tout le monde sait que les familles des victimes de l'*Oskar* ont touché des indemnités ou je ne sais quoi et je trouve normal d'en profiter un peu.

J'ai fait celui qui prend poliment en considération sa requête.

— Pourquoi n'es-tu pas venue me voir avant l'avortement?

— À ce moment-là, il n'était pas encore question que les familles touchent de l'argent, a-t-elle répondu très directement.

Je me suis remonté dans le canapé où j'avais glissé et je l'ai bien regardée, alors que son regard fixait le sol comme une mauvaise élève qui vient de commettre une faute.

— Il faut que je te dise une chose, Svetlana. Tu as l'air d'une bonne fille, mais sais-tu que, depuis qu'on a annoncé que les familles allaient être indemnisées, un nombre incalculable de femmes se sont présentées comme héritières présumées des disparus, comme mères d'enfants illégitimes, comme maîtresses cachées, comme régulières ignorées... À les croire, tu ne peux pas imaginer à quel point ces pauvres sous-mariniers avaient une vie compliquée. Alors explique-moi comment tu as connu mon fils.

— Au restaurant, il est venu deux fois, pendant les quinze jours qui ont précédé le naufrage. Et nous avons couché ensemble dès notre première soirée. Il n'a pas pris de précaution et je suis tombée enceinte.

— Et vous avez couché où?

— Dans une voiture que lui avait prêtée un de ses amis officiers, je me souviens même de son nom, Anton. Nous ne pouvions pas aller chez moi à cause de ma mère, il venait juste d'obtenir son appartement, mais je n'avais pas d'accréditation pour l'accompagner à la base, alors nous nous sommes arrêtés dans la campagne. Quand je suis tombée enceinte, j'ai hésité, hésité, et il était déjà tard quand j'ai décidé de le faire enlever. Ils ne voulaient pas, alors j'ai été obligé de payer cher, très cher. Trois cents dollars. Il me faudra dix ans pour rembourser cette somme, mais peut-être que pour vous ce n'est pas tant que ça, vous comprenez ?

Je n'avais jamais rien fait pour les autres, et il faut bien dire que les autres n'avaient jamais fait grand-chose pour moi non plus. Pour être sincère, je n'avais pas vraiment envie de discuter. Inutile de lui demander si elle avait un justificatif, alors j'ai transigé à cent dollars et je lui ai dit que je ne voulais plus jamais entendre parler d'elle, en tout cas si c'était pour qu'elle me parle d'argent. Elle a roulé les billets dans sa petite main et elle est partie assez fièrement.

Un mois plus tard, je faisais le plein d'alcool et de salaisons au supermarché qui est sur la route de l'aéroport. Je poussais tranquillement mon chariot sans prêter attention au couple qui avançait devant moi, me tournant le dos. La femme tenait un enfant collé à sa hanche par son avant-bras. L'enfant s'est tourné vers moi. Même emmitouflé dans sa chapka, j'aurais reconnu son visage entre mille. Des traits qui me ramenaient vingt-trois ans en arrière. Ce bébé était la copie conforme de Vania au même âge. Je me suis approché, le bébé m'a souri. Je me croyais victime d'une hallucination cruelle. J'ai allongé le pas. Me sentant derrière elle, la mère s'est retournée. C'était elle, Svetlana, les yeux horrifiés. Du regard, j'ai mendié une explication, mais je l'ai vue allonger le pas en se serrant contre l'homme qui était à ses côtés. Je ne pouvais pas détacher mes yeux de l'enfant qui continuait à me fixer gaiement. Elle a certainement senti que j'allais perdre mes moyens alors, sous je ne sais quel prétexte avancé à son compagnon, elle s'est écartée de lui et m'a conduit dans un recoin du magasin. Quand nous avons été hors de portée du regard de son homme, elle m'a supplié :

— Je vous en prie, ne faites pas de scandale.

— Je n'ai pas l'intention de faire de scandale, ai-je répondu, les yeux hagards.

— Je vais vous expliquer, mais promettez-moi de ne pas faire d'histoire.

— Je ne ferai pas d'histoire.

— C'est le fils de Vania, mais j'étais encore avec cet homme-là quand j'en ai pincé pour Vania. Je lui ai fait croire que c'était notre enfant pour qu'il m'épouse. Je vous en prie, ne gâchez pas tout.

— Je ne veux rien gâcher, mais c'est le fils de mon fils, vous comprenez...

Elle a voulu partir tout de suite, mais je l'ai retenue par la manche. Voyant cela, je ne sais pas ce qui est passé par la tête de l'homme qui l'accompagnait, il a dû croire que je la harcelais et il m'a foncé dessus. La force physique est parfois indépendante de la masse musculaire dont est habillé le corps. J'avais un avantage sur lui. Un fond de désespoir saumâtre et le besoin d'exhumer des mois de tristesse. Je ne l'ai touché qu'une fois, mais avec une telle violence que j'ai brisé son nez en petits fragments irréconciliables. Aveuglé par le sang et la douleur, il a cessé le combat en se tenant le visage entre les mains. Le gérant du magasin a alerté la police qui s'est saisie de moi avec autant de moyens que si j'étais un terroriste tchétchène. J'ai passé presque le reste de la journée au poste au milieu de la misère ordinaire d'une cité post soviétique du cercle polaire. La police a fait son procès-verbal, j'ai été condamné en comparution directe à payer une forte amende doublée d'une indemnité, et l'on m'a interdit d'approcher ce couple à jamais sous peine de me mettre en prison. J'y avais d'ailleurs échappé seulement parce que j'étais le père d'un disparu de l'*Oskar*, et dans cette ville c'était encore une distinction.

Je suis allé voir ensuite un avocat pour me faire expliquer comment je pourrais récupérer cet enfant qui était du sang de mon fils. Il m'a dit qu'une telle procédure était possible en faisant une demande de reconnaissance en paternité, mais que seul le père était habilité à la faire. Or le père était mort, et même s'il me venait l'idée de faire une demande moi-même, il fallait le corps du père pour faire des tests ADN et... bref, c'était très compliqué. Je me suis finalement rendu au restaurant où travaillait Svetlana et sans lui parler je lui ai glissé une enveloppe où je lui proposais une grosse somme d'argent pour que la paternité de mon fils soit reconnue. Elle ne m'a jamais répondu, preuve que, en dépit du manque d'argent, elle avait ce type dans la peau même après que je lui ai écrasé le nez. Mon fils n'avait été qu'un écart dans une ligne de conduite floue. C'est une étrange sensation de savoir que votre descendance est élevée dans la même ville que vous sans que vous soyez autorisé à l'approcher. J'ai hésité à en parler à Anna, mais elle risquait de l'apprendre un jour, le hasard a tellement de complices sur cette terre.

— Et qu'est-ce que tu comptes faire, m'a-t-elle demandé, les yeux exorbités, comme si je devais faire très attention à ma réponse.

— Je compte faire ce qu'il y a à faire, mais je ne vois pas quoi pour le moment, le droit n'est pas en notre faveur.

— Le droit, voilà que tu comptes sur le droit dans ce pays, maintenant.

Elle était dans une colère sourde, d'une violence assez peu ordinaire.

— Alors je vais m'en occuper.

Elle n'avait comme indice que le travail de Svetlana dans ce restaurant au bas de mon immeuble. Je n'ai su qu'un peu plus tard ce qui s'était passé.

Elle a suivi la serveuse. Et, un jour où elle était avec son mari, elle s'est plantée devant lui et lui a raconté toute l'histoire. Il n'a pas fallu ensuite plus d'une semaine pour que Svetlana sonne à la porte avec le bébé dans les bras. Son mari l'avait mise dehors.

Dans un premier temps, je l'ai installée dans l'appartement avec l'enfant. Sa grand-mère ne parvient pas à comprendre ce que le petit fait là, mais le mouvement que cela crée autour d'elle lui est bénéfique. Svetlana a changé du tout au tout depuis qu'elle habite chez nous. Elle ressemble à un petit animal sauvage qui comprend progressivement les bienfaits de la domestication. Elle n'a pas été longue à considérer que nous étions sa nouvelle famille, ce que j'explique par le fait qu'elle n'en a jamais vraiment eu. Quelques minutes m'ont suffi pour me faire une opinion sur sa mère, une femme desséchée. Anna, qui est à l'origine du stratagème qui a ramené l'enfant parmi nous, a mis un peu de temps à fraterniser avec Svetlana. Puis il s'est passé un étrange phénomène. J'ai senti qu'elle lui rendait grâce d'avoir assuré la descendance de son frère. Il faut désormais faire vivre toute cette drôle de communauté et cette responsabilité me plaît, car elle m'oblige à aller de l'avant. Qui de l'extérieur aurait pu comprendre notre vie et la mienne en particulier, pris entre deux femmes qui vivent de chaque côté d'un palier, élevant l'enfant de mon fils disparu ? Le plus compliqué, ce fut d'expliquer à Ekaterina qui était cet enfant et plus encore qui était cette jeune fille qui se comportait maternellement avec lui. D'autant plus qu'en regardant le petit Youri, elle imaginait que ses troubles avaient empiré, car elle voyait en lui son propre fils au même âge. Des traits identiques, une tranquillité comparable derrière son regard bleu, et la même sérénité devant l'existence qui s'ouvrait à lui. Chaque fois qu'elle nous le demandait, nous répondions que Youri était le fils de Vania. La même question suivait :

— Où est Vania ?

Et je répondais toujours la même chose :

— Il sera là dans quelques jours.

L'enfant me rassurait énormément. Parce que c'était un garçon qui allait se transformer en homme devant mes yeux. Je ne serais donc plus désormais dans ma famille le seul de ce sexe. Je me suis un peu demandé où Anna avait trouvé cette énergie pour nous ramener l'enfant. Et quand elle m'a annoncé qu'elle avait son visa pour Israël, j'ai compris.

J'imagine que les courts démêlés que j'ai eus avec la police, à propos de cette affaire de bagarre, sont à l'origine de la venue d'un homme qui s'est présenté à l'appartement quelques jours plus tard. Il était d'une politesse livresque. Il appartenait au ministère de la Défense, je ne saurais dire quel département, et je n'ai pas été long à comprendre qu'il venait me demander des comptes.

— Comment se fait-il que vous soyez encore ici, monsieur Altman, alors que le contrat qui nous liait stipulait très clairement que vous deviez quitter la région pour Saint-Pétersbourg où un appartement vous a été alloué, et il semble qu'il soit toujours inoccupé. Par ailleurs, il m'est venu aux oreilles que vous avez été en contact avec un journaliste étranger.

— C'est vrai, j'ai donné un coup de main à ma fille qui est journaliste pour des traductions, mais n'ayez crainte, j'ai convaincu ce bonhomme que la version officielle était la bonne.

— Laquelle?

— Je ne me souviens plus, il y en a eu tant. La dernière en date, je peux vous l'affirmer. Et concernant le fait que nous soyons toujours ici, je dois vous avouer que je suis victime d'un problème majeur, ma femme souffre d'amnésie antérograde, sa mémoire ne se recharge pas, et si nous devions emménager ailleurs, elle ne s'y reconnaîtrait pas, ce qui la condamnerait à vivre comme un légume. Mais, d'un autre côté, je sais que notre grande administration ne peut souffrir d'exception, c'est ça, n'est-ce pas?

— C'est ça. Nous ne voulons plus une famille dans la région. Et si vous restez, nous allons tout vous reprendre.

— Et me rendre le corps de mon fils?

— Pardon?

— Je me demandais si vous alliez aussi me reprendre le corps de mon fils, parce qu'il faut vous préciser, ce qui fait de moi une exception encore, j'en suis désolé, que nous sommes une des rares familles à qui il a été impossible de restituer un corps. Il fallait que vous le sachiez, mais ça n'a rien à voir et ce n'est certainement pas suffisant pour provoquer votre clémence.

— J'ai bien peur que non.

— Je comprends, mais j'imagine que nous pouvons trouver un arrangement... ou pensez-vous que la situation soit désespérée?

— Elle ne l'est pas.

— Je m'y attendais, pour être franc. Je vais même être franc jusqu'au bout en vous disant que l'argent qui m'a été alloué a été investi dans la pêche au crabe royal. Et... vous êtes là pour quelques jours?

— Je peux rester un jour de plus, si c'est nécessaire.

— C'est nécessaire car, voyez-vous, je voudrais vous montrer un exemple réussi de reconversion dans l'économie de marché de l'argent des larmes. Si vous restez discret, et c'est votre intérêt, je pourrai vous emmener demain sur un des bateaux de notre flottille, vous serez impressionné, et vous verrez tout l'intérêt à ce que nous trouvions un arrangement, vous et moi...

Nous nous sommes regardés un moment, silencieux. Puis il a souri d'un seul côté de la bouche, l'autre n'était probablement pas dupe de son immoralité. J'ai repris en souriant à mon tour, une façon de souligner le sous-entendu :

— Je pense vraiment qu'il est préférable que vous ne parliez à personne de cette équipée, les meilleures affaires sont celles qui se pratiquent entre fantômes, vous me suivez?

Avec un air entendu, il a hoché la tête. Je l'ai regardé et j'ai pensé que ce type était loin d'avoir cinquante-cinq ans. Dans un autre pays que le nôtre, il aurait pu vivre facilement trente ans de plus.

Il est bien rare qu'on puisse manger du crabe royal dans le Grand Nord, à part quelques pauvres qui le braconnent. Toute la pêche part à l'exportation. C'est le sort des produits de luxe de ne jamais être consommés par ceux qui les produisent, les récoltent ou les pêchent. On ne trouve sa chair raffinée que dans les plus grands restaurants de Moscou, de Saint-Pétersbourg, d'Occident et d'Asie. Les riches qui s'en délectent n'ont pas le palais assez fin pour distinguer les crabes gavés du pire de l'humanité de ceux nourris de la chair de nos enfants.

*Composé et achevé d'imprimer
par la Société Nouvelle Firmin-Didot
à Mesnil-sur-l'Estrée, le 17 janvier 2007.
Numéro d'imprimeur : 82594.
Dépôt légal : janvier 2007*
ISBN 978-2-07-077652-8/Imprimé en France.

16095